"A GREAT ...
W...
YOU?

FOR BETTY
ONLY!

23/9/2012

PETER KLASEN

NOWHERE ANYWHERE
Photographies 1970-2005

TEXTE DE DANIEL SIBONY
Machinations érotiques

Editions Cercle d'Art

Machinations érotiques

La photo c'est de l'écriture avec des ombres et des lumières – dont la couleur est une variante éclatée, une onde parmi d'autres. Mais l'artiste ajoute aussi l'ombre-et-la lumière qui l'habite, qui le tourmente, il l'apporte avec lui dans ce qu'on appelle son point de vue.

Erotic Machinations

Photography is about writing with shadows and lights, with colors as a conspicuous variable, a wave amongst others. But artists add the light-and-shadow that haunt them from within; they convey them through their point of view.

Erotische Ränkespiele

Das Foto ist eine Schrift aus Licht und Schatten. Seine Farbe ist nur eine bunte Variante, eine der Wellen des Lichtspektrums. Der Künstler aber fügt dem Foto durch das, was man als seinen Blickpunkt bezeichnet, das Hell-Dunkel hinzu, das in ihm wohnt, das ihn bewegt.

Ces points de vue de Klasen, ces photos, sont souvent des matériaux de son œuvre picturale, sur un mode original que nous préciserons. Ce sont donc des passages. Pourtant arrêtez-vous y, prenez le temps d'y réfléchir : de voir votre regard s'y réfléchir sur le sien, celui de l'artiste qui s'est posé en voyeur pour surprendre dans ces machines, wagons, essieux, camions, tuyaux et autres containers, un *événement du corps*, de son corps. Un événement pulsionnel, érotique qui nous concerne – du moins Klasen le prétend. Si c'est vrai, *l'artiste aura atteint l'universel par la voie du plus singulier* : celle où il a, dans ces objets lourdement "industriés", saisi les traces d'une quête de vie, la sienne, et d'une requête contre le monde - qu'il perçoit dans sa double face : menace contre la vie et pourtant ouverture ou promesse.

Klasen's photographs, his points of view, are often materials from his pictorial work used in an original manner. Therefore, they are passageways. Stop in front of them. Take the time to think about them, to see your gaze reflected in his — in the gaze of an artist passing himself off as a voyeur. He does this in machines, freight cars, axles, trucks, pipes, and other containers, in order to take by surprise *a corporal event,* an event of his own body. An erotic event that involves us, or at least Klasen thinks so. If he's right, he has arrived at *the universal by a most singular path*. With these heavily "industrialized" objects, he has grasped hints of the pursuit of life, of his own life, and of an appeal to the world he sees as double: something life-threatening yet, at the same time, an opportunity, a promise.

Diese Blickpunkte, diese Fotos von Peter Klasen liefern häufig die Grundlage seines malerischen Werks. In welch origineller Art und Weise er sich ihrer bedient, soll hier dargestellt werden. Sie bilden also Übergänge. Dennoch sollte man kurz vor ihnen innehalten, sich Zeit nehmen und über die Fotos nachdenken. Man spürt, wie der eigene Blick auf die Fotos den Blickpunkt des Künstlers reflektiert, der den Blickpunkt des Beobachters eingenommen hat, um ein *Ereignis des Körpers*, seines Körpers in den Maschinen, Eisenbahnwaggons, Achsen, Lastwagen, Rohren und anderen Behältern zu entdecken. Dabei handelt es sich laut Klasen um ein triebhaftes, erotisches Erlebnis, das uns betrifft. Falls das stimmt, *hätte der Künstler über das Einzigartige das Universelle erreicht*. Er hat in diesen „industriellen" Objekten die Spuren der Lebenssuche, seiner Lebenssuche und die einer Forderung an die Welt entdeckt, die er in ihrer Doppelseitigkeit wahrnimmt: Bedrohung des Lebens und Öffnung bzw. Versprechen zugleich.

Il y fallait du culot, du courage, car ces objets sont pour nous plutôt ingrats, banals, d'une autre génération. Mais c'est en eux que s'est générée une question de Klasen dans le monde où ils furent produits : quoi faire de "la" réalité, celle qui nous entoure ? Comment y reconnaître son désir, comment inscrire ses obsessions dans sa texture implacable de métal ? Dans ces photos, Klasen fait *abstraction* des corps (on n'en voit pas un), mais ce qu'il cherche dans le désert métallique, à travers bâches, manettes, volants, châssis, cordages et nœuds, ce sont les traces d'une jouissance et d'une détresse têtues – gravées dans ces "fabrications", dans ce *faire* par l'usage et le temps. Il veut retrouver le corps dans le décor qui l'évacue ou qui l'"absente". Ces objets ont marqué son histoire, et c'est pourquoi il les fixe du regard, de l'objectif, comme s'il ne pouvait aborder le regard de ces machines que par celui d'une autre machine, son appareil. Il fouille donc du regard les entrailles métalliques du corps social - où naguère s'affairaient des personnes qui, depuis, se sont raréfiées : des ouvriers en bleu de chauffe qui laissaient là leur sueur, celle de leur corps à corps avec le fer et les machines. Sa visée est très claire : atteindre le vécu par l'objectal, l'inconscient par le réel, l'étrange par le banal, et toucher l'image de soi *dans* la machine.

For this Klasen needed nerve and courage, because we see these objects as rather ungrateful, banal, outdated. But they inspire questions about an artist in the world that produced them: What do we do with "the" reality that surrounds us? How do we recognize desire? How do we carve our obsessions into metal's rigid texture? In his photographs, Klasen makes an *abstraction* of bodies (we don't actually see any in his photos). In this metallic desert of tarpaulins, bolts, wheels, frames, cables, and knots, he searches for traces of pleasure and distress, carved in his "inventions", in this *fabrication*, by usage and time. These objects shaped his history. That's why he fixes his gaze (the lens) on them, as if he could not confront the gaze of these machines except with another: his camera. He rummages around the metallic entrails of the social body, where long ago people scurried about — workers, now scarce, in their blue-collar garments, leaving behind the sweat of their struggle with iron and machines. Klasen's goal is clear: To arrive at the experience through the object, the unconscious through the real, the unusual through the ordinary; and to reach one's own image *in* the machine.

Dazu bedarf es der Unerschrockenheit und des Mutes, denn diese Gegenstände sind für uns eher nutzlos, banal, einer anderen Generation zugehörig. Aber durch sie ist Klasen mit einer Frage konfrontiert worden, welche die Welt betrifft, die sie hervorgebracht hat: Was sollen wir mit „der" Realität anfangen, die uns umgibt? Wie sollen wir in ihr unser Begehren entdecken, wie können wir unsere Obsessionen in ihren erbarmungslosen, metallischen Aufbau einschreiben? In seinen Fotos *abstrahiert* Klasen zwar die Körper (man sieht nicht einen einzigen), aber trotzdem begibt er sich in der Metallwüste, in den Planen, Hebeln, Rädern, Gestellen, Seilen und Knoten auf die Suche nach den Spuren einer unabhängigen Freude und Verzweiflung, die sich durch den Gebrauch und die Zeit in diese „fabrizierten Objekte", in diese *gestalteten Formen* eingraviert haben. Er möchte den Körper in der Umgebung wiederfinden, die ihn aussiedelt oder ihn „entfernt". Diese Gegenstände haben Klasens Leben geprägt. Deswegen fixiert er sie mit dem Blick, mit dem Objektiv, als ob er nur durch den Blick einer anderen Maschine, nämlich seines Fotoapparats, den Anblick dieser Maschinen ertragen und Zugang zu ihnen finden könnte. So sucht er mit seinem Blick die metallischen Eingeweide der Gesellschaft ab – in denen sich einst Menschen zu schaffen machten, die inzwischen selten geworden sind: Hochofenarbeiter in Blaumännern, die dort den Schweiß ihrer Körper vergossen, der durch die harte körperliche Arbeit in Strömen floss. Klasens Absicht ist offensichtlich: das Erlebte durch das Objektale, das Unbewusste durch das Reale, das Fremde durch das Banale erreichen und das Selbstbild *in* der Maschine entdecken.

Tant pis si ces objets ne sont plus vraiment les nôtres : ce ne sont pas des consoles, des *computers*, des portables, des caméras, des avions, des fusées, ni ces terribles écrans qui ne nous lâchent plus du regard et où s'acheminent nos destins virtuels via le déchaînement numérique, la dynamique digitale qui rythme nos moindres appareils et leur donne une mémoire. Un conducteur de TGV travaille plutôt sur l'ennui - il "pointe" chaque "trente secondes" pour dire qu'il est simplement là. Et notre quincaillerie d'appareils et de gadgets est parfaitement habillée de plastique ou d'acier, masquant ses fils et ses infimes réseaux de puces.

Ce ne sont pas nos objets mais notre *rapport* à l'objet qui est ici impliqué, notamment à l'objet où se porte le désir : au sexe, aux tripes, à l'emboîtement des corps, à leur étreinte, leur laminage, leurs machinations.

Ces objets de Klasen, c'est du corps brut, ils n'ont pas de mémoire, et c'est lui qui la leur donne. Il leur impose la mémoire de son regard et celle du temps qui passe sur eux. Du coup la mémoire de ces objets est celle du temps qui passe sur nous, et qui fait de nous ses objets.

Toutes ces choses métalliques ne sont pas prises dans le réseau du numérique mais, en fait de nombre, ce sont de pauvres chiffres au dos des camions, des containers, sur les cadrans : contrôles des pressions, du débit. On n'est pas dans les *bits* mais ça *débite*. Pourtant, c'est dans ces choses, à travers elles, que l'artiste vient poser sa question de vie, entre détresse et jouissance ; c'est là qu'il vient chercher le passage, parce que toutes ces machines ont quelque chose d'*anthropomorphe*.

Peut-être est-ce le cas de tous nos objets techniques : l'homme ne pense qu'à produire des images de lui-même, des répliques de ses membres, de ses gestes. Les objets techniques sont des mémoires d'actes humains, des miroirs-mémoires de faits humains naturels rendus opératoires par le cadrage qui les retient, les exprime, leur donne corps, les interprète. Tout ce que l'homme fabrique joue un rôle de miroir et se révèle anthropomorphe, parce que l'homme veut se prolonger, s'étendre, mettre une prothèse à son bras avec des grues géantes, prendre avec un container tout ce que ses mains ne peuvent contenir et

Never mind that these objects are no longer ours: they're neither consoles, computers, cell phones, cameras, airplanes, rockets, nor those dreadful screens that never leave our sight, that pilot our virtual destinies via digital outbursts, the digital dynamic that controls even the most minor devices and offers them a memory. A conductor of the TGV high-speed train works with boredom – he "clocks in" every "thirty seconds," simply to say he's still there. Seamlessly clad in plastic or steel, our battery of appliances and gadgets hides its wiring, its miniature networks of memory chips.

What is involved here is not our objects but rather our *relationship* to them, particularly to those where desire lies: sex, guts, interlocking bodies, with their embraces, their heaving, their intrigues, their machinations.

Klasen's objects are simply raw material without memory. He gives them the memory of his gaze, of time spent. As a result, the memory of the objects is the memory of time passed, which turns us into objects.

These metal things don't come from the digital network, but are just stupid digits on the back of trucks and containers, on dials: pressure and speed monitors. We are not in the world of "bytes," but they have such "bite." And it's in and through these things that the artist questions life, amongst anxiety and pleasure; it's there that he looks for the passageway, because these machines have an *anthropomorphic* quality.

Perhaps it is so with all our technical objects: Man thinks of producing only images of himself, replicas of his limbs, of his gestures. Technical objects are memories of human acts — mirror-memories of natural human events made operational through the casing that contains them, expresses them, gives them body, interprets them.

Everything man creates becomes a mirror and reveals itself as anthropomorphic, because man wants to stretch out and elongate himself: He adds a prosthesis to his arms with giant cranes; he scoops us everything too big for his hands with a container and moves it elsewhere, using roads and railways. He stretches his memory as well as his puny, inadequate body. There are techniques for communicating, to spread

Dass die dargestellten Gegenstände nicht mehr wirklich unserem Erfahrungshorizont entsprechen, ist nicht wichtig: Es handelt sich eben nicht um Tastaturen, Computer, Laptops, Kameras, Flugzeuge und Raketen und auch nicht um diese furchtbaren Bildschirme, die uns nicht mehr aus dem Blick verlieren und auf denen bald durch die digitale Entfesselung unsere virtuellen Schicksale zu sehen sein werden. Die digitale Dynamik rhythmisiert unsere Kleingeräte und verleiht ihnen mit dem Speicher ein Gedächtnis. Die Arbeit eines ICE-Lokführers ist eher durch Langeweile geprägt – er drückt „alle 30 Sekunden" einen Knopf, nur um seine Anwesenheit zu bestätigen. Und unsere wahllos angehäuften Geräte und technischen Spielzeuge sind komplett mit Plastik oder Metall ummantelt, um so ihr Innenleben, die Drahtnetze und winzigen Chipkarten zu verbergen.

Klasen Gegenstände sind nicht die unsrigen, aber sie implizieren unsere *Beziehung* zu Objekten, insbesondere zu solchen Objekten, auf die sich unser Begehren richtet: auf das Geschlecht, auf die Eingeweide, auf die Verbindung von Körpern, ihre Umschlingung und Umrankung.

Klasens Objekte sind rohe Körper ohne Erinnerung. Er ist es, der sie ihnen gibt. Er bürdet ihnen die Erinnerung seines Blickes und die der Zeit auf, die über sie hinweggeht. Infolgedessen ist die Erinnerung dieser Objekte zugleich die der Zeit, die über uns hinweggeht und uns somit zu ihren Objekten macht.

All diese metallischen Dinge entstammen nicht dem digitalen Netz, sondern es handelt sich um einfache Ziffern aus der Zahlenwelt. Sie finden sich auf der Rückseite von Lastwagen und Containern, auf Anzeigetafeln: Druck- und Absatzkontrolle. Wir bewegen uns nicht in der Welt der *Bits*, sondern des zahlenmäßig erfassten Ab- und Umsatzes. Dennoch stellt der Künstler in diesen Dingen, durch sie, hin und her gerissen zwischen Lust und Verzweiflung, seine Lebensfrage ; dort sucht er den Übergang, denn all diese Maschinen haben etwas *Anthropomorphes*.

Vielleicht trifft das auf alle unsere technischen Geräte zu: Der Mensch denkt nur daran, Ebenbilder seiner selbst, seiner Gliedmaßen, seiner Gesten herzustellen. Die technischen Objekte sind Erinnerungen an menschliches Tun, Spiegel-Erinnerungen natürlicher menschlicher Begebenheiten, die funktionsfähig werden

mettre ailleurs ; il déplace le tout avec des containers sur la route et les rails. Il étend sa mémoire et il étend son petit corps si limité. Il y a les techniques pour communiquer, pour porter loin la parole et le regard ; elles questionnent d'autant plus leur contenu souvent pauvre. Ici, les objets anthropomorphes sont massifs : les volants, les tiges, les tuyaux, sont des vagins, des verges, des boyaux... Et il y a les objets de transfert : trains, camions et containers. Klasen impose à ces objets la cohérence du corps qui jouit, qui souffre, qui s'use, qui se déglingue mais qui s'accroche.

Et c'est dans ce grand Corps artificiel que l'artiste vient *objecter*, c'est-à-dire trouver l'objet de sa question, sa question d'origine : *comment ça se machine entre deux sexes* ? Comment ça *fait* entre un corps sexué et le corps social, lui aussi doté de "sexe" ? - en tout cas d'organes jouissants et implacables.

Disons-le tout net : Klasen est saisi par le sexuel, il aime le retrouver partout, mais l'obsession que cela induit, il sait la sublimer dans l'acte créatif - qui commence par ces photos d'*engins* variés pour s'épanouir en rébus éclatants où corps social et personnel s'entrechoquent dans leur trauma et leur présence.

Exemple de capture photographique : l'image du camion A où, en même temps que l'éternel verrou-phallus dressé, tout blanc, on voit le fantôme d'un autre camion qui se reflète, sur la paroi du premier. Du coup, le verrou phallique fait lien entre les deux poids-lourds (les deux routiers ? Leurs deux "engins" ?) Prenez cela comme un symbole du "travail" que l'on peut faire sur chaque photo. Ici, c'est un rapport sexuel entre deux camion (neur) s, à travers l'image où l'un vient *s'encastrer* dans l'autre, sans autre "accident" que le corps à corps érotique ; cela interprète l'accident comme un corps à corps érotico-meurtrier. En fait, ç'aurait pu être le même camion qui se mire dans son propre "corps", dans sa carcasse brillante, dans un tête-à-queue cette fois auto-érotique. Ici, le métal "réfléchit" en captant le reflet de l'autre.

his words and his gaze; they question all the more their meager contents. In this case, the anthropomorphic objects are hefty: wheels, shafts, pipes are vaginas, cocks, guts... And there are also objects of transference: trains, trucks, and containers. Klasen imposes on them the body's logic — the body that feels pleasure, suffers, deteriorates, falls apart, yet perseveres.

And it's in this grand artificial Body that artists come to *objectify*, in other words, to find the object of his most basic questions: *How do things work between the two sexes? How does it work between a sexual body and the social body, which also has its own "sex" or, in any case, which has organs capable of pleasure and unyielding.*

Let's tell it straight: Klasen is possessed by the sexual. He loves finding it everywhere, but knows how to sublimate his obsession in the creative act, beginning with photos of various *engineworks* that blossom into dazzling rebus puzzles, in which social and personal bodies jostle together in their suffering, in their physical reality.

One example of the photographic still: an image of a truck A. On its façade, one sees a huge phallus-bolt, erect and totally white, the ghost reflection of another truck. As a result, the phallic bolt links the two Mack trucks (the two truck drivers? or both of their "engines"?) Take this as a symbol of the "work" one can accomplish with each photo. Here, it's a sexual relationship between two truck (er) s, seen through an image in which one comes to *fit* into the other, with no "accident" other than the erotic struggle. The "accident" would be interpreted as a deadly erotic battle. In fact, it might be the same truck, whose image is reflected in its own "body, "its own brilliant carcass — a 180° spin, this time to auto-eroticism. Here, metal "reflects" by capturing the other's reflection.

durch den Rahmen, der sie aufnimmt, ihnen Ausdruck und einen Körper verleiht, sie interpretiert. Alles, was der Mensch herstellt, dient als Spiegel und erweist sich als anthropomorph. Denn der Mensch will sich zeitlich und räumlich ausdehnen, seinen Arm mit einer Prothese zu riesigen Auslegern verlängern und alles, was seine Hände nicht fassen können in einen Container füllen und woanders hinbringen. Das Ganze transportiert er in Containern auf der Strasse und auf Schienen. Er dehnt sein Gedächtnis und seinen kleinen begrenzten Körper aus. Es gibt Kommunikationstechniken, um das Wort und das Bild über weite Entfernungen zu übermitteln. Umso mehr stellen sie den oft dürftigen Inhalt in Frage. In Klasens Kunst sind die anthropomorphen Objekte massiv: die Speichenräder, Stangen und Rohre sind zugleich Scheiden, männliche Glieder und Gedärme... Und es gibt auch Transportmittel: Züge, Lastwagen und Container. Klasen verleiht diesen Objekten die Konsistenz des Körpers, der genießt und leidet, der sich abnutzt, selbst zerstört und sich dennoch ans Leben klammert.

Und diesem großen künstlichen Körper tritt er entgegen, das heißt dort findet er das Objekt seiner Frage: *Was geht zwischen den beiden Geschlechtern vor sich?* Was geht zwischen einem geschlechtlichen Körper und der Gesellschaft vor, die auch mit einem „Geschlecht", in jedem Fall aber mit unerbittlichen Lustorganen ausgestattet ist?

Offen gesprochen: Klasen ist vom Sexuellen besessen, er sieht es überall. Die Obsession, die dieses Verhalten mit sich bringt, sublimiert er im kreativen Akt. Der kreative Prozess beginnt mit den Fotos verschiedener *Maschinen* und entfaltet sich in explodierenden Bilderrätseln, in denen dann der individuelle und gesellschaftliche Körper in ihrem Trauma und ihrer Präsenz aufeinander stoßen.

Hier ein Beispiel für das, was er mit der Kamera eingefangen hat: Das Bild des Lastwagens A, in dem neben dem weißen, ewig aufgerichteten Riegel-Phallus die Schemen eines weiteren Lastwagens zu erkennen sind, der sich auf der Fläche des ersten spiegelt. So stellt der phallische Riegel eine Verbindung zwischen den beiden LKW (den beiden Lastwagenfahrern? ihren beiden „Maschinen"?) her. Dies ist ein Symbol für die „Arbeit", die man an jedem Foto verrichten kann. Hier handelt es sich um eine sexuelle Beziehung zwischen zwei

A

Et si le métal réfléchit, pourquoi pas vous ? – au point de faire place, en vous, à la forme de l'autre, virtuelle mais insistante. Beaucoup n'ont pas atteint la sagesse de ces deux camions : certaines structures narcissiques n'intègrent même pas l'image de l'autre, elle serait trop menaçante pour le fonctionnement.

En tout cas, Klasen cherche dans ces engins l'accident de langage (qu'on appelle aussi lapsus), l'effet de sens produit par la coïncidence. Mais quand cela s'exprime, comme ici, par le biais d'engins puissants et de machines, cela devient la rencontre violente entre l'homme et lui-même à travers ce qu'il machine. C'est la trouvaille de vie et de mort où l'homme percute le miroir de sa technique et s'y encastre - même en silence : personne n'a rien entendu, mais le wagon (changeons d'image) a mené sa cargaison de viande humaine jusqu'au four, comme le camion a porté sa cargaison de viande bovine jusqu'aux boucheries, avec en route quelques arrêts où deux camions (voire deux trains) se sont regardés, sans rien réfléchir que l'image d'eux-mêmes.

Ces photos sont aussi des images en miroir. Certes, il y a du miroir dans toute œuvre, et dans ce qui nous fait face, on cherche l'image de soi. Mais devant la machine on refuse de se reconnaître. Et c'est ce refus que Klasen *traverse* : il prend des machines et son regard leur rentre dedans, pour voir ce qui se passe dans nos corps et avec le corps social.

La technique exprime l'irrépressible envie de *faire* qui nous habite, qui nous sert à tromper l'angoisse. Et dans ce qui est *fait*, Klasen vient non pas défaire mais surprendre ce qui s'est réellement produit. Il ne vient pas "brouiller" le sens, selon un cliché obligé de l'art contemporain, il ne peut pas se le permettre car il cherche du sens dans ces masses de métal glauques, dans toute cette *métallurgence*. C'est pourquoi il ne prend pas le chemin de certains artistes (tel Caro) qui rassemblent des restes chaotiques et pulsionnels de métal et de ferraille. Lui, c'est dans l'ordre qu'il révèle le chaos silencieux dont il cherche l'ombilic ; et dans la machine agencée il va chercher l'image parlante, ou plutôt signifiante ; qu'il fera parler dans le langage du corps, même si le corps est absent.

And if metal reflects, why don't you? To the extent of making space within yourself in the shape of the other, virtual yet unrelenting. Many have not attained the wisdom of these two trucks: Certain narcissistic structures don't even integrate the image of the other; it would be too threatening.

In any case, with these engineworks, Klasen is searching for accidents of expression (one might refer to them as "slips"), in which meaning comes from coincidence. But when expressed through powerful engines and machines, as is the case here, a violent encounter occurs between man and himself from what he has developed. It's the discovery of life and death in which man crashes into the mirror of his technique and gets stuck in it, even in silence. No one has heard anything, but the freight car (to change the image) has led his cargo of human meat to the ovens, just as the truck carried cattle meat to the butchers, with a few stops on the way during which the two trucks (or two trains) looked at each other, reflecting nothing but their own images.

These photos are also mirror images. Certainly, all artwork contains mirrors; in anything we deal with, we look for images of ourselves. But in front of a machine, one refuses to recognize oneself. And it's this refusal that Klasen *confronts*. He takes his gaze inside machines to see what happens inside our own bodies and with the social body.

Technique expresses the irrepressible desire to *make* that which inhabits us, that which helps us deceive our anxiety. And in that which is *made*, Klasen's intention is not to undo, but to take what actually happened by surprise. His doesn't "scramble" meaning, in keeping with obligatory contemporary art clichés; he can't allow himself to, because in these dreary masses of metal, in all this *metallurgency*, he is actually looking for meaning. Therefore, his path is not the same as that of certain other artists (Caro, for instance) who reassemble chaotic debris from metal and scrap iron. Here, order reveals the silent chaos in which one searches for the umbilical. In a well-constructed machine, Klasen searches for a talking, or rather, significant image, to make it speak in body language, even if there is no body.

Lastwagen (-fahrern), die durch das Bild zustande kommt, in dem sich das eine in das andere einfügt, es kein anderes „Ereignis" gibt als diese erotische Konfrontation ; das Ereignis wird also als erotisch-tödliche Konfrontation interpretiert. Genau genommen hätte es sich auch um denselben Lastwagen handeln können, der sich in seinem eigenen „Körper", in seinem glänzenden Panzer spiegelt und mithin eine auto-erotischen Drehung um die eigene Achse vollführt. In diesem Fall „reflektiert" das Metall, indem es die Spiegelung des Anderen einfängt.

Und wenn das Metall reflektiert, warum nicht auch man selbst? Und zwar, indem man im eigenen Kopf Platz macht für die virtuelle, aber beharrliche Gestalt des Anderen. Viele haben die Weisheit dieser beiden Lastwagen nicht erreicht: bestimmte narzisstische Strukturen integrieren noch nicht einmal das Bild des Anderen, das eine Gefahr für das eigene Funktionieren darstellen würde.

Jedenfalls versucht Klasen in diesen Maschinen die (freudsche) Fehlleistung, den durch Zufall hervorgerufenen Sinneseindruck aufzudecken. Wenn sie jedoch, wie im vorliegenden Beispiel, mittels schwerer Geräte und Maschinen offenbar wird, entwickelt sich daraus durch das, was er anzettelt, ein gewalttätiges Aufeinandertreffen des Menschen mit sich selbst. Es ist dieser über Leben und Tod entscheidende Augenblick, in dem der Mensch das in der von ihm selbst hervorgebrachten Technik enthaltene Spiegelbild - auch in aller Stille - anstößt und sich darin einfügt: Niemand hat etwas gehört, und doch hat der Eisenbahnwaggon (um ein anderes Motiv heranzuziehen) seine menschliche Fracht bis an die Verbrennungsöfen transportiert, so wie er seine Ladung Rindfleisch bis zu den Schlachtereien bringt. Bei einem gelegentlichen Halt auf der Strecke haben zwei Lastwagen (beziehungsweise zwei Züge) sich gegenseitig angesehen und dabei lediglich ihr Selbstbildnis reflektiert.

Klasens Fotos sind auch Spiegelbilder. Zwar ist jedem Werk dieser Spiegelcharakter eigen, und auch wir suchen in allem, was uns begegnet, unser Ebenbild. Doch im Angesicht der Maschine weigern wir uns, uns wiederzuerkennen. Klasen durchbricht diese Verweigerungshaltung: Er lässt seinen Blick in die Maschinen eindringen, um zu entdecken, was in unseren Körpern und in dem der Gesellschaft vor sich geht.

L'artiste exorcise l'aspect massif et un peu bête de ces machines en les chargeant de signifier ce même aspect de nos pulsions : massif et bête mais tenace et subtil dans son envie de durer, de créer, d'inventer.

L'artiste trouve là de quoi nous parler de nous, de notre être-au-monde, dans des termes qui furent pour lui si personnels qu'ils deviennent ceux de tous. Sa voie singulière a fait le détour par le roc métallique du banal, par l'ordre accablant du fonctionnement, pour nous montrer des effets de corps dans le corps des machines. Ne dites pas : "c'est étouffant", car ça l'est, mais l'artiste y a transmis la violence où nos destins sont englués car c'est là qu'il l'a sentie et endurée. Ne dites pas : "c'est ennuyeux" car ça l'est, mais vers cette même époque, le "nouveau roman" déversa sur nous des tonnes de prose ennuyeuse pour nous transmettre l'ennui de nos vies. Ici, c'est plus "dur" : dans ce monde métallique, l'ennui bascule vers l'angoisse, dont il n'est qu'une forme débonnaire.

Et donc, dans ces objets machines qui sont autant nos outils que nos miroirs, Klasen cherche des traces de nos modes d'être. Un *container*, c'est solide, ça contient on ne sait trop quoi (on est peu regardant sur les contenus), c'est un cadre étanche : l'artiste en fait presque un être humain en proie au vide, à l'abandon, à la bêtise, à l'usure, à l'isolement. C'est la méthode Klasen : il prend l'objet *industrié*, il le révèle anthropomorphe, et il le pousse un peu plus loin jusqu'à ce qu'il dise sa jouissance d'être là, et sa détresse de finir là ; comme wagon, tuyauterie, manette, volant, verrou de toutes sortes. Klasen prend des objets qui semblent pleins d'indifférence - c'est la leur autant que la nôtre qui nous sert à leur résister, à ne pas trop les remarquer. Mais Klasen, lui, court les re-marquer avec sa machine à clicher, il s'empresse d'y montrer l'un des ressorts de la vie : la pure *contradiction* entre force et faiblesse, éros et thanatos, vie et mort… Les deux pôles n'étant pas antinomiques : ils passent l'un par l'autre, ils instaurent des croisements, des enchevêtrements - la force de la faiblesse, la fragilité des forces, la blessure du métal, la bavure des machines, les plaques dures écorchées par le temps. Dans ces rayures Klasen reconnaît sa douleur et son espoir.

The artist exorcizes the cumbersome, rather dumb quality of these machines by using them to indicate that same quality in our impulses: massive and dumb, but tenacious and subtle in their desire to endure, to create, to invent.

The artist finds there how to talk to us about ourselves, about our being-in-the-world, in terms so personal for him that they become everyone's. His singular path took a detour by the metallic mass of banality, by the overwhelming, oppressive order of operating, to show us bodily effects in the mass of machines. Don't say, "It's suffocating" because it is, but the artist is conveying the violence that stifles our destinies, because that's where he had felt and endured it. Don't say, "It's boring" because it is, but around the same era, the "nouveau roman" would pour tons of boring prose onto us to convey the boredom of our lives. Here, it's even "harder": In this metallic world, boredom shifts to anxiety, of which it is merely a more debonair version.

So, in these machine objects that are as much tools as mirrors, Klasen searches for the traces of our ways of being. A *container* is solid; we don't really know what it contains (we are a bit particular about the contents). It's a waterproof frame: The artist nearly makes it into a human being in the grip of emptiness, abandonment, foolishness, deterioration, loneliness. This is Klasen's method: He takes the *industrialized* object, all manner of freight car, piping, throttle, wheel, or bolt. He reveals it as anthropomorphic and pushes it a bit further until he expresses his pleasure at being there as well as his distress at ending up there. Klasen chooses objects that seem full of indifference; and since it's the same kind of indifference that we feel, we hardly notice them. But the artist notes it down with his camera to show some of life's energies — the pure *contradiction* between strength and weakness, eros and thanatos, life and death… The two poles, in fact, are not antinomic: One can be taken for the other. They suggest intersections, jumbles - the strength of weakness, the weakness of strength, the wound in the metal, the flaw in the machine, solid plates that are scratched with time. In their scratches, Klasen recognizes his pain and his hope.

Die Technik ist der Ausdruck unseres uneingeschränkten *Schaffens*triebs, der dazu dient, unsere Angst zu betäuben. In dem *Geschaffenen* vernichtet Klasen nicht, sondern er legt offen, was tatsächlich geschaffen wurde. Anders als in der zeitgenössischen Kunst üblich, „vernebelt" er nicht den Sinn. Das kann er sich deshalb nicht erlauben, weil er in diesen blaugrünen Metallmassen, in der „Metallurgie" nach eben jenem Sinn sucht. Deswegen folgt er nicht dem Weg anderer Künstler (wie zum Beispiel Caro), die ungeordnete und zufällige Metall- und Eisenreste zusammenfügen. Klasen legt in der Ordnung das stille Chaos offen, dessen Mittelpunkt er sucht. In der strukturierten Maschine sucht er das ausdrückliche bzw. das bedeutende Bild. Er drückt sich in der Sprache des Körpers aus, auch wenn der Körper abwesend ist.

Der Künstler beschwört den schwerfälligen und etwas einfältigen Aspekt dieser Maschinen, indem er sie mit der Aufgabe betraut, eben jenen Aspekt unserer Triebe zum Ausdruck zu bringen: schwerfällig und einfältig, aber beharrlich und geschickt in ihrem Verlangen fortzubestehen, zu erschaffen, zu erfinden.

Auf diese Weise spricht der Künstler mit uns über uns, über unser Dasein. Er spricht mit so persönlichen Worten, dass diese Allgemeingültigkeit erhalten. Sein einzigartiges Vorgehen hat den Umweg über den metallischen Felsen des Banalen, über die erdrückende Ordnung des Funktionsablaufes gewählt, um uns die Wirkungen des Körpers im Körper der Maschinen aufzuzeigen. Der Einwand, dass es „erdrückend" sei, ist fehl am Platz, denn das ist es tatsächlich, aber der Künstler hat die Gewalt dorthin übertragen, wo unsere Schicksale besiegelt werden, wo er sie gefühlt und erduldet hat. Und der Einwand, dass es „langweilig" sei, ist genauso verfehlt. Man sollte sich daran erinnern, dass uns seinerzeit der „Nouveau Roman" mit tonnenweise langweiliger Prosa überschüttete, um uns unsere Lebensmüdigkeit vor Augen zu führen. Das hier ist „härter": In der Welt aus Metall schlägt der Verdruss um in Angst, von der er lediglich eine sanftere Variante ist.

Folglich sucht Klasen in den Maschinenteilen, die sowohl unsere Werkzeuge als auch unsere Spiegel sind, Spuren unserer Daseinsformen. Ein *Container* ist solide, er enthält etwas, worüber wir nicht allzu genau Bescheid wissen (wir kümmern uns nicht besonders um die Inhalte), er ist ein hermetisch

15

Car dans l'*entre-deux* il y a même des passages. Voyez l'image B sur l'autoroute, ce *Double rappel* d'un chiffre qu'on voit à peine : 60, la limite à ne pas dépasser. Deux rappels à l'ordre, identiques - redondants - sont portés par une poutre qui barre le ciel (pour une fois qu'il était libre et visible) ; sous la barre pointe une tour, un grand immeuble, emblème phallique qui semble enfiler, pénétrer tout ce qui file sous le regard des deux rappels ; et pourtant, *ça passe* ; ni la tour ni les rappels ne barrent vraiment la route ; il y a toujours du possible. De même, ces images de gros tuyaux, qui se nouent presque C, exhibent au cœur du nœud un petit volant tendrement vaginal aux rayons arqués ; il "tourne" bien sans doute, il serre et desserre le débit de la tuyauterie au nœud multiple. La jouissance trouve toujours une issue. Même le *container*, fermé sur son contenu, voyage dans le temps et il en garde les traces, il a la peau tannée, usée, il a sa saleté de vie. Beaucoup d'hommes sont des containers qui n'en peuvent plus de se contenir et qui, pour ne pas perdre leur avoir bien serré, évitent l'événement qui pourrait les ouvrir et les vider. Ils fuient l'événement qui décontenance, et que pourtant ils espèrent. Ils attendent l'accident ou le choc qui ne vient pas. Les verrous transversaux sont aussi pour Klasen des repères érotiques (D, par exemple) : inclinés ou dressés, ils s'imposent comme forme phallique qui ferme, qui prévient la béance, l'ouverture à tout vent.

Because passageways exist even in that in-between place. Look at the image on the highway B, this *Double rappel* of a number one hardly sees: 60, the speed limit. Two speed-limit warnings, identical — redundant — held up by a pole obstructing the sky (which, for once in Klasen's work, is wide open and visible). Beneath the pole sits a pointed tower, a tall building, a phallic symbol that seems to penetrate everything below the two signs. Yet *it works;* neither the tower nor the signs block the road completely; something still remains possible. Or take his images of fat pipes, almost knotted together C, with a little valve wheel, tenderly vaginal with curved stripes, at the heart of the junction. Without a doubt it "turns" well, clenching and releasing the flow from the tubing's intersection. Pleasure always finds its release. Even the *container* itself, its contents closed inside, voyages in time and retains the evidence of its movements; its skin is tanned, used, marked by life's dirt. Many men are containers that can no longer bear containing themselves yet hold onto their compressed contents; they avoid the event that could open them up, empty them. They flee the very event that would help them release, an event they still want at the same time. They wait for the accident or shock that never arrives. Slanting bolts offer Klasen further erotic references (D, for instance). Tilted or erect, they evoke phallic forms that obstruct a gaping hole.

abgeschlossenes Behältnis. Der Künstler macht daraus fast ein menschliches Wesen, das der Leere, der Preisgabe, der Dummheit, der Abnutzung, der Einsamkeit ausgeliefert ist. Das ist Klasens Methode: Er bedient sich eines Industrieobjekts, deckt dessen anthropomorphe Seite auf und treibt es auf die Spitze, bis es seine Freude da zu sein und seine Verzweiflung so zu enden ausspricht ; als Eisenbahnwaggon, Rohrleitung, Hebel, Speichenrad oder Riegel jedweder Art. Klasen wählt scheinbar vollkommen unbedeutende Gegenstände aus, und aufgrund ihrer eigenen und unserer Gleichgültigkeit ertragen wir sie und nehmen sie nicht zu deutlich wahr. Doch Klasen bemüht sich, sie mit seinem Fotoapparat wahrzunehmen und darin eine der Triebkräfte des Lebens aufzudecken: den reinen *Widerspruch* zwischen Kraft und Schwäche, Eros und Thanatos, Leben und Tod... Dabei bilden die beiden Pole keine Antinomie: Sie durchdringen sich gegenseitig, sie kreuzen sich, sie sind miteinander verflochten – die Kraft der Schwäche, die Schwäche der Kräfte, die Risse des Metalls, die Fehler der Maschinen, harte Platten, an denen der Zahn der Zeit genagt hat. In diesen Kratzern erkennt Klasen seinen Schmerz und seine Hoffnung wieder.

Denn selbst zwischen diesen Polen gibt es Übergänge. Nehmen wir das Bild *Double rappel* B. Die beiden Verkehrsschilder, die zweifach an eine Zahl erinnern, die man kaum erkennt: 60, die nicht zu überschreitende Geschwindigkeitsgrenze. Zwei identische, redundante Verbotsschilder ermahnen zur Ordnung. Sie werden von einem Balken gehalten, der den Blick auf den Himmel versperrt (der ausnahmsweise mal frei und sichtbar ist). Unter dem Balken

C

B

D

Sur tous ces objets, l'histoire a passé. L'usure passe sur nos corps, notre peau, nos organes, nos organismes, nos engins. Sur la paroi métallique E, un tuyau arrive épuisé, comme un pénis brûlé, sous l'œil implacable du cadran féminin, lui-même un peu fatigué. Copulation navrée : la femme attend la pression et le tuyau ne donne pas ; manque de désir, désir écrasé par un manque. On voit presque un visage sur cette face de métal exténuée ; la pression n'y est plus mais les organes sont là comme ceux d'un corps usagé : vivants, attendant autre chose, d'autres mesures que celles de la performance. Ce tuyau fait penser à tous les mâles que leur femelle, lors du coït, a mis en examen.

History has taken its toll on all these objects. Everything wears down — our bodies, our skin, our organs, our organisms, our engines. On a metallic wall E, a worn-out pipe, like a damaged penis, sits under the implacable eye of the feminine clock face, itself a bit tired. Failed copulation: The female expects pounding but the pipe doesn't work; loss of desire, desire crushed by loss. One almost sees a face on this tired metal surface; throbbing has subsided, but the organs remain, like those from a worn body, still alive and waiting for something else other than having to perform. This pipe reminds us of all males who, during coitus, have felt tested and judged by their females.

ragt ein Turm, ein Hochhaus in den Himmel. Dieses phallische Symbol scheint alles zu durchbohren, zu durchdringen, was an den beiden Verkehrsschildern vorbeirast. Und trotzdem fließt es vorbei. Weder der Turm noch die Schilder versperren wirklich die Straße. Es gibt immer einen Weg. Auch auf den Bildern mit den großen, fast ineinander verknoteten Rohren C ist mitten im Knoten ein kleines Rad mit gebogenen Speichen zu sehen, das zart an eine Vagina erinnert. Ganz sicher „dreht" es sich, es öffnet und schließt den Fluss in der mehrfach gekrümmten Rohrleitung. Die Lust findet immer einen Ausweg. Selbst der Container, der seinen Inhalt fest umschließt, reist in der Zeit und trägt die Spuren dieser Reise, denn seine Außenhaut ist gegerbt, abgenutzt, bedeckt vom Staub des Lebens. Viele Menschen gleichen Containern, die sich nicht mehr zurückhalten können und die, um ihr gut beschütztes Hab und Gut nicht zu verlieren, dem Ereignis aus dem Weg gehen, das sie öffnen und entleeren könnte. Sie fliehen das Ereignis, das sie aus der Fassung bringen würde, und sehnen es dennoch herbei. Sie erwarten den Zusammenstoß oder den Schock, der nicht eintritt. Die querliegenden Riegel sind auch für Klasen erotische Zeichen (zum Beispiel D): Ob geneigt oder aufgerichtet, sie tragen ihre phallische Form geradezu zur Schau, die den Spalt, die klaffende, weite Öffnung verstopft.

Über all diese Gegenstände ist die Geschichte hinweggezogen. Unsere Körper, unsere Haut, unsere Organe, unsere Organismen, unsere Maschinen tragen die Spuren der Abnutzung. Unter dem unerbittlichen Blick der weiblichen, etwas gebrechlichen Anzeigentafel verläuft vor der metallenen Hintergrundwand E, einem erschlafften Penis nicht unähnlich, ein ebenfalls etwas altersschwaches Rohr. Eine gescheiterte Kopulation: Die Frau erwartet den Druck, den das Rohr nicht mehr liefern kann ; mangelndes Verlangen, ein vom Mangel erdrücktes Verlangen. Fast meint man auf dieser ermatteten Metallfläche ein Gesicht zu erkennen. Der Druck besteht nicht mehr, aber wie bei einem verbrauchten Körper sind die Organe ausgebreitet: lebendig, in Erwartung anderer Dinge, anderer Maße als der Leistungsmessung. Dieses Rohr erinnert an alle Männer, die während des Beischlafs von ihren Frauen auf den Prüfstand gestellt wurden.

E

17

Pourquoi Klasen va-t-il à fond dans ces objets ? Il faut croire que ça l'a marqué, mais ça en a marqué bien d'autres : des événements du corps - subjectif et social - sont passés par là. Pour lui, un wagon F, un camion bâché - encordé avec ses sangles et ses nœuds G - sont des points de fascination : objets immobiles qui nous regardent et qui nous parlent : "Non, je ne transporte pas des corps pour les chambres à gaz, suggère le wagon, mais je l'ai peut-être fait, à vous de voir, c'est moi ou mon semblable, car on est pareils, et pourtant si différents, on est une longue série qui porte la vie ou la mort" ; ou l'ennui des longs convois qui traînent, des attentes, des espoirs de rien. (Pourtant sur ce wagon il y a le nombre 18, symbole de "vie" dans la langue des Hébreux.)

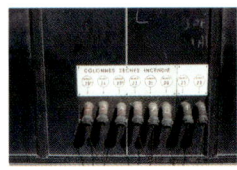

Et ce camion au corps énorme et repu H, tout ficelé au point que ses plis chantent comme les drapés des grandes toiles où la lumière joue avec la tension du tissu. D'autres camions portant leur bâche comme une jupe délicate ou une robe serrée qui suggère de la faire sauter. Et ces poids-lourds peuvent nous dire qu'ils transportent des clandestins ou de la drogue ou simplement des routiers qui n'ont trouvé que ce nulle part pour perdre leur vie à la gagner : ils sont la métaphore de voyages béants et réglés, d'un nomadisme rigoureux d'autoroutes.

C'est dans ces objets, devenus porteurs de symptômes - symptômes du corps social -, que l'artiste vient chercher des traces *d'aimance* sinon d'amour. Il aime cette violence où nos bouches d'incendie (stand pipe) se terminent en couilles rougies et enchaînées I ; où deux wagons J et K tendent l'un vers l'autre leurs deux mains aimantées avant de s'étreindre, où des tuyaux de colonne sèche sont alignés comme des queues basses L, chacune fermée par un clapet avec des chaînes M et N, où le débit d'énergie transite par des tuyaux fragiles. Qu'est-ce qui a poussé l'artiste à projeter là ses fantasmes de machinerie sexuée, d'organes puissants, increvables, pourtant marqués par l'usure ? A-t-il

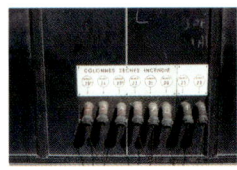

Why does Klasen go so far with these objects? They certainly have left their mark on him, but they also seem to have influenced others: events of the body – subjective and social – have passed this way. For him, a freight car F or covered truck, tied up with straps and knots G, offer fascinating topics: immobile objects that look at us, speak to us: "No, I am not carrying bodies to the gas chambers but perhaps I have done it before," the freight car suggests. "That's for you to know; it's myself or my kin because we're the same yet so different. We're a long succession of carriers for life and death." The images also bring to mind long convoys, bored, dragging, without hope. (Nevertheless, marking the side of the freight car is number 18, which in Hebrew symbolizes life.) With its enormous, sated body H, this truck is tied up so taut that the sound of its flapping folds recalls the draping of large canvases, with light playing on the tense fabric. Other trucks wear their tarp like a flimsy skirt or a tight dress that compels you to grab it, to violate it. These hefty trucks might tell us they carry stowaways or drugs or simply truck drivers who had found nothing other than a chasm, who lose their lives in order to earn their living; they act as a metaphor for wide open and regulated travels and of life on the highway, nomadic and arduous.

The artist comes to these symptomatic objects – symptomatic of the social body – to search for traces of *loving* or love. He takes pleasure in this violence: stand pipes end up in balls, reddened and chained up I; two freight cars J and K lean their magnetic hands toward one another before embracing; pipes aligned like limp cocks L are fastened by a clapet with chains M et N; energy flows through fragile tubing. What pushes the artist to project thus his fantasies of sexualized machinery, of powerful, indefatigable organs worn with use? Has he been traumatized by the *relentless steel of the impulse or of the symptom?* Has he come up against people who

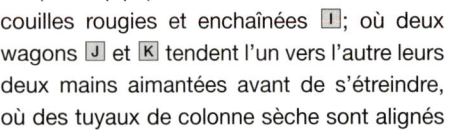

Warum geht Klasen diesen Gegenständen auf den Grund? Anscheinend haben sie ihn, wie viele andere auch, geprägt.

Ereignisse des subjektiven und sozialen Körpers haben sich darin abgespielt. Ein Eisenbahnwaggon F oder ein Lastwagen G, dessen Plane mit Gurten und Seilen verknotet ist, faszinieren ihn. Unbewegliche Gegenstände, die uns anblicken und zu uns sprechen: „Nein, ich transportiere keine Körper für die Gaskammern", flüstert der Waggon, „aber vielleicht habe ich es schon einmal getan. Das müssen Sie entscheiden. Entweder war ich es oder einer meinesgleichen. Denn wir ähneln uns alle, auch wenn wir uns unterscheiden. Wir bilden eine lange Reihe, die das Leben oder den Tod transportiert." Oder die Eintönigkeit der Wagenkolonnen, die Erwartungen, Hoffnungen auf Nichts hinter sich herziehen. (Dessen ungeachtet trägt der Waggon die Nummer 18, die im Hebräischen das „Leben" symbolisiert.) Und der riesige, vollgestopfte Lastwagen H, dessen Plane so verschnürt ist, dass sie Falten wirft. Wie die Faltenwürfe in den großartigen Gemälden, in denen die Lichtreflexe auf den Faltengraten der Stoffe tanzen. Andere Lastwagen tragen ihre Plane wie einen wallenden Rock oder wie ein geschnürtes Kleid, das gleich aus allen Nähten platzt. Und diese Lastkraftwagen können uns mitteilen, dass sie illegale Einwanderer oder Drogen oder ganz einfach Lastwagenfahrer transportieren, die nur dieses Nirgendwo gefunden haben, um ihr Leben zu vergeuden, dessen Unterhalt sie verdienen müssen. Sie sind die Metapher für unendliche und regulierte Reisen, für ein unerbittliches Nomadentums auf den Autobahnen.

In diesen Objekten, die Träger (gesellschaftlicher) Symptome geworden sind, sucht der Künstler Anzeichen von Zuneigung, wenn nicht sogar Liebe. Er liebt die Gewalt, mit der das Standrohr eines Feuerwehrhydranten in roten, angeketteten Hoden endet I; mit der zwei Eisenbahnwaggons J und K sich gegenseitig ihre magnetisierten Hände reichen, bevor sie aneinander gekuppelt werden ; mit der die jeweils einzeln mit einem angeketteten Klappenventil verschlossenen Rohre einer

18

été traumatisé par *l'implacable métallique de la pulsion ou du symptôme* ? S'est-il heurté à des humains comme s'ils étaient de métal ? Veut-il nous rappeler à ce heurt comme si nous ne l'avions pas vécu ?

seemed to be made of metal? Does he want to remind us of this confrontation, this collision as if we had not lived it?

Trockenleitung wie schlaffe Schwänze parallel ausgerichtet sind L, M und N; mit der der Energiefluss durch zerbrechliche Rohre strömt. Was hat den Künstler veranlasst, seine Fantasmen von sexualisierten Maschinerien, von starken, unverwüstlichen aber dennoch abgenutzten Organen hierauf zu projizieren? Wurde er vom erbarmungslos Metallischen des Triebs oder des Symptoms traumatisiert? Hat es Zusammenstöße mit Menschen gegeben, als seien diese aus Metall gewesen? Will er uns diesen Zusammenstoß in Erinnerung rufen, so als ob wir ihn nicht selbst auch erlebt hätten?

Klasen ist geprägt durch die deutsche Kultur und Geschichte. In ihren Eingeweiden hat es fünfzehn Jahre lang rumort, die Antriebsriemen waren gespannt, vergnügt quietschten die aggressiven Maschinen, alles funktionierte einwandfrei und rund, die Gesellschaftsführung war vollkommen. Das Versprechen der Erfüllung hat große Denker wie Heidegger geblendet, obwohl er die Technik ablehnte. Doch angesichts dieser gewaltigen körperlichen Stärke hat er sich von einem tödlichen Faden oder Schlauch „einwickeln" lassen. Er hat den „organischen" und orgastischen Aufstieg des deutschen Volkes und sein ursprüngliches Schicksal miterlebt. Selbst er hat irgendwie die Vergewaltigung durch die unwiderstehliche Maschine, den großen metallischen Phallus hingenommen, den der Führer, das Werkzeug des in Hysterie versetzten Mutterlandes, lenkte. Der leistungsfähige *Organisator*, der die Horden und Massen bis hin zum kannibalischen Orgasmus aufzuputschen verstand.

Umso verständlicher ist es, dass ein Künstler sich einen Weg auf dieser Seite bahnt, dass er die Eingeweide des Monsters aufdeckt und eingehend untersucht, die rostigen Stellen und Krankheiten ortet und zugleich ihre Empfindsamkeit misst. Denn dort, wo er den Sinn sucht, findet er auch die Sinnesempfindungen. Und er findet das Unvermeidliche, auf das man keinen Einfluss nehmen kann, wenn es sich ereignet hat. Wenn die Vagina ein Speichenrad ist und die Kurbel ein männliches Glied, haben wir keinen Einfluss auf ihre Funktionsweise. Das metallische Aussehen zeigt uns an, inwiefern wir keinen Einfluss haben: Es funktioniert fast ohne uns. Wenn man es im Foto bannt, meint man, seine Tyrannei zu beschwören und das wieder in den menschlichen Körper zu integrieren, was ihm anscheinend verloren gegangen ist.

N

Klasen vient d'une culture, d'une histoire - l'allemande - qui, durant quinze années, a vibré de toutes ses tripes, toutes pulsions tendues, au grincement exalté des machines agressives, du fonctionnement impeccable et sans faille, de la gestion sociale parfaite, dont la promesse d'accomplissement a enivré de grands penseurs - tel Heidegger, pourtant rétif à la technique. Mais devant tant de puissance corporelle, il s'est laissé "enfiler" - par un fil ou un tube mortifère : il y a vu l'assomption "organique" (sic) ou orgastique, par le peuple allemand, de son destin originaire. Même lui accepta doucement le viol par la machine irrésistible, le grand phallus métallique manié par le Guide, l'organe de la Matrie hystérisée. L'*organazi* performant, soulevant hordes et masses jusqu'à l'orgasme cannibale.

Il était donc normal qu'un artiste ouvre une voie de ce côté-là, dévoile et scrute les tripes du monstre, y repère la corrosion, la maladie, et en même temps mesure leur sensibilité. Car là où il cherche du sens, il trouve aussi le sensoriel. Et il trouve l'inéluctable, ce à quoi on ne peut rien, quand c'est fait : si le vagin est un volant et la manivelle un phallus, leur fonctionnement, on n'y peut rien. L'aspect métallique dit dans quelle frange c'est implacable : ça fonctionne presque sans nous. Du coup, les saisir par la photo c'est un peu *conjurer leur tyrannie*, et réintégrer dans l'humain ce qui paraît lui échapper.

Du coup, les trains et les wagons rappellent des captures de l'histoire, celle où l'artiste tente de faire plusieurs deuils : celui de l'enfance, où Peter heureux sentait déjà venir la tension mortifère ; celui de la guerre où le métal et les corps se sont aimés de trop près, jusqu'à l'horreur ; celui du Crime enfin, du meurtre invisible où containers et tuyaux ont étouffé un petit peuple, avec l'aide de wagons infatigables quoiqu'usés par les bestiaux. Ces wagons furent de terribles contenants, où les chefs de la nation ont enserré beaucoup de corps.

Le train ou le wagon, fortement porté par des roues, pose la question - érotique et politique : pour qui ça roule ? Qu'est-ce qui fait tourner tout ça ? Qu'est-ce qui s'est passé côté "volant" subjectif et social, côté ventre et bas-ventre, pour que ça roule comme sur des rails pour mener à la mort ?

Klasen comes from the German culture, which — with its guts and its strained, fraught drives — shuddered, for fifteen years, with the exalted creaking of aggressive machines, to the flawless workings of a perfect social management. Its promise of achievement intoxicated such great thinkers as Heidegger, although he himself remained stubborn towards technique. But in the face of so much corporal power, he let himself be ripped off – the German people made the "organic" (sic) or orgiastic assumption of their innate destiny. Even he smoothly accepted the violation triggered by the irresistible machine; the large, metallic phallus operated by the Guide; the organ of the hysterical Motherland — the high-performance *organazi* arousing the mobs to a cannibalistic orgasm.

It would seem normal for an artist to follow this path, to reveal and scrutinize the monster's entrails, finding corrosion and illness yet evaluating their sensitivity as well. Because where he looks for meaning, for sense, he also finds the sensorial. And the inevitable; if the vagina is a valve wheel and the crank handle a phallus, one can do nothing about their workings. Their metallic aspect reveals their inevitability; they practically work on their own. As a result, capturing them in photography is somewhat *warding off their tyranny,* and reintegrating into human life that which seems to elude it.

Trains and freight cars, therefore, recall historical captures. The artist uses them to mourn several things: his childhood, during which the happy Peter already sensed the mortifying tension to come; the war, when metal and bodies were loved excessively, to the point of horror; finally the Crime, an invisible murder by containers and pipes that suffocated an entire people, helped by industrious freight cars that had been worn down by brutes — terrible containers for the countless bodies crammed into them by the nation's leaders.

Solidly sustained by its wheels, the train or freight car asks questions, both erotic and political: For whom do they go forward? What makes all this turn? What happens on the subjective and social "wheel", on its belly and below, that makes it move on railways toward death?

Infolgedessen erinnern die Züge und die Waggons an Opfer der Geschichte, die der Künstler mehrfach betrauert: die Kindheit, in der der glückliche Peter schon spürte, wie die tödliche Spannung aufstieg ; der Krieg, in dem sich das Metall und die Körper schrecklich innig geliebt haben ; schließlich das Verbrechen, das unsichtbare Morden, bei dem Container und Rohre mithilfe von Waggons, die, trotz der vielen Viehtransporte, zu denen sie zuvor eingesetzt wurden, unverwüstlichen waren, ein kleines Volk erstickt haben. Diese Eisenbahnwaggons waren entsetzliche Behälter, in die die Führer der Nation unzählige Körper einpferchten.

Der Zug oder der Waggon, der sich auf Rädern fortbewegt, wirft die zugleich erotische und politische Frage auf: Für wen rollen sie? Wer hält das alles am Laufen? Was ist mit dem individuellen und gesellschaftlichen „Lenkrad", mit dem Bauch und dem Unterleib geschehen, damit das Töten wie geschmiert laufen kann?

Und was ist der Grund dafür, dass es zu anderen Zeiten anders abläuft?

In dieser Zurschaustellung von Maschinen findet sich keinerlei negative Stellungnahme gegenüber der Technik. Normalerweise herrscht, selbst bei großen Denkern, eine ablehnende Haltung gegenüber der Technik vor: Sie „entfremde" uns, sie zerstöre oder missachte das Wesen des „Menschen" ... In meinem Buch* habe ich aufgezeigt, dass das Gegenteil der Fall ist. Die Technik wird vom Verlangen des Menschen getragen, etwas zu schaffen, um die Angst zu bekämpfen und um seine Möglichkeiten und das Feld dessen zu erweitern, was er gern tut: man pinkelt gerne doll, man löscht gerne energisch das Feuer, man verschickt Sachen und möchte gerne, dass sie ganz schnell ankommen. Aber die Technik ist auch der Bereich, in dem das *Schaffen* an seine Grenzen stößt, und der uns dazu ansportet, den so geschaffenen Gegenstand zu überschreiten, über ihn hinauszuwachsen ; auch auf die Gefahr hin, uns etwas verloren ohne Gegenstand wiederzufinden.

Klasen dringt am Übergang *zwischen Schaffen und Überschreiten*, zwischen Tat und Vorstellung, zwischen Wirklichkeit und Möglichkeit in die Technik ein. An dieser Grenze, in dieser Spalte reißt ihn das Sexuelle mit sich. Und mit einem Mal treten die Kraft und das Elend der Technik offen zu Tage. Eine einfache

Et qu'est-ce qui fait qu'en d'autres temps ça se déroule autrement ?

Il n'y a ici, dans ce déploiement machinique, aucune posture régressive par rapport à la technique. D'ordinaire, même chez de grands penseurs, on a envers la technique une posture de déploration : elle nous "aliène", elle détruit ou ignore l'essence de l'"homme"… J'ai montré* qu'au contraire, la technique est portée par le désir humain de "faire", pour combattre l'angoisse, étendre son possible et le champ de ce qu'on aime faire : on aime pisser fort, éteindre le feu puissamment, expédier des choses et qu'elles arrivent très vite… - mais c'est aussi le domaine où le *faire* bute sur ses limites et nous incite à *trans-faire*, à dépasser l'objet tel qu'il s'est fait ; quitte à nous retrouver sans objet, un peu perdus.

Klasen s'infiltre dans la technique à la charnière *entre faire et trans-faire*, entre l'acte et le fantasme, entre le réel et le possible. À cette frontière, dans cette faille, c'est le sexuel qui l'emporte de façon lancinante. Du coup, cela montre la force et la misère de la technique. Message tout simple directement applicable dans la vie. Voyez ce qui se passe quand vous êtes malade : vous êtes pris en charge, contenu, emporté par une technique qui s'active sur votre corps, ce n'est pas négligeable mais vous sentez que l'essentiel se passe ailleurs, dans votre désir de revivre, de traverser ce terrible dérangement de votre machinerie. Vous respectez la technique qui vous surveille et vous veillez à garder le contact avec l'ailleurs. C'est cet *ailleurs* que cherche Klasen dans ce déchaînement machinique. Non pas l'âme de ces objets, mais l'âme des corps qui s'y trouvent impliqués, au-delà de toute ressemblance. Il cherche et trouve des bribes d'interprétation sur ce qu'ils *font*, ce qui leur arrive - en tant qu'ils sont aux prises avec les tripes du corps social qui veut surtout les digérer, les ingérer, les gérer comme rouages du fonctionnement. Lequel, par bonheur et par hasard, bute sur ses limites, ses crises, ses accidents - qui dévoilent "tout" dans la violence.

Ces photos sont à voir comme des rêves, et à lire comme des rébus où le jeu s'active entre l'idée latente et l'idée manifeste. Par exemple, dans le *Rappel* sur l'autoroute, l'idée latente est que la tour du pouvoir vous pénètre en même temps que le rappel à

What makes it go forward otherwise, and at other times?

In this mechanical demonstration, there can be no regressive relationship to technique. Ordinarily, we — even great thinkers — take a deplorable stance toward technique: that it "alienates" us, that it destroys or ignores mankind's essence… I have demonstrated* that on the contrary, technique comes from the human desire to "make," to stave off anxiety, to broaden possibilities, to expand what one loves to do. One loves urinating hard, vigorously extinguishing the fire, accelerating things… But it's also the domain where "faire" — the making — stumbles over its limitations and incites us to "trans-faire" – to surpass the object as is, even if we find ourselves without the object at all, a bit lost.

Klasen penetrates technique at a crossroads *between "faire" and "trans-faire,"* between act and fantasy, between real and possible. At this boundary, this vulnerable place, he is passionately moved by what is sexual. As a result, he reveals technique's strength and its misfortune — a simple message directly relevant to life itself. Look at what happens when you fall ill: You are invaded, overrun by the technique moving about your body, which is not irrelevant; but the essential lies elsewhere, in your desire to come back to life, to transcend this terrible disease in your machinery. You respect the technique watching over you and take care to keep contact with another place. It's this other place, the *elsewhere* that Klasen looks for In this mechanical eruption, not the soul of these objects but that of the bodies involved. He looks for and finds bits of explanations about what they *do*, about what happens to them — in so much as they battle with the guts of the social body that above all wants to digest them, to ingest them, to manage them like moving cogwheels. Fortunately, by chance, the social body bumps up against its limitations, its crises, its accidents — which reveal "everything" in a violent manner.

Klasen's photographs should be seen as dreams, or read like rebus puzzles in which a game is played out between the latent and the manifest. For instance, with the highway signs, the latent idea is the powerful tower that penetrates you at the same time as the speed-limit signs obscure your sky. The other

Botschaft, die sich direkt auf das Leben übertragen lässt. Was geschieht, wenn man krank wird? Man wird versorgt, beherrscht, eingenommen von der Technik, an die der Körper angeschlossen ist. Das ist nicht unwichtig, aber man spürt, dass die eigentliche Heilung woanders stattfindet. Nämlich im Verlangen zu leben, diese schreckliche Störung der inneren Maschinerie zu überwinden. Man achtet auf die Technik, die einen überwacht, und man achtet darauf, in Kontakt mit dem Anderswo zu bleiben. Es ist dieses Anderswo, das Klasen in der maschinenhaften Entfesselung sucht. Nicht die Seele dieser Objekte, sondern die Seele der Körper, die jenseits jeder Ähnlichkeit in ihnen eingeschlossen sind. Er sucht und findet Interpretationsbruchstücke für das, was sie machen und was mit ihnen geschieht, sofern sie gefangen sind in den Eingeweiden der Gesellschaft, die sie vor allem verdauen, einnehmen und als Rädchen in ihrem Funktionsablauf verwalten will. Glücklicher- und zufälligerweise stößt dieser Funktionsablauf immer wieder an seine Grenzen, erlebt Krisen und Unfälle, die gewaltsam „alles" offenbaren.

Die Fotos sind als Träume zu betrachten und wie Bilderrätsel zu lesen, in denen das Spiel zwischen der unsichtbaren und der sichtbaren Idee in Gang ist. Ziehen wir zur Deutung der latenten Ideen das Bild mit den Geschwindigkeitsbegrenzungsschildern auf der Autobahn als Beispiel heran. Die Staatsmacht in Form des Turmes durchdringt den Betrachter ebenso wie die Verkehrsschilder zur Ordnung ermahnen. In Form des Balkens, der den Blick auf den Himmel verstellt, macht er dem Betrachter einen Strich durch die Rechnung und zerstört die Hoffnung. Die andere latente Idee lautet: Finden Sie einen Weg zwischen dem (Vorkehrs-) Hindernis und der Lust.

Weitere Formspiele, die bis hin zur Obszönität sexualisiert sind Ⓞ und Ⓟ: Das kleine Speichenrad, das gerade auf seinem Schaft ausgerichtet ist, stößt auf ein Rohr, in das bereits ein anderes mündet ; unterschiedlich ausgerichtete, phallische Hebel werden von zwei Kästen eingerahmt, von denen einer… rosa ist Ⓟ.

Durch das Rohr, die Metallleitung, die geradeaus läuft oder sich biegt und wieder biegt, kommunizieren für Klasen Phallus und Vagina, Männlich und Weiblich, Tat und Leidenschaft. Dieser Gegenstand, der die beiden Geschlechter miteinander verbindet, ist das eine wie das andere und zugleich

l'ordre et son coup de barre qui rature votre ciel ; et l'autre idée latente c'est : trouvez le passage entre l'entrave et la jouissance.

Autre rapport de formes, sexuées jusqu'à l'obscène O et P: le petit volant, bien axé sur sa tige, vient se planter dans un tuyau qui en reçoit déjà un autre ; des tiges phalliques diversement inclinées, sont prises entre deux châssis puissants dont l'un est… rose P.

Pour Klasen, le tuyau, le conduit métallique qui file droit ou qui se tord et se retord, est ce par quoi phallus et vagin communiquent, mâle et femelle, action et passion. C'est cet objet qui fait le lien entre les deux sexes, il est l'un et l'autre et il n'est aucun d'eux. Tuyau de pressions et de flux où s'emboutissent d'autres tuyaux. Quand il s'aplatit jusqu'à n'être qu'une membrane métallique, une dentelle puissante, Klasen jouit de le montrer dans sa profondeur : il va le chercher dans les dédales secrets où les plans se succèdent R.

L'artiste questionne - de ses yeux perçants et de l'acuité de ses obsessions - les nœuds de la jouissance sociale - souple ou aveugle, mais toujours implacable. Il cherche ce qui se parle en secret dans les machineries corporelles ; bien que "prises" dans le métal, elles arrivent à dire leurs bribes de vérité.

D'autant qu'un des "concepts" à l'œuvre dans cette "métalénergie", c'est le *nœud*, l'attache, de corde comme dans les bâches de gros camions S1, S2, S3 ou de fer comme dans les nœuds de tuyaux souples T ou l'emmêlement des fils U. Le nœud est un concept aigu qui dépasse le lien ou l'attache, pour y révéler un *langage* : on sait par ailleurs (par la topologie) que chaque nœud génère un alphabet, avec des mots, des expressions, des fixations de la parole. Tout lien est un langage qui comporte non seulement la mise ensemble mais l'idée de séparation, de dispersion.

latent idea is to find the passageway between obstacle and pleasure.

An additional relationship of shapes, sexualized to a point that is nearly obscene O and P: A little valve wheel, centered on its shaft, plants itself on a pipe that is already receiving another. A variety of leaning, phallic poles taken between two powerful frames, one of which is… pink P.

For Klasen, the pipe, a metallic conduit that flows in a straight line or twists and twists again, is that by which phallus and vagina communicate, male and female, action and passion. It's this object that links the two sexes; it is one and the other, yet it is neither of them; pressure and flow, the spot where other pipes join one another. When the pipe is flattened into a mere metallic membrane, like resilient lace, Klasen takes pleasure in revealing its depth: He looks for it in the secret maze where planes follow one after the other R.

With his piercing eyes and his finely tuned obsessions, the artist questions the intersections of social pleasure – flexible or blind, but always fixed. He searches for those who are secretly talking to one another in these corporal machines; although "set" in metal, they manage to speak bits of truth.

All the more so since one of the "concepts" at work in this "metalenergy" is the *knot*, the fastener in rope, as with the tarps on large trucks S1, S2, S3; or in iron, as in the loop on supple pipes T or tangled wires U. The powerful concept of the knot goes beyond the idea of tie or fastener to reveal *language:* In fact, one knows (through topology) that each knot creates an alphabet, with words, expressions, obsessions about speech. Any tie is a language containing not only ideas of togetherness but of separation, of dispersion.

keines von beiden. Druckrohr und Leitungsrohr, in die weitere Rohre münden. Klasen liebt es, das Rohr in seiner Tiefe zu zeigen, wenn es immer flacher wird, bis es nur noch eine dünne Metallhaut ist, die an ein steife, geklöppelte Spitze erinnert. Er begibt sich in den geheimen Irrgärten auf die Suche, in denen eine Anlage auf die andere folgt R.

Der Künstler befragt mit seinem durchdringenden Blick und der Schärfe seiner Obsessionen die Knoten der gesellschaftlichen Lust. Mal ist sein Blickwinkel weit, mal eng, sein Urteil aber ist immer unerbittlich. Er erlauscht, was sich die leiblichen Maschinerien im geheimen erzählen. Obwohl sie im Metall „gefangen" sind, schaffen sie es, ihre Bruchstücke der Wahrheit mitzuteilen.

Zumal der *Knoten* eines der Leitmotive von Klasens „Metallenergie" ist, ob als Befestigungspunkt der Seile für die großen Lastwagenplanen S1, S2, S3, als Befestigungspunkt des Eisens für die Knoten aus biegbaren Rohren T oder als Drahtgewirr U. Der Knoten steht für ein grundlegendes Konzept, das weit über die Verbindung und Befestigung hinausgeht, um eine *Sprache* zu offenbaren. Durch die Topologie weiß man, dass jeder Knoten ein Alphabet mit Wörtern, Ausdrücken, Wortbestimmungen erzeugt. Jede Verbindung ist eine Sprache, die nicht nur die Idee der Zusammensetzung, sondern auch die der Trennung, der Auflösung beinhaltet.

Abgesehen von dem, was Klasen in seinen Fotos sucht und durch sie entziffert, versteht man seine Fotos nur, wenn man sie als einen Werkstoff seiner Bildsprache betrachtet, den sie im Rahmen seines Werkes darstellten. Sie dienten ihm in zweifacher Weise als Rohmaterial:

Zum einen dienen sie ihm als inhaltliche Vorlage für seine Gemälde. Ein wenig so wie Künstler, die einen Akt oder ein Klavier malen, hat er die Wirklichkeit gemalt, wie sie auf den

S1

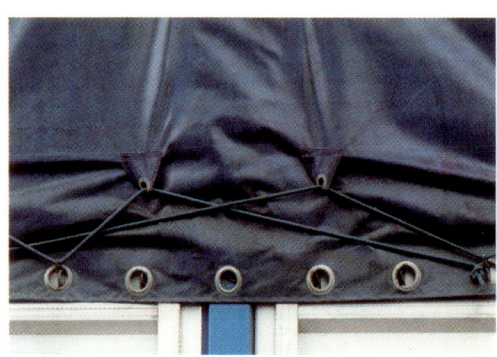
S2

S3

R

Or, au-delà de ce que Klasen cherche et déchiffre dans ces objets, on ne comprend ses photos qu'en les voyant comme ce qu'elles furent au fil de son œuvre : un matériau de son langage pictural. Matière première, elles l'ont été de deux façons :

D'abord il a peint ce que montraient ces photos, la réalité qu'elles sont, un peu comme d'autres peignent un corps ou un piano : plus que de le reproduire, ils le "couvrent" de peinture - acte hautement contemporain où la peinture nous donne l'objet pour la première fois, et fait ainsi contrepoint à la photo qui nous le donne pour la dernière fois qu'elle l'a vu. Comme si, partant de l'état inerte d'une certaine réalité, le peintre nous en redonnait l'origine, l'émergence toute neuve ; comme s'il nous donnait sa naissance, son irruption, sa violence initiale. Cette peinture-là de Klasen a rassemblé dans le même acte le début et la fin, la naissance et la mort.

Mais par un autre biais, ces photos sont devenues le matériau - la substance - d'autres œuvres, où cette fois le corps vient s'immiscer : ce sont les fameux "collages" où des fragments se rassemblent pour nous transmettre une *nouvelle réalité*, comme donnée brute, histoire ouverte où des symboles s'articulent qui font appel ou rappel ; mais aussi comme nouvelle machinerie où du corps se fait entendre explicitement : le corps en a assez de se déguiser en machines ou d'attendre qu'on le reconnaisse, il a pris l'œuvre et il lui est rentré dedans.

Above and beyond what Klasen looks for and interprets with these objects, one can only understand his photos by looking at them in the context of all his work, as one component, one element of his pictorial language. They make up his raw material in two ways:

First, he paints what his photographs depict, their reality, the way others might paint a human figure or a piano. But he goes beyond reproducing reality; he "covers" it with paint. This is an utterly contemporary act in which he presents the object for the first time, in counterpoint to the photograph, which provides us with what was last seen. It's as if by leaving the inert state of a certain reality, the painter were giving us back its very origins, its emergence, completely new — as if he were offering us his own birth, his irruption, the original violence. In a single action, Klasen's painting brings together beginning and end, birth and death.

But in another way, these photos have become the material, the substance of other works in which the body has become involved: his celebrated "collages" in which he gathers together fragments of the body to convey a *new reality* — like raw data; like an open-ended story filled with evocative symbols; like new machinery in which the body explicitly makes itself heard. The body has had enough of disguising itself as a machine or waiting to be recognized. It has taken the work and entered inside it.

Fotos eingefangen ist. Die Maler geben die Gegenstände nicht wirklich wieder, sondern „überdecken" sie mit Farbe. Durch dieses äußerst zeitgenössische Tun führt uns die Malerei zum ersten Mal das Objekt vor und erweist sich damit als Kontrapunkt der Fotografie, die uns das Objekt so zeigt, wie sie es zuletzt gesehen hat. Gerade so, als würde uns der Künstler, indem er vom leblosen Zustand einer bestimmten Realität ausgeht, zum Ursprung zurückführen und sie neu zum Vorschein kommen lassen ; als würde er ihre Entstehung, ihr Hereinbrechen, ihre ursprüngliche Unbändigkeit offenbaren. Diese Malerei von Klasen hat in ein und demselben Akt den Anfang und das Ende, die Geburt und den Tod vereint.

Auf einer anderen Ebene haben diese Fotos als Material – Substanz - für andere Werke gedient, in denen der Körper ins Spiel kommt Es handelt sich um die berühmten „Collagen", in denen sich Fragmente vereinen, um uns eine *neue Realität* als nackte Tatsache, offene Geschichte zu vermitteln, in der sich Symbole Ausdruck verschaffen, die uns ansprechen oder erinnern ; aber auch als neue Maschinerie, in der der Körper sich ausdrücklich bemerkbar macht. Er hat keine Lust mehr, sich als Maschine zu verkleiden und darauf zu warten, dass man ihn erkennt. Er hat sich des Werks bemächtigt und ist darin eingedrungen.

Mit diesen Fotos auf der einen Seite und seinen Collagen auf der andere arbeitet der Künstler an der Wahrhaftigkeit seines Schaffensaktes, seiner Bildsprache, dessen, was ihn in dem ergreifenden Augenblick beschäftigt, in dem seine Schrift Form annimmt: Die Schrift des realen Augenblicks, in dem sich alles abspielt. Der Augenblick, den der Künstler am liebsten ständig vereiteln würde. Bereits bei den Aufnahmen spielt der Bildeffekt eine entscheidende Rolle. So zum Beispiel bei der Leitung des Laufkrans V, auf dessen Metall sich mittels einer abstrakten Sprache aus Gewalt und Verzweiflung bereits die Aufgabe und der unnütze Eifer

U

P

T

O

Avec ces photos d'un côté et ces collages de l'autre, l'artiste est à l'œuvre dans la vérité de son acte, de son langage, de ce qu'il traquait dans l'instant "saisissant" où prenait forme son "écriture", l'écriture de l'instant réel où tout est joué. Instant que l'artiste voudra sans cesse déjouer. Déjà dans ces prises de vue l'effet pictural est à l'œuvre ; comme dans cette colonne de pont roulant  où se peint sur le métal avec un lyrisme abstrait de violence et de détresse, l'abandon et le soin dérisoire. On voit des traces de ce "soin" qu'on a pris : tout en bas, un carré peint avec du bleu sur fond bleu ; l'écart infime des deux plans est celui du métal qui s'écaille, de l'usure, que la peinture veut combattre. (Mais quelle peinture ? Celle qu'ont mise les ouvriers ? Ou celle de l'artiste ? On ne sait plus. Tant mieux.) Sans citer de référence - pourquoi pas Malévitch - on voit aussi la beauté plastique des bandes noires inclinées, l'insistance des trous dont un seul est rempli par une grosse vis à tête carrée ; le mélange de saleté et d'achèvement. Qu'on voit aussi sur certaines façades - ces portes métalliques semblent des monochromes frappés de rouilles, de coulures, de craquelures  , montrant parfois carrément le travail de la ruine  ; la destruction y laisse voir par les trouées d'autres plans, plus construits, qui attendent aussi leur ruine.

With his photos on one side and his collages on the other, the artist is at work in the truth of his action, of his language, of what he hunted down in the "decisive" moment when his "writing" took shape — writing of the actual moment when everything is played out. It's a moment the artist would want to thwart incessantly. In his snapshots, the pictorial effect is already at work, as in the column of the drawbridge V: With abstract lyricism, he paints violence, distress, abandonment, feeble care on the metal. One sees the traces of the feeble "care" taken: below, a painted blue square on a blue background; the tiny difference between the two surfaces is of metal flaking off from attrition, from the erosion the paint tries to resist. (But which paint? Applied by workers or by the artist? We no longer know, and so much the better.) Without citing any references (why not Malevich?), one also observes the visual beauty of tilted black stripes, the stubborn holes; only one of them is filled, with a large, square-topped screw; a mixture of dirtiness and completion. One sees the same thing on certain facades, monochromatic, metallic doors, marked with rust, streaks, cracks W, X, and sometimes in utter ruin Y. Destruction peeks through the openings of other, more solid surfaces that also await their ruin.

abzeichnen. Man nimmt die Spuren der „Mühe" wahr, die man sich gegeben hat: ganz ist ein blaues Quadrat auf blauem Grund aufgemalt. Nur durch das absplitternde Metall, durch die Abnutzung, die von der Farbe verdeckt werden soll, kann man die beiden Flächen voneinander unterscheiden. (Aber wer hat gemalt? Die Arbeiter? Der Künstler? Man findet es nicht heraus. Umso besser.) Auch ohne jede Bezugnahme auf andere Künstler – warum nicht an Malewitsch denken? – erkennt man die plastische Schönheit der gekrümmten schwarzen Streifen, die Eindringlichkeit der Löcher, von denen nur in einem einzigen eine große Schraube mit eckigem Kopf steckt. Eine Mischung aus Schmutz und Vollendung. Die findet man auch auf einigen Oberflächen wieder, so zum Beispiel auf den monochromen Metalltüren, die von Rostflecken, Rückständen, Rissen gezeichnet sind W, X, und manchmal offen das Werk der Zerstörung zeigen Y; die Zerstörung eröffnet durch Löcher den Blick auf andere, noch intakte Flächen, die ihrerseits auf ihren Ruin warten.

Der Rohstoff für das, was Klasen in seinem Schaffensakt durch die reine Malerei und die Bildinszenierung erzeugt, ist die wohlüberlegte Dynamik, in der aus Versatzstücken eine oft „explosive" neue Realität entsteht, in der die Freiheit des Malers deutlich sichtbar wird, die andere Aspekte der Welt aufdeckt. Er bedient sich kleiner Versatzstücke der Wirklichkeit, die auf den Fotos festgehalten sind, und inszeniert eine dramatische Spannung. Hierdurch eröffnen sich dem Betrachter neue, unerwartete Blickwinkel. Die Elemente, die er als Beobachter meint eingefangen zu haben, verändern sich im plastischen Werk: der Beobachter verschwindet, der Schöpfer ergreift das „Wort" und verrichtet seine Arbeit als materieller Arbeiter am Trauma ; er

Voici donc une matière première de ce que l'acte klasénien produit par la peinture directe et le travail de mise en scène : une dynamique préméditée où se compose par morceaux une autre réalité, souvent "explosive", où la liberté du peintre éclate et révèle d'autres faces du monde. Il part des petites doses de réel qu'ont saisies les photos et il les porte vers des tensions dramatiques où nos regards, dessaisis, se renouvellent. Ces éléments, qu'il croit capter en voyeur, se transforment dans l'œuvre plastique : le voyeur s'est effacé, le créateur prend la "parole" et fait son travail de penseur matériel sur le trauma ; il le transfère sur le tableau. Dans ce transfert, l'artiste a travaillé avec son cœur et sa raison pour nous faire don d'une nouvelle réalité, au-delà des images dont notre espace est saturé.

Car il y a comme un effet thérapeutique quand le tableau parvient à être un exutoire.

Autrement dit, en voyant ces photos posez-vous des questions sur l'artiste : qu'est-ce qu'il aime ? Qu'est-ce qui l'a traumatisé ? Qu'est-ce qui l'obsède ? Que va-t-il en faire ? Quelle création va surgir de tous ces appels rassemblés ?

Klasen aime jouer de ces objets - comme un enfant rescapé anxieux et ravi : il met en place, il morcelle et recollage, il "intervient", il met des pièges pour la pensée, et cela devient un jeu d'enfant : un torse de femme nue, deux fils d'énergie lui sortent des flancs, de part et d'autre d'un cadran à même le sexe (*Disjoncteur / nu / fond gris, 1973*) [1] une femme au grand sourire avec au-dessus de la bouche le tuyau d'un robinet aux deux poignées-testicules (*Sexe faible, 1967*). Et comme l'enfant qu'Héraclite a nommé "le temps", l'artiste joue à déplacer les pièces de son jeu : il déplace en guise de pièces, tout un blason technologique du corps jouissant, du double corps bi-sexué en proie à lui-même. La bâche d'un camion devient robe de femme pleine à craquer - de sa charge que le routier mènera loin pour la vider, ou se vider. Klasen, peintre-poète des objets pris dans les flux techno-logiques aime en eux la décharge d'énergie, la charge - prélevée dans le corps collectif et les fragments du corps aimé, corps obsédant que l'on voudrait mettre en morceaux pour en jouir. Mais on bute sur la dureté du symptôme, la déchirure de l'existence, le morcellement et le semblant.

Here then, is the raw material of what is produced in the Klasenesque act, both directly in paint and in the way it is staged: a calculated dynamic in which fragments come together to create another, often "explosive" reality; one in which the painter's freedom stands out, revealing other facets of the world. From the little doses of reality captured in the photos, he creates dramatic tensions in which our gaze is surrendered and renewed. These elements, which he believes he captures as a voyeur, are transformed in the artwork. The voyeur disappears, and the creator "speaks"; he thinks in a physical way about the trauma and transfers it to his canvas. In this transfer, the artist works with his heart and his reason to give us a new reality, one that goes beyond the images that flood our space.

So there is a kind of therapeutic effect when the painting succeeds in becoming a release.

To put it another way, when you see these photographs, do you ask yourself questions about the artist: What does he love? What traumatized him? What obsesses him? What will he do with this? What creation will materialize from gathering the answers to all these questions?

Klasen likes to play with these objects — like an infant survivor, anxious and delighted, he puts them in place, splits them up and reassembles them, "intervenes," creating traps to think about, and it all becomes a child's game. A woman's naked torso, two energetic wires emerging from her side, right through a dial straight to the sex (*Disjoncteur / nu / fond gris,* 1973) [1]; a woman wearing a large smile, a faucet with two testicle-handles above her mouth (*Sexe faible, 1967*). And like the child that Heraclitus named "timo," the artist plays, moving around his game pieces; he shifts, with these elements, an entire technological heraldry of the pleasure-seeking body, of a double, bisexual body in its own grip. A tarp on a truck becomes a woman's dress, full to bursting — the truck driver will drive it far to empty her load, or his own. A painter/poet of objects from the techno-logical flux, Klasen likes the objects' electrical discharge, taken from the collective body and from fragments of a loved body, so haunting one wants to pull it apart to take pleasure from it. But we stumble over the rigidity of the symptom, the tearing apart, the fragmentation of existence.

überträgt es auf das Gemälde. Bei dieser Übertragung hat der Künstler mit Herz und Verstand gearbeitet, um uns eine neue Realität jenseits der Bilder zu schenken, mit denen unsere Umwelt übersättigt ist.

Wenn das Gemälde als Ventil dient, hat es eine therapeutische Wirkung.

Mit anderen Worten: Wenn man die Fotos sieht, sollte man sich Fragen über den Künstler stellen: Was mag er? Was hat ihn traumatisiert? Was beschäftigt ihn? Was wird er daraus machen? Welches schöpferische Werk wird aus all diesen zusammengetragenen Zeichen entstehen?

Klasen liebt es, wie ein ängstlich gerettetes und zugleich entzücktes Kind mit den Gegenständen zu spielen. Wie bei einem Kinderspiel ordnet er sie, zerstückelt sie und klebt sie wieder zusammen, er „greift ein", er stellt Gedankenfallen auf: Der Oberkörper einer nackten Frau, zwei Stromkabel kommen links und rechts auf der einen und der anderen Seite einer Anzeigentafel in Höhe ihres Geschlechts zum Vorschein (*Disjoncteur/nu/fond Gris, 1973*) [1]; eine Frau mit einem breiten Lächeln und über dem geöffneten Mund das Leitungsrohr eines Wasserhahns mit zwei hodenförmigen Griffen (*Sexe faible, 1967*). Genau so wie das Kind, das Heraklit „die Zeit" genannt hat, spielt der Künstler damit, seine Spielsteine zu verrücken. Wie seine Spielsteinchen verrückt er ein ganzes Arsenal von technologischen Symbolen für den genießenden Körper, für den doppelten, bisexuellen Körper, der Opfer seiner selbst geworden ist. Die Lastwagenplane wird zum Damenkleid, das wegen der Fracht aus allen Nähten platzt, die der Fahrer weit weg bringt, um sie zu entladen oder um sich selbst zu entleeren. Klasen, der Maler-Dichter der Gegenstände, die im Fluss der Techno-Logie gefangen sind, liebt an den Objekten die Entladung der Energie und die Ladung, die dem Gemeinschaftskörper und den Fragmenten des geliebten Körpers, von dem man besessen ist und den man in Stücke zerlegen möchte, um sich daran zu erfreuen, entnommen wird. Aber man stößt auf die Hartnäckigkeit des Symptoms, die Zerrissenheit der Existenz, die Zerstückelung und das Scheinbare. Und doch schleicht sich gerade dadurch das Verlangen ein, und jedes Kunstwerk will den Schmerz eines Orgasmus einfangen. Die Technik eignet sich für dieses Spiel, da sie selbst durch die Fetische, die die Geschichte glücklicherweise bei jeder technischen Mutation explodieren lässt, die Übertragung der spielerischen Liebe ist.

Pourtant, c'est à travers cela que le désir se faufile, et chaque œuvre veut recueillir le déchirement d'un orgasme. La technique se prête au jeu, étant elle-même le transfert d'amours ludiques, à travers des fétiches qu'heureusement l'histoire fait exploser à chaque mutation des techniques.

Tout cela suppose une vue profonde de la technique. Le but de celles-ci n'est le "progrès" qu'en apparence ; le but, c'est de jouir de ce qu'on fait et de faire ce dont on jouit, même si on en souffre aussi. Le but, c'est de jouir des lois du cosmos qui transmettent le don de vie, de les suivre jusqu'aux limites qui exigent d'être franchies ; c'est de parler plusieurs langages, de voyager entre les multiples présences de la Chose, sans en rester à une seule représentation. L'idée d'avance ou de progrès n'est qu'une illusion nécessaire : on progresse sur le chemin de la vie et de la jouissance multiple, mais quelque part on n'est pas plus avancé. Il faut repartir.

La technique chez Klasen n'est pas purement menaçante ou aliénante comme le veut un consensus désuet. La technique est un faire/transfaire où l'homme s'affronte à ses limites et se questionne sur ce qu'il veut. Klasen peint des risques de *Poison*, des signaux de *Danger*, d'*Attenzione !* (que de contraintes "aliénantes"…), mais il peint aussi, à cette même époque, une simple poignée de porte *Poignée de porte II*, 1974 [2]. C'est une des œuvres que j'aime le plus : pur objet frontière, rappel de tous les passages d'un lieu à l'autre, d'une chambre à l'autre pour se quitter ou se retrouver, rappel de l'impossible et de la facilité, présence mutique entre deux langues (laquelle va parler la première ?) ; fermeté dérisoire, fermeture aggravée ou allégée par la clé plantée là dans le trou et l'autre clé qui pendouille ; le tout reflété, "représenté" par son ombre sur le mur. L'objet nous "parle", il fait partie de nos gestes, il nous touche car nous le touchons chaque jour, ce qui n'est pas le cas des containers et camions. C'est notre manette, étrange et familière, et c'est le symbole d'une création : passage d'une réalité à une autre que l'on crée. Avec un tel objet, Klasen est un grand précurseur de l'actuel Damian Hirst ; même si sa passion du sens et du montage l'a plus fixé sur l'étude des "positions" que sur la densité de la chair. (Encore que *Disjoncteur rouge / 3 seringues* de 1972 [3], avec la bouche lippue où est posé un comprimé, annonçait, trente ans plus tôt, un des grands thèmes du peintre anglais.)

Nevertheless, desire manages to slips through; each of Klasen's works evokes the way an orgasm rips one to shreds. The technique becomes a game, expressing a kind of playful love through fetishes that, fortunately, history has torn apart with each change in technique.

All this implies a meaningful view of the technique. The objective of these works is only superficially "to progress"; the objective is to take pleasure in what we do and to do what gives us pleasure, even if we suffer at the same time. The goal is to take pleasure from cosmic laws that pass on the gift of life, to follow them to limits that beg to be crossed; it's speaking in several tongues, traveling among It's multiple presences without sticking to just one portrayal. The idea of progress or advancement is merely a simple illusion. We move along the path of life, the path of multiple pleasures but at some point, we advance no further and have to begin over again.

Klasen's technique is not purely threatening or alienating, as outdated opinion would have it. It is a "faire/trans-faire" in which man confronts his own boundaries and asks himself what he wants. Klasen paints risks in *Poison;* signs in *Danger;* hazards in *Attenzione* (all "alienating" constraints…). But at the same time, he'll also paint a simple doorknob *Poignée de porte II, 1974* [2]. This is one of the works I like best: a pure "borderline" object, a reminder of all passageways leading from one place to another, from one room to another; passageways we take to leave or find each other, reminders of impossibility and ease, the silent presence between two tongues (Which will speak first?); a derisory closing, a closing exacerbated or alleviated by a key planted in the hole and another key dangling down; all of it reflected, "represented" by its shadow on the wall. This object "speaks" to us and becomes part of our gestures. It touches us because we touch it daily, which is not the case with his trucks or containers. It is our lever, strange and familiar, the symbol of a creation: a passageway from one reality to another that we have created. With such an object, Klasen becomes an important precursor of Damien Hirst, even if his passionate interest in meaning and in montage has led him to concentrate on studying "positions" rather than the density of flesh. (In his 1972 [3] painting *Disjoncteur rouge / 3 seringues*, which depicts a pill held between a pair of thick lips, Klasen invents what would

Das alles setzt einen scharfen Blick für die Technik voraus. Nur dem Anschein nach ist der „Fortschritt" ihr Ziel. Das Ziel ist, sich an dem zu erfreuen, was man erschafft, und das zu erschaffen, was einen erfreut, selbst wenn man darunter auch leidet. Das Ziel ist es, die Gesetze des Kosmos zu nutzen, die die Gabe des Lebens übermitteln, und ihnen bis an die Grenzen zu folgen, die überwunden werden müssen. Das bedeutet mehrere Sprachen zu sprechen, sich zwischen den verschiedenen Wirklichkeiten der Dinge hin und her zu bewegen, ohne sich auf eine bestimmte bildliche Wiedergabe festzulegen. Die Idee der Zukunft oder des Fortschrittes ist nur eine notwendige Illusion: Man schreitet auf dem Weg des Lebens und der vielfachen Lust voran, aber an einem bestimmten Punkt merkt man, dass man nicht vorangekommen ist. Man muss wieder von vorn beginnen.

Bei Klasen ist die Technik nicht mehr nur - einem überkommenen Konsens entsprechend - bedrohlich oder entfremdend. Die Technik ist ein Schaffens- und Übertragungsprozess, bei dem der Mensch an seine Grenzen stößt und sich Gedanken darüber macht, was er will. Klasen malt Gefahrenschilder *Poison* und Warnschilder *Danger, Attenzione !*, mithin ausschließlich „entfremdende" Zwänge. Zur gleichen Zeit malt er aber auch einen einfachen Türgriff *Poignée de porte II*, 1974 [2]. Es ist eines meiner Lieblingsbilder: ein reines Übergangsobjekt, Erinnerung an alle Durchgänge von einem Ort zum anderen, von einem Zimmer zum anderen, um sich zu verlassen oder sich wiederzutreffen, Erinnerung an die Unmöglichkeit und an die Leichtigkeit, stummes Miteinander zweier Sprachen, bei denen nicht klar ist, welche als erste etwas sagt ; lächerliche Entschlossenheit, schweres oder leichtes Schließen mit dem einen Schlüssel, der im Schlüsselloch steckt, und dem anderen, der herunterhängt. Das alles wird in dem Schatten, den die Tür auf die Wand wirft, reflektiert, „repräsentiert". Der Gegenstand spricht zu uns, er ist Bestandteil unserer Gesten. Er berührt uns, da wir ihn jeden Tag anfassen, was für die Container und Lastwagen nicht gilt. Es ist unser Türgriff, fremd und vertraut zugleich, und es ist das Symbol einer Schöpfung: Übergang von einer Realität zu einer anderen, die wir selber erschaffen. Mit einem solchen Objekt wird Klasen zum wichtigen Vorläufer von Damien Hirst, auch wenn er sich wegen seiner Vorliebe für den Sinn und die Montage eher auf die Untersuchung der „Positionen" als der Dichte des Fleisches festgelegt hat. (Dabei kündigte das Bild *Disjoncteur* [3] aus dem Jahr 1972

que Heidegger exalta le Guide.) Ces nostalgies rêvent d'une technique encore plus forte et plus *violante*. Ce n'est pas le cas de Klasen. Il est sur l'arête d'où il observe et endure la faille humaine, typique de l'homme actuel ; son art d'angoisse et de sauvetage participe au sauvetage angoissé de l'art. Il ne prêche pas contre l'ordre, le mal, la violence, comme ceux qui n'ont pas honte d'embellir leur image jusqu'à l'obscène. Il est sur l'arête de l'entre-deux où ce n'est jamais joué, où le bien peut faire mal et où le mal peut bien tourner…

Sa liberté, comme la nôtre est plus grande que ces obstacles machiniques, car elle peut faire l'épreuve de s'y risquer, de s'y perdre, et d'en ressortir vivante. C'est là une évidence qu'on oublie vite : être libre c'est pouvoir perdre sa liberté dans tel lien ou telle contrainte et la retrouver assez riche pour se sortir de la capture, avec une dimension de plus. C'est cette autre dimension que Klasen vise en brisant sur ses toiles l'objet de ses photos, sous la pression des corps qui viennent s'y faire entendre. Et ses œuvres, tout en nous faisant sentir la faille, nous donnent l'idée de pouvoir "passer", d'être au-delà de ces captures, si l'on peut comme lui, les mettre en scène.

Daniel Sibony

Daniel Sibony et Peter Klasen, Châteauneuf de Grasse, 2004

Daniel Sibony, psychanalyste, écrivain ; dernier livre paru : FOUS DE L'ORIGINE. JOURNAL D'INTIFADA (Bourgois). À paraître en octobre 2005 : CRÉATION. Essai sur l'art contemporain, (Seuil).

* ENTRE DIRE ET FAIRE, *Penser la technique*. (Grasset 1989)

---

who blame the "alienating technique," which *Gestell* imprisons and reasons with, often feel nostalgic for true (which is to say, fetishist) beginnings. (It's in the name of the authentic that Heidegger glorified the Guide.) This nostalgia engenders dreams of a technique that is stronger and more *violent*, more *violating*, which is not Klasen's case. Sitting in a kind of interstice, he observes and allows for ordinary human flaws; his art of anxiety and rescue participates in the anguished rescue of art. He never preaches against order, evil, or violence, like those who are unashamed to embellish their image to the point of obscenity. He occupies that ambiguous, in-between space where the question is never raised, where good can destroy and where bad can turn out well…

Klasen's freedom, like ours, is more important than these mechanical obstacles because it can take risks, disappear, and re-emerge, still alive. Here lies a truth that one forgets too easily: Freedom is the power to lose one's liberty in this place or that, then find it again, plentiful enough to escape imprisonment, with an extra added dimension. It's this added dimension that Klasen seeks, shattering images from his photographs on canvas, under the pressure of bodies that have come to make themselves heard. While heightening our awareness of fragility, his paintings give us the idea of being able to "pass through," of moving beyond such imprisonments — if, as he does, we can stage and transform them.

Daniel Sibony

Daniel Sibony is a psychoanalyst and writer. His last book was *Fous de l'Origine. Journal d'Intifada* (Bourgois). His latest book, *Creation; Essai sur l'art contemporain* (Seuil) will be published in October 2005.

* ENTRE DIRE ET FAIRE, *Penser la technique* - (Grasset 1989)

In meinen Augen „verurteilen" diese Kunstwerke nicht unsere „inhumane" Kultur (vor allem nicht zu einem Zeitpunkt, da andere dunkelmännische Verurteilungen Schule machen), sondern sie sind eine Bestandsaufnahme des Menschlichen als solches. Diejenigen, die die „entfremdende" Technik verurteilen, deren *Gestell* einschließt und kontrolliert, haben oftmals Sehnsucht nach einem reinen, fetischisierten Ursprung. (Heidegger pries den Führer im Namen des Authentischen.) Diese Sehnsüchte träumen von einer noch stärkeren und noch *gewaltigeren* Technik. Für Klasen gilt das nicht. Er bewegt sich auf dem Grat, von dem aus er die für unsere Zeitgenossen typische menschliche Zerrissenheit beobachtet und erduldet. Seine Kunst der Angst und der Rettung beteiligt sich an der ängstlichen Rettung der Kunst. Er tut es nicht denjenigen gleich, die sich nicht zu schade sind, ihr Bild bis zur Obszönität zu verschönern und gegen die Ordnung, das Schlechte, die Gewalt zu predigen. Er wandert auf dem Grat des Dazwischen, wo nichts entschieden ist, wo das Gute wehtun und das Schlechte sich zum Guten wenden kann.

Seine wie unsere Freiheit ist größer als diese maschinellen Hindernisse, denn sie kann es wagen, sich dort hineinzustürzen, sich darin zu verlieren und lebendig wieder herauszukommen. Allzu schnell vergessen wir die offensichtliche Tatsache, dass frei sein bedeutet, seine Freiheit in dieser Verbindung oder jenem Zwang verlieren und sie stark genug wieder finden zu können, um sich - um eine weitere Dimension bereichert - aus der Gefangenschaft zu befreien. Klasen hat es auf diese weitere Dimension abgesehen, wenn er in seinen Gemälden unter dem Druck der Körper, die sich dort mitteilen, die Objekte seiner Fotos zerbricht. Seine Werke lassen uns die Zerrissenheit spüren. Trotzdem vermitteln sie uns eine Vorstellung davon, wie wir sie überwinden und jenseits dieser Gefangenschaften sein können, wenn es uns gelingt, sie wie er in Szene zu setzen.

Daniel Sibony

Daniel Sibony ist Psychoanalytiker und Schriftsteller. Jüngste Buchveröffentlichung: *Fous de l'origine. Journal d'Intifada*, (Bourgois). Im Oktober 2005 erscheint: *Création. Essai sur l'art contemporain*, (Seuil).

* ENTRE DIRE ET FAIRE, *Penser la technique* (Grasset 1989)

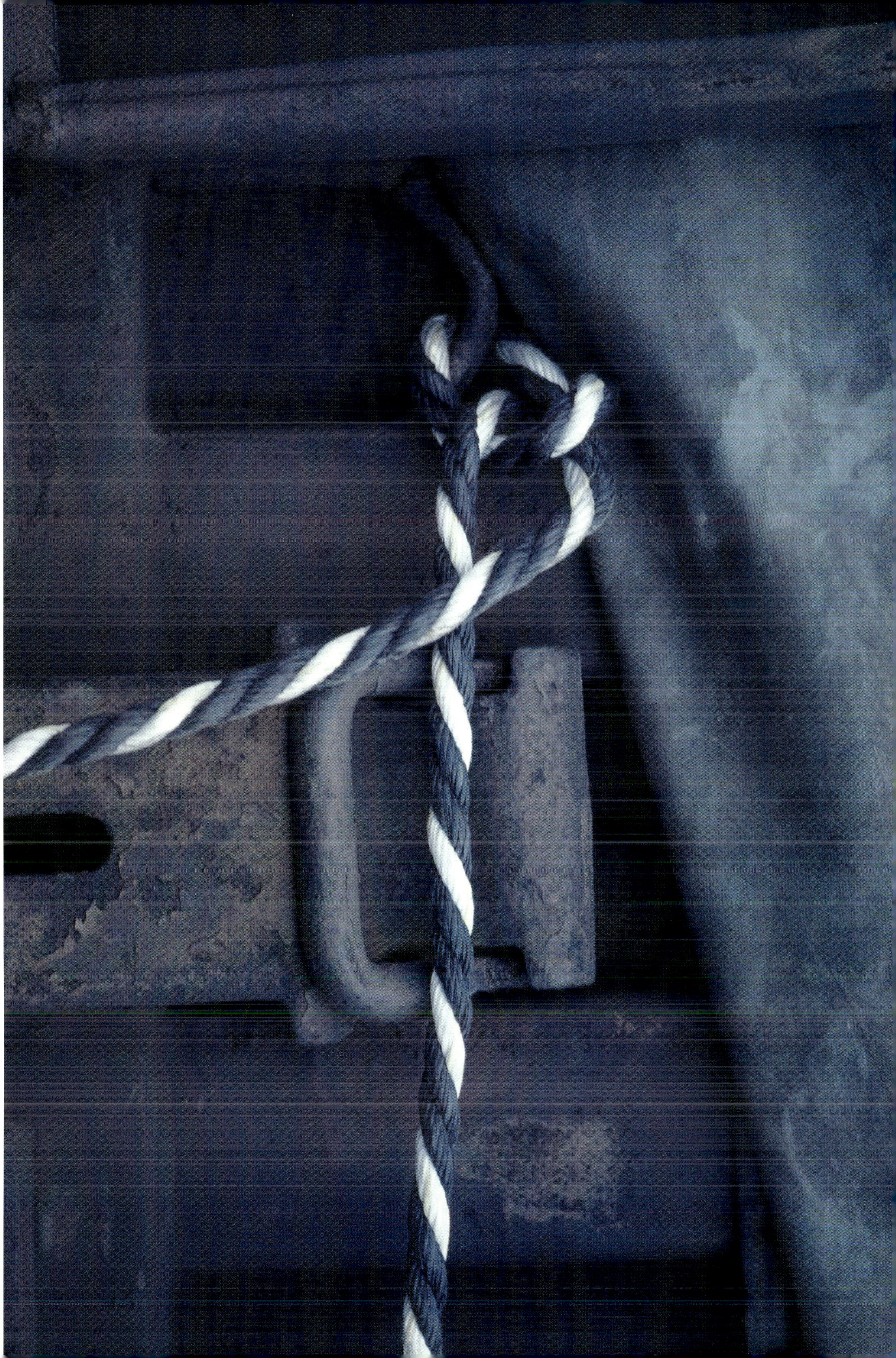

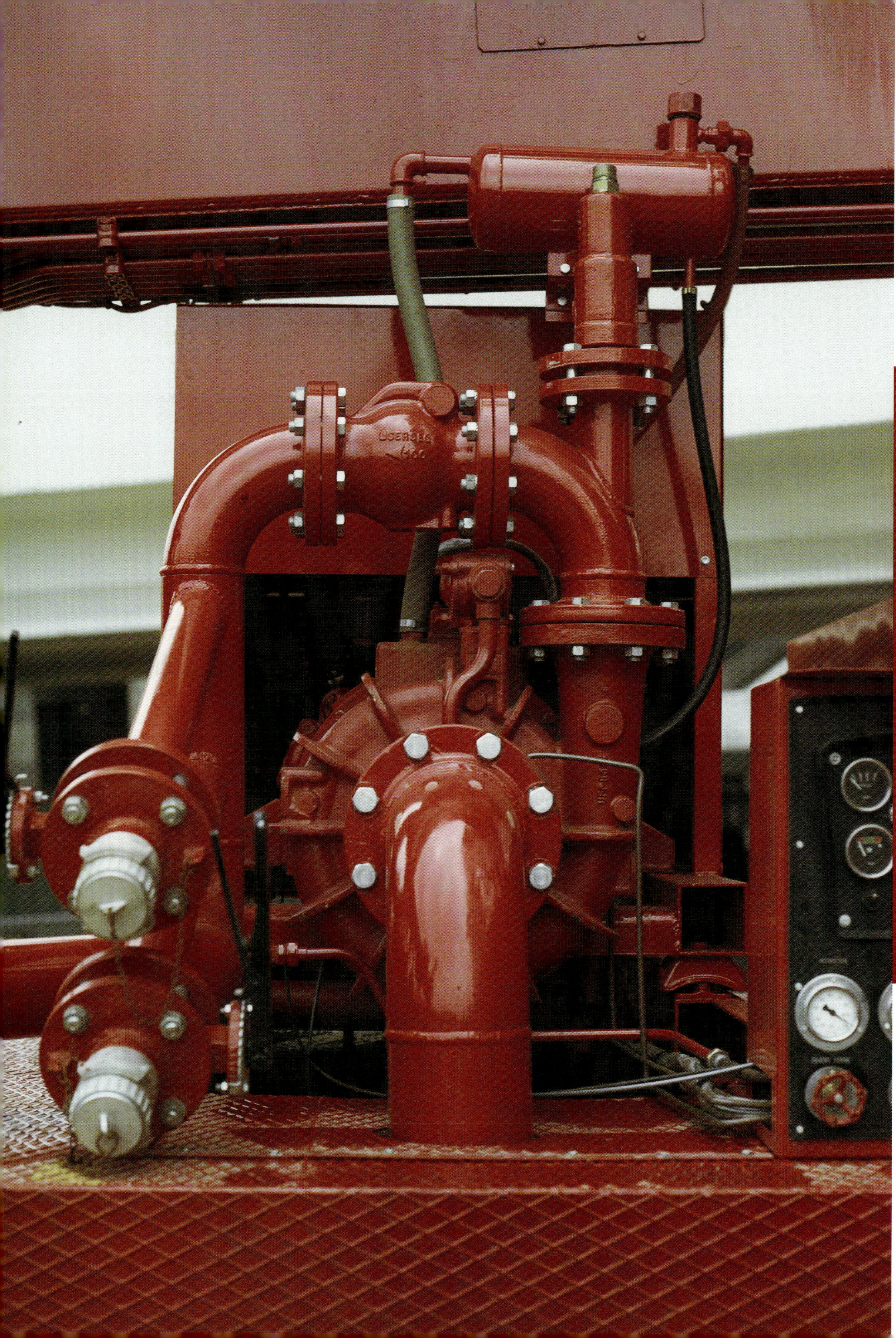

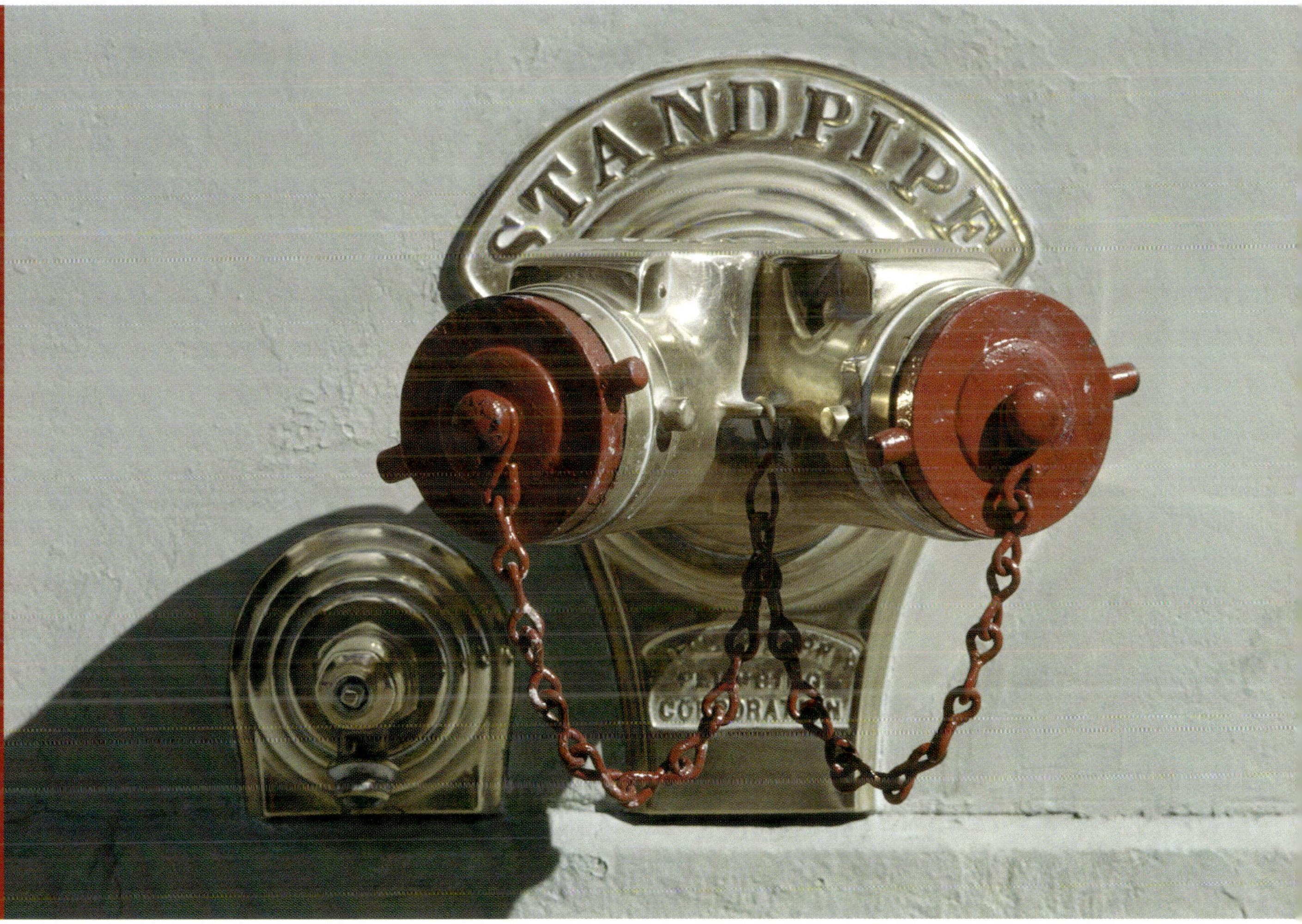
STANDPIPE

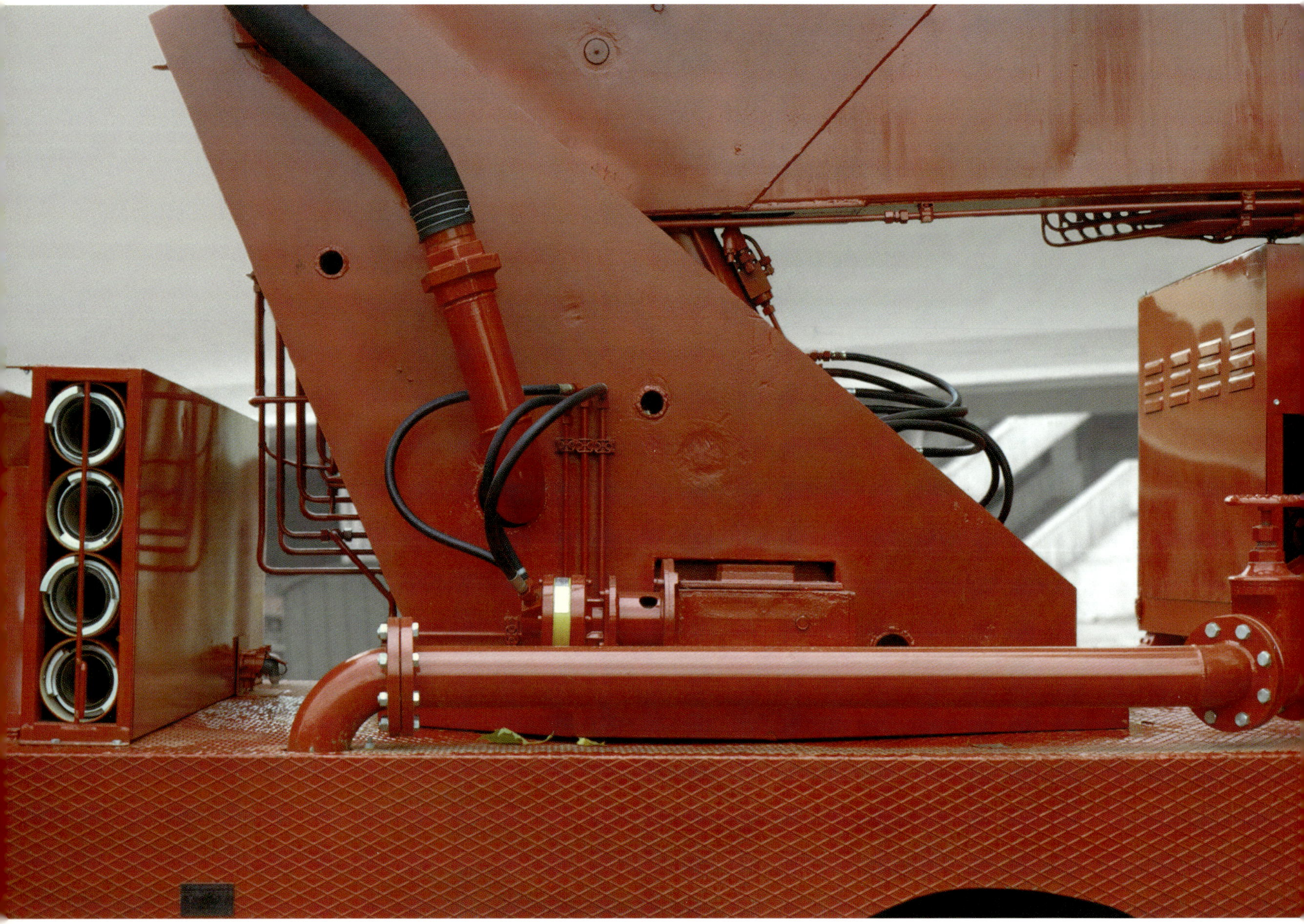

NITROLAC

resserrez vos roues
attention...
resserrez votre suspension
graissez vos essieux

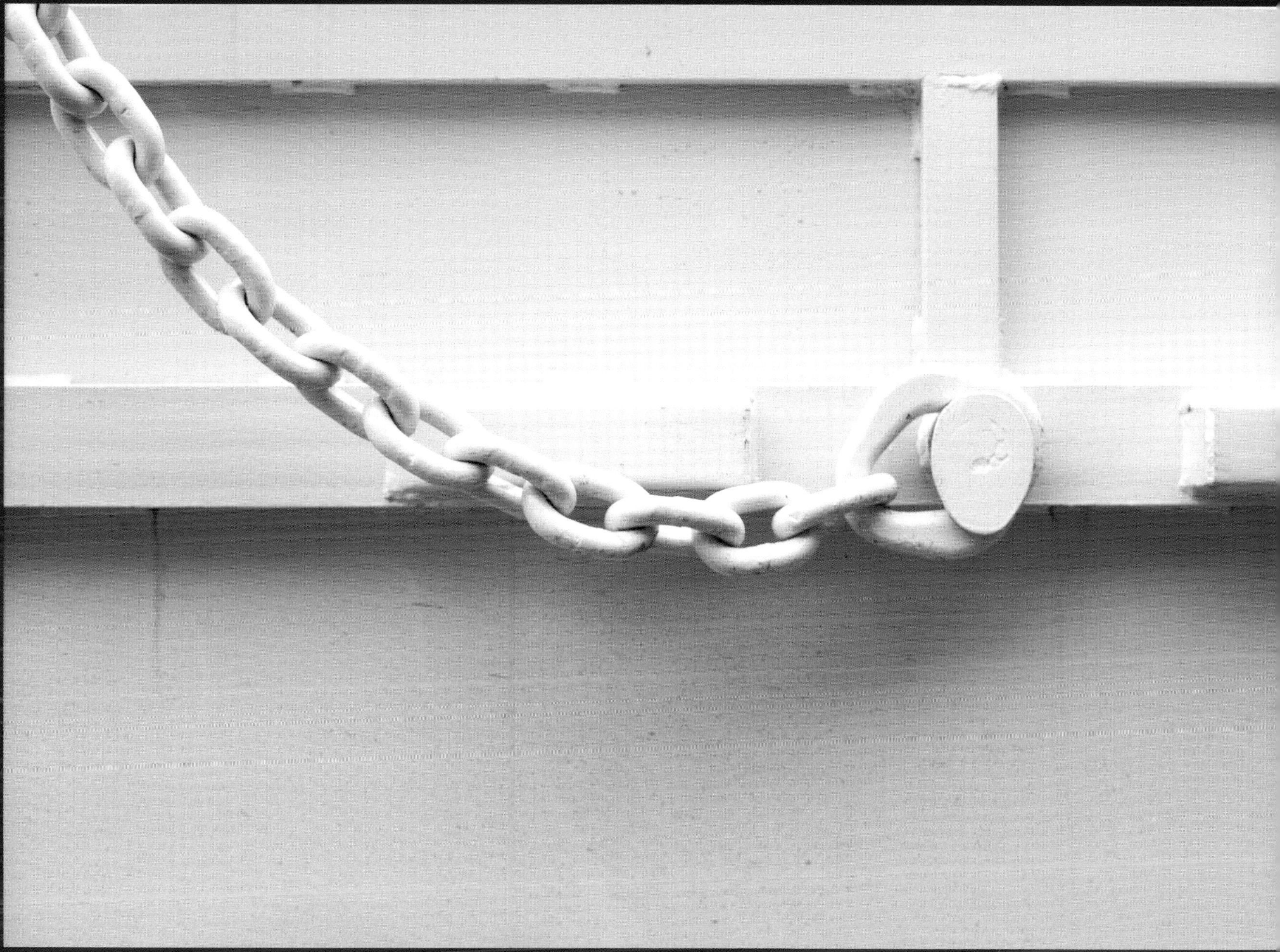

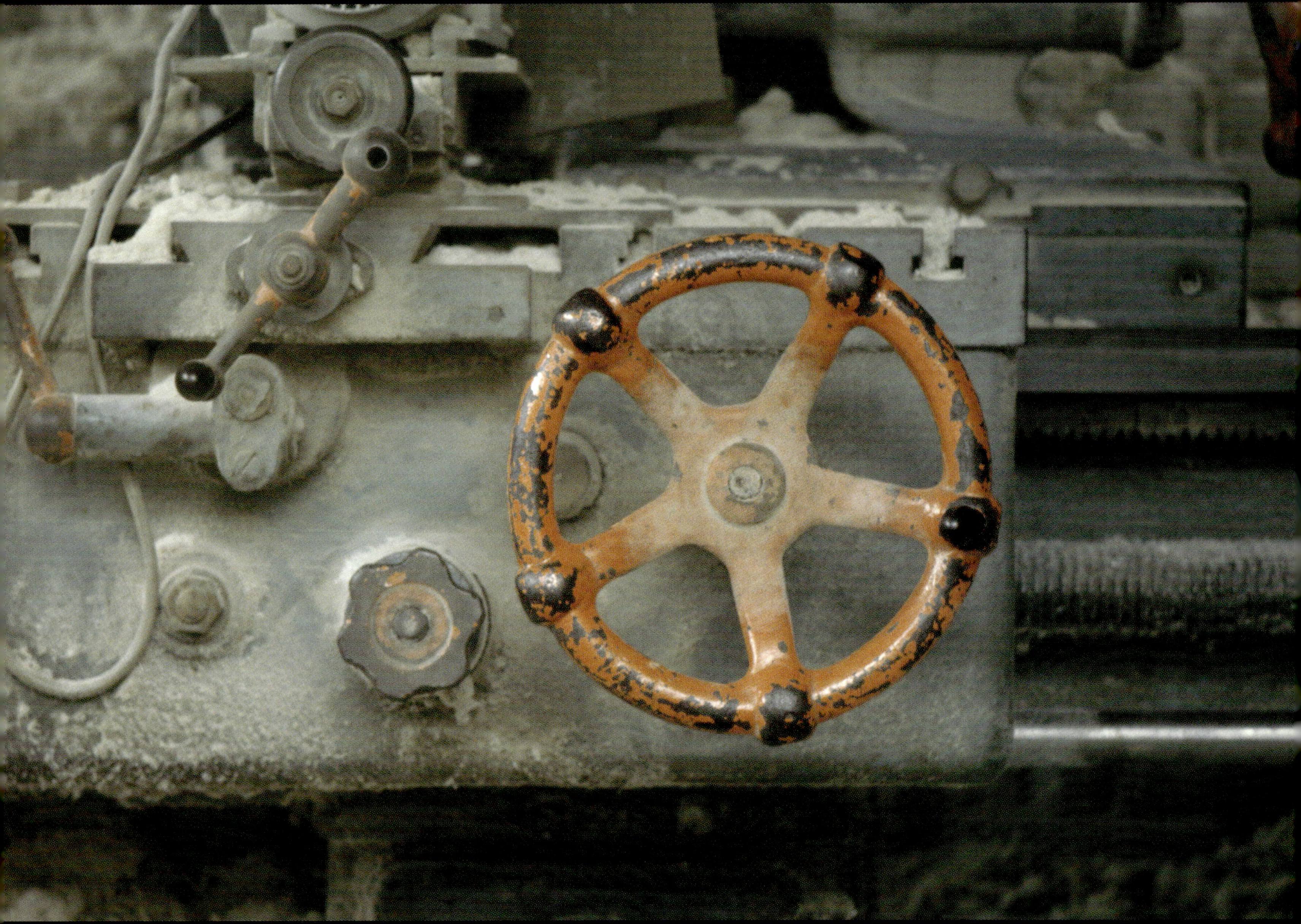

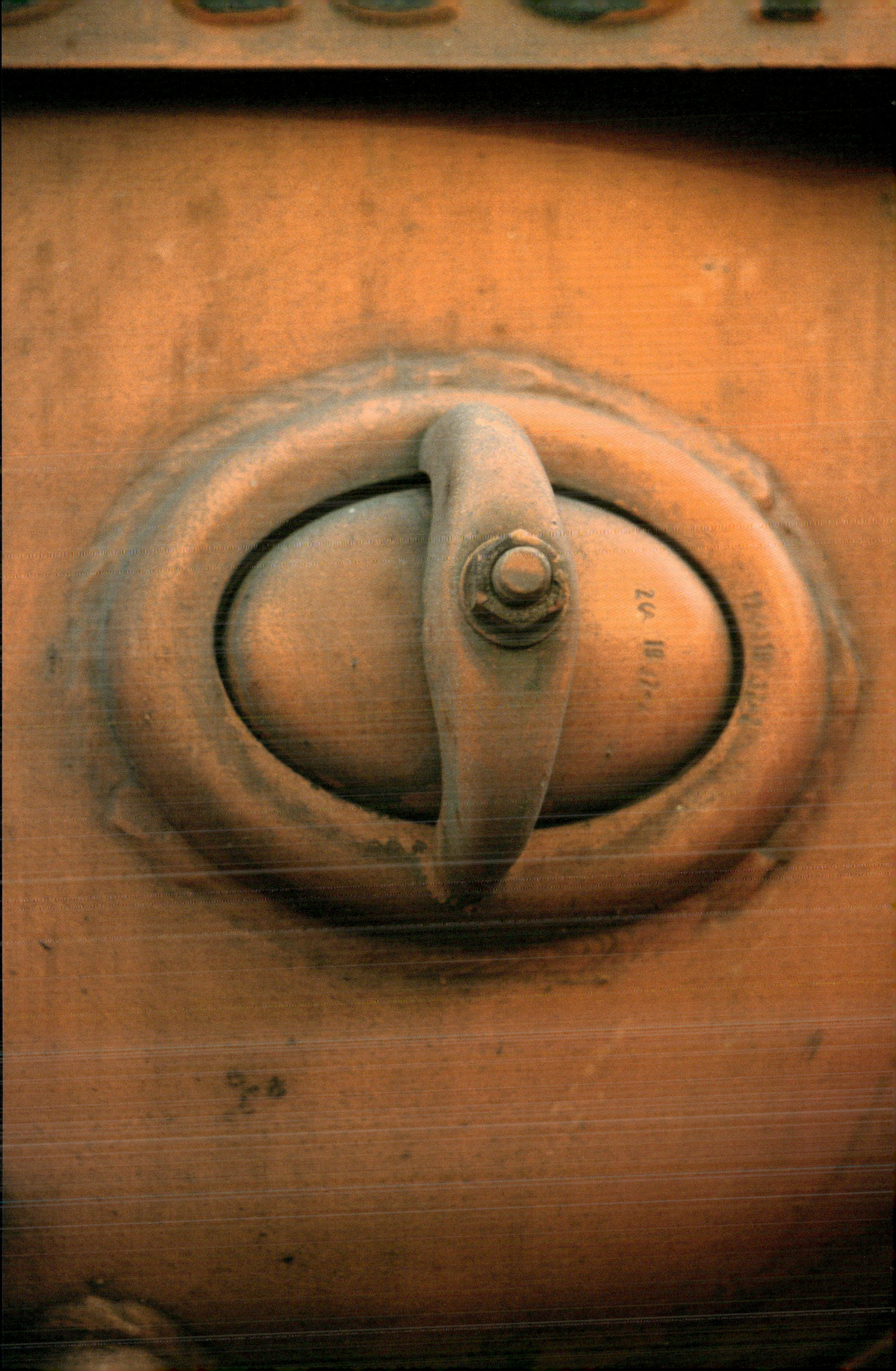

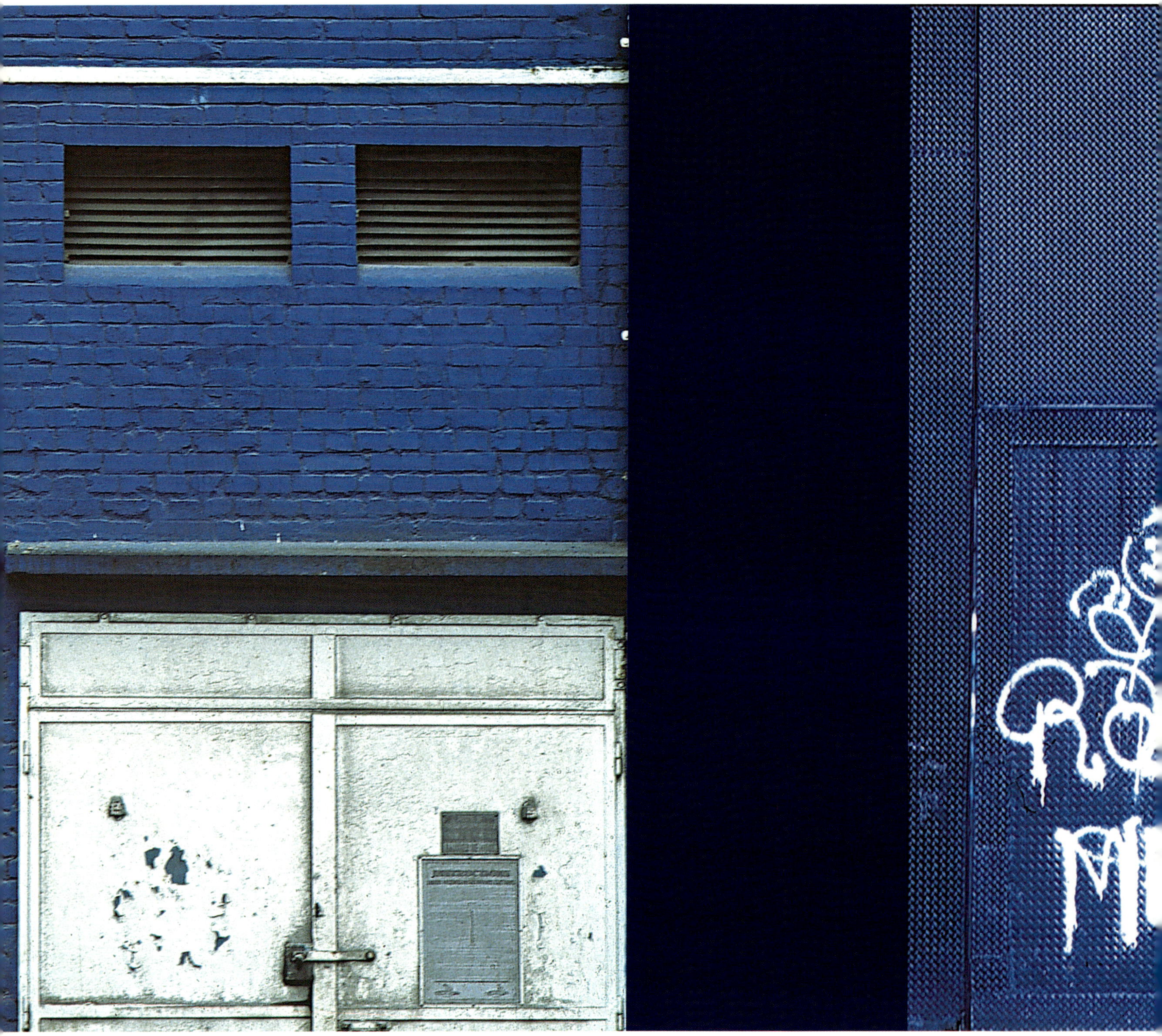

47

M

4.520 m³

RB.3

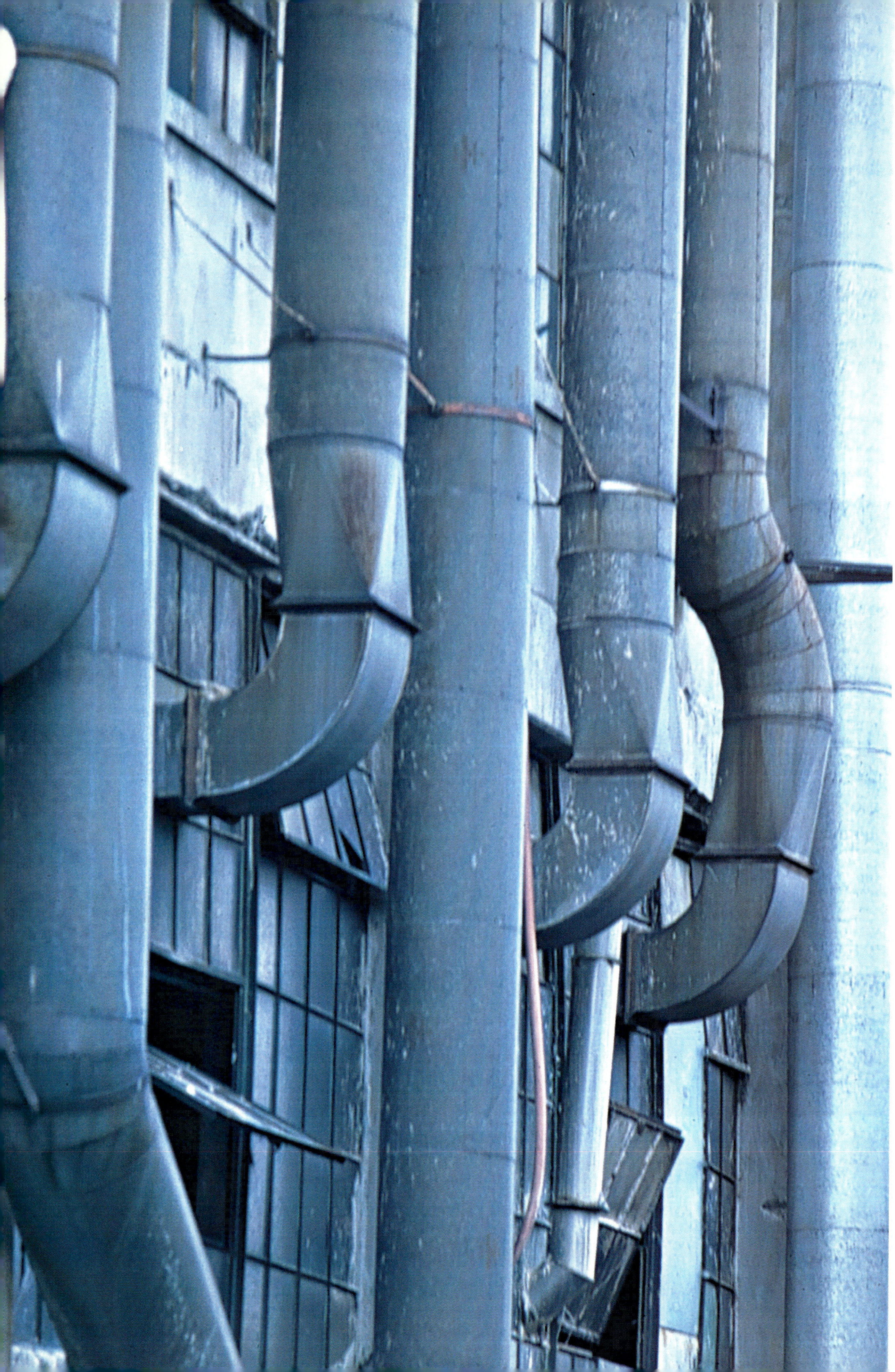

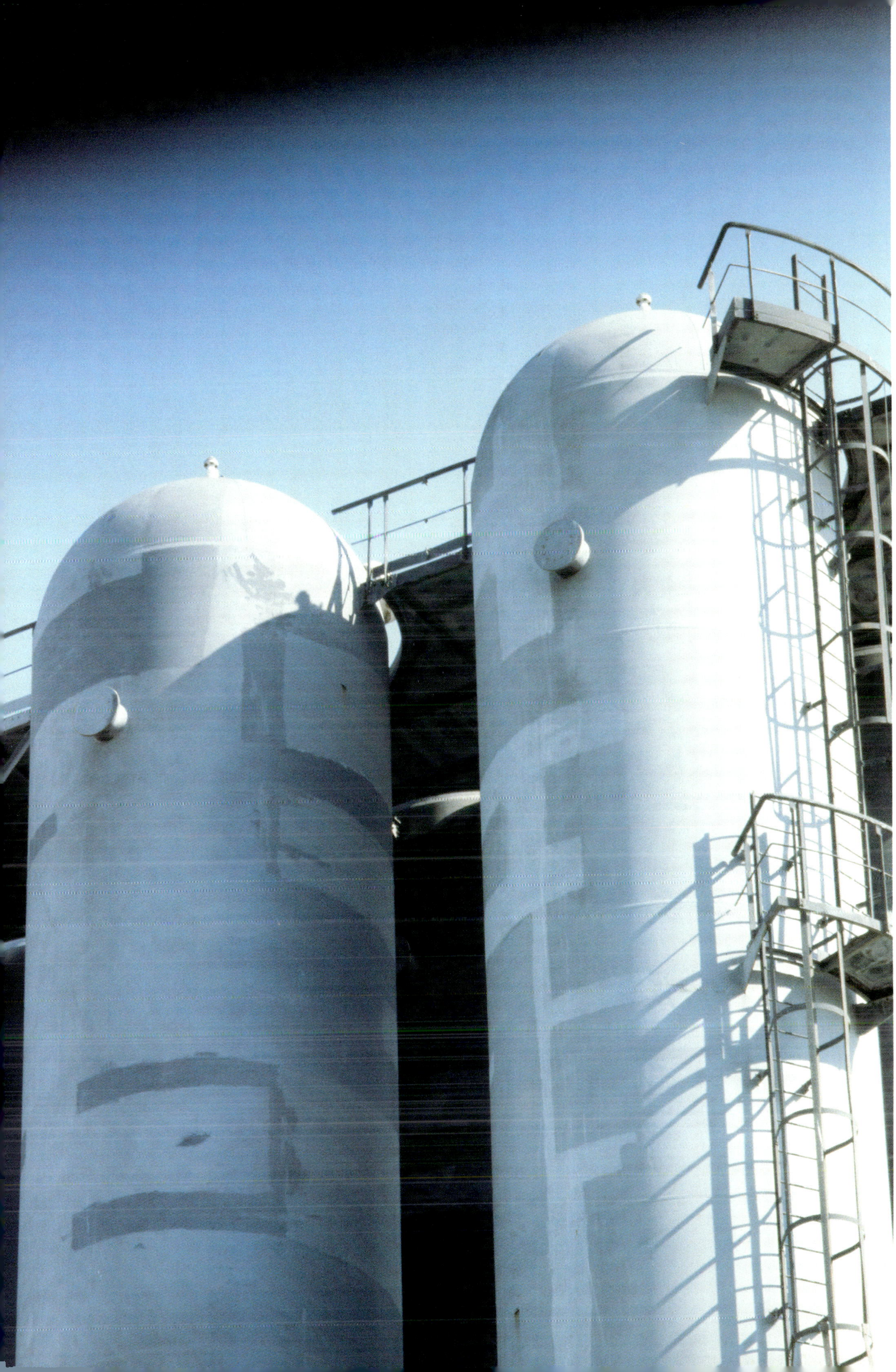

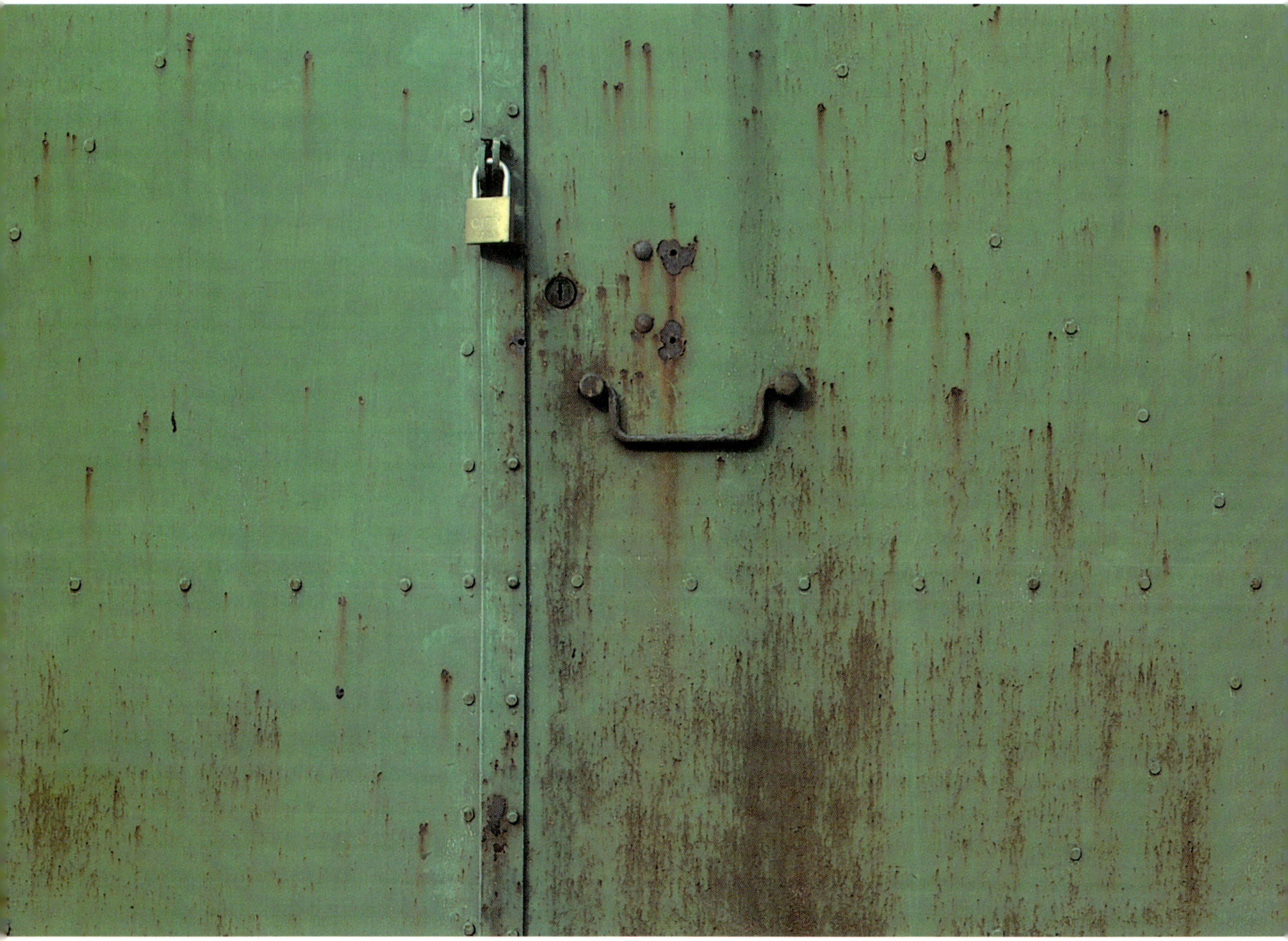

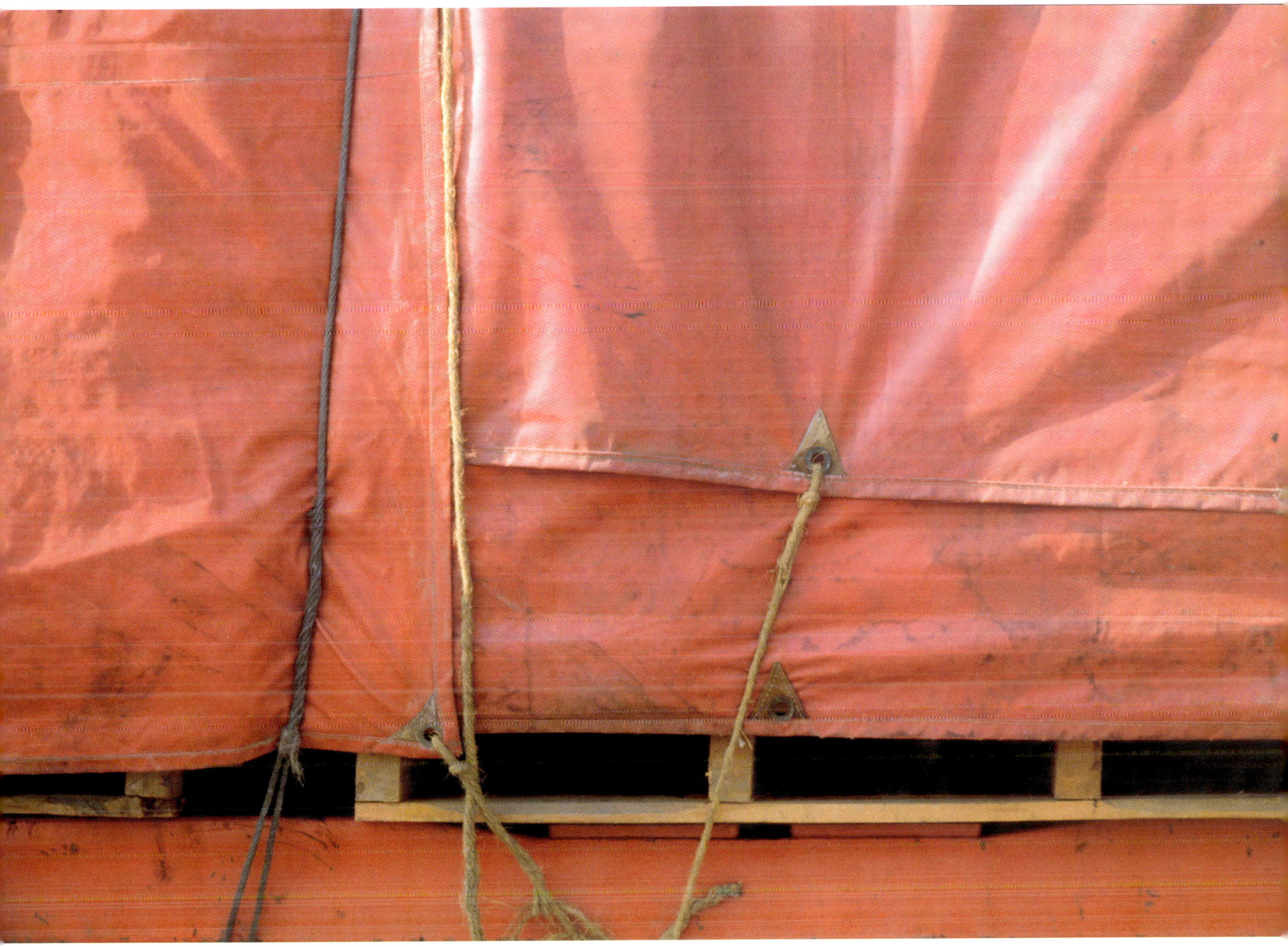

FA 25

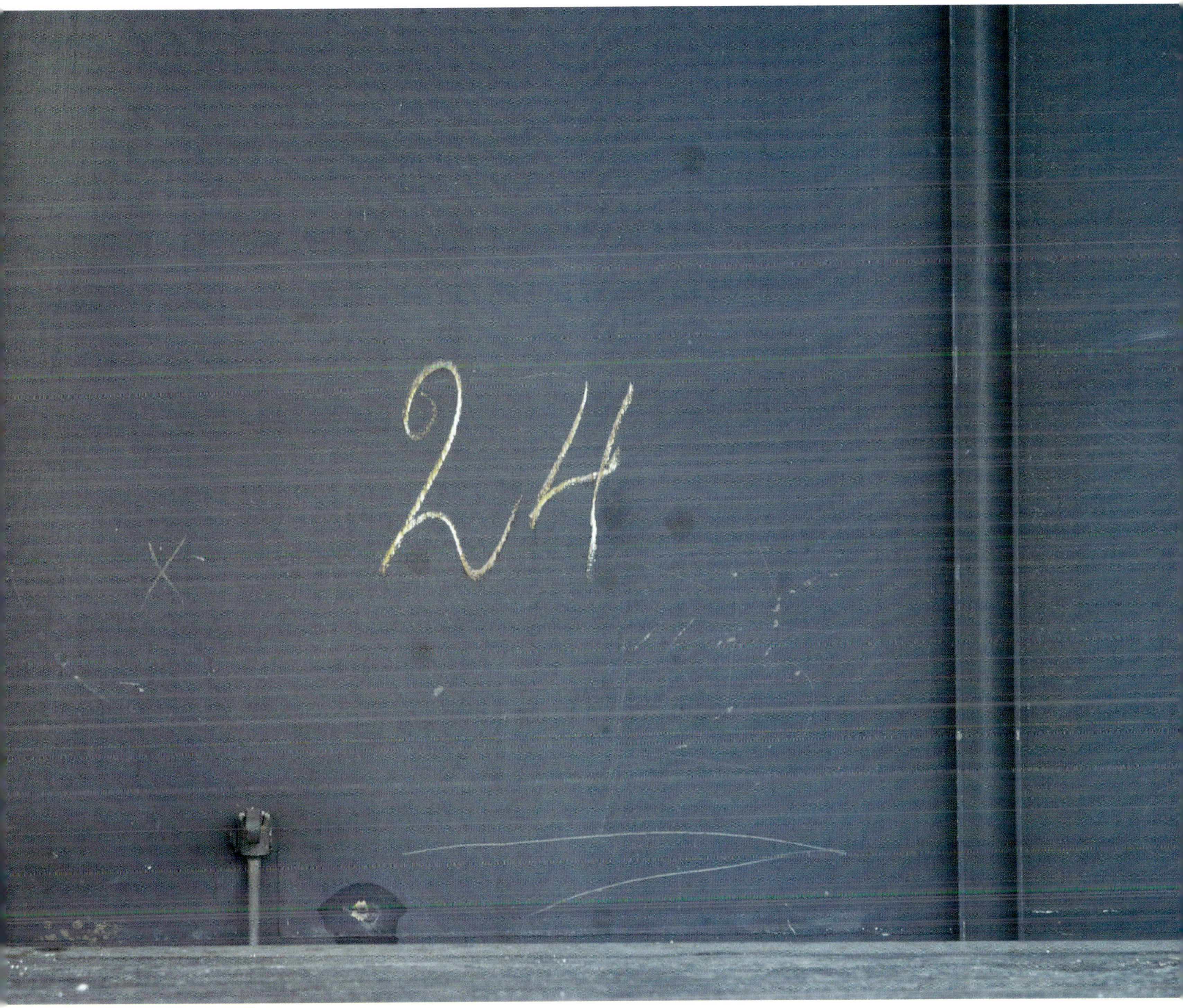
24

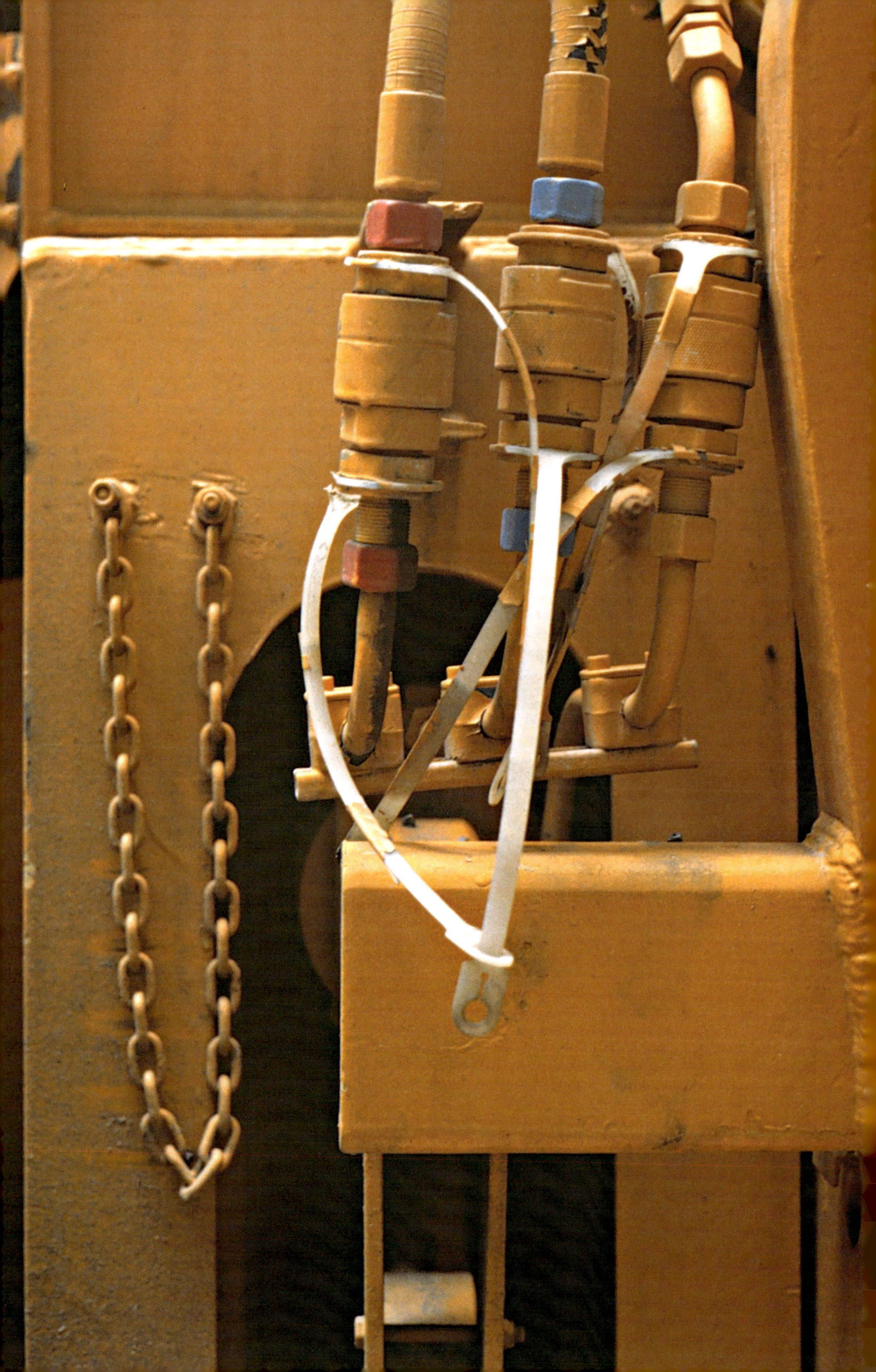

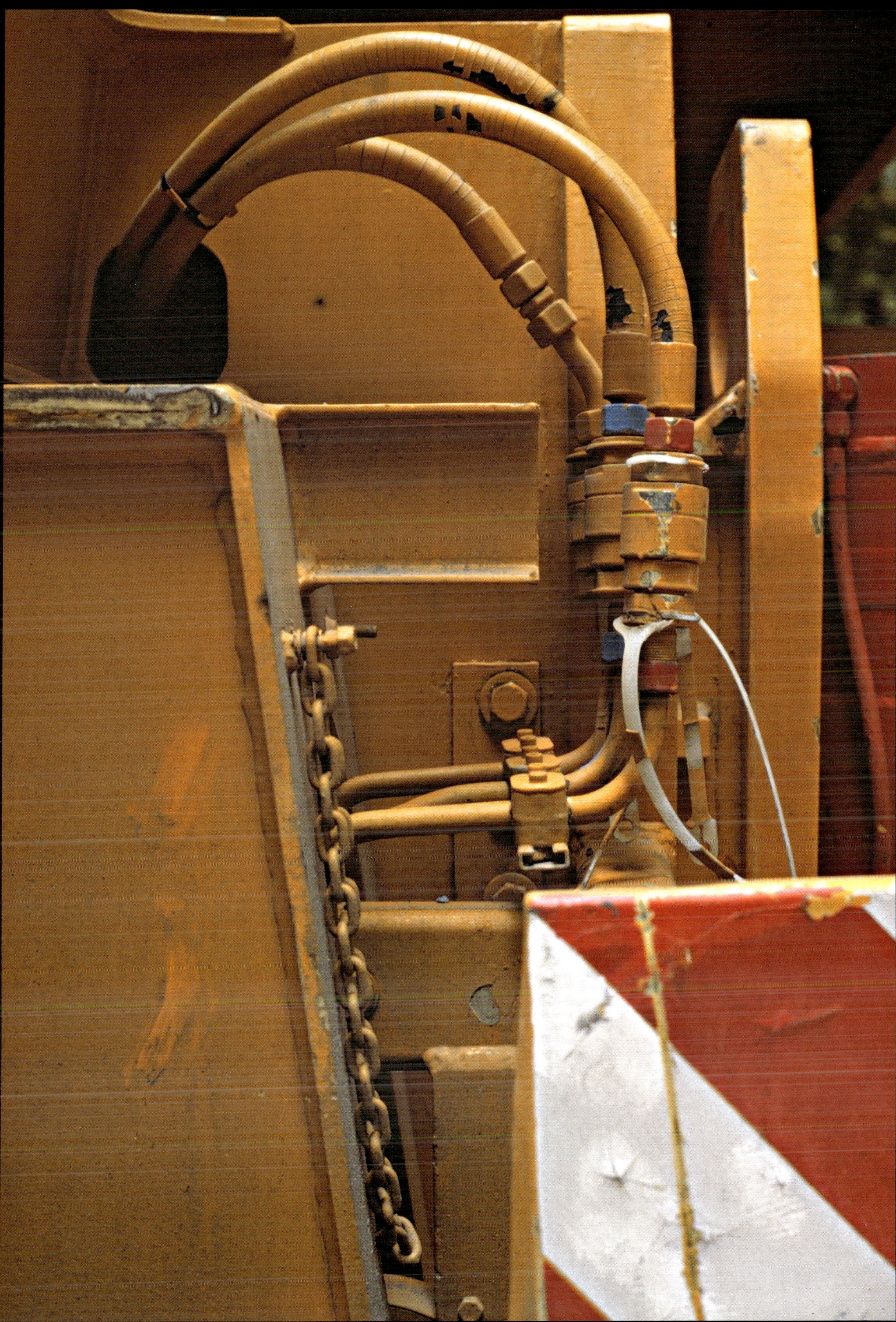

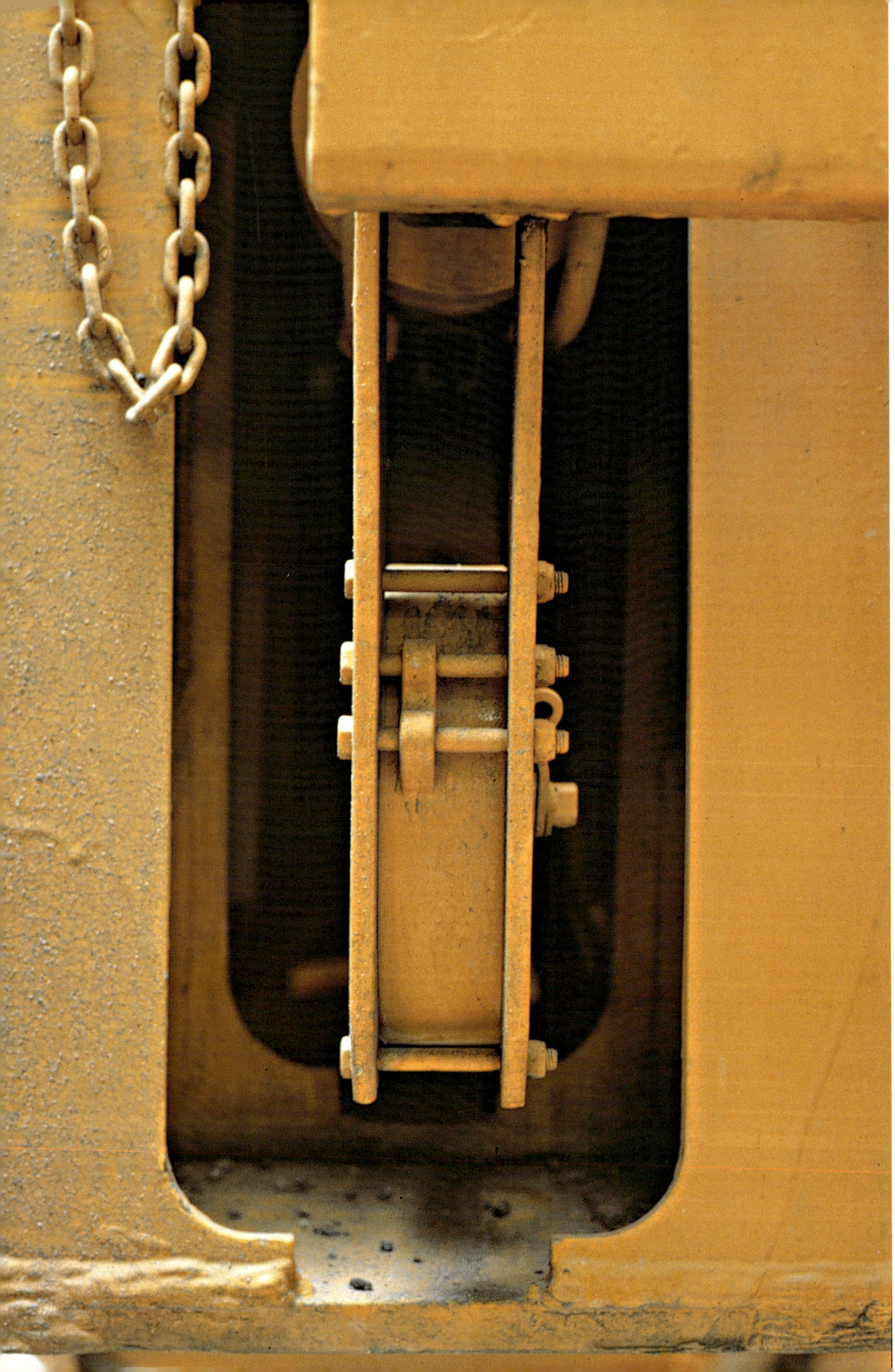

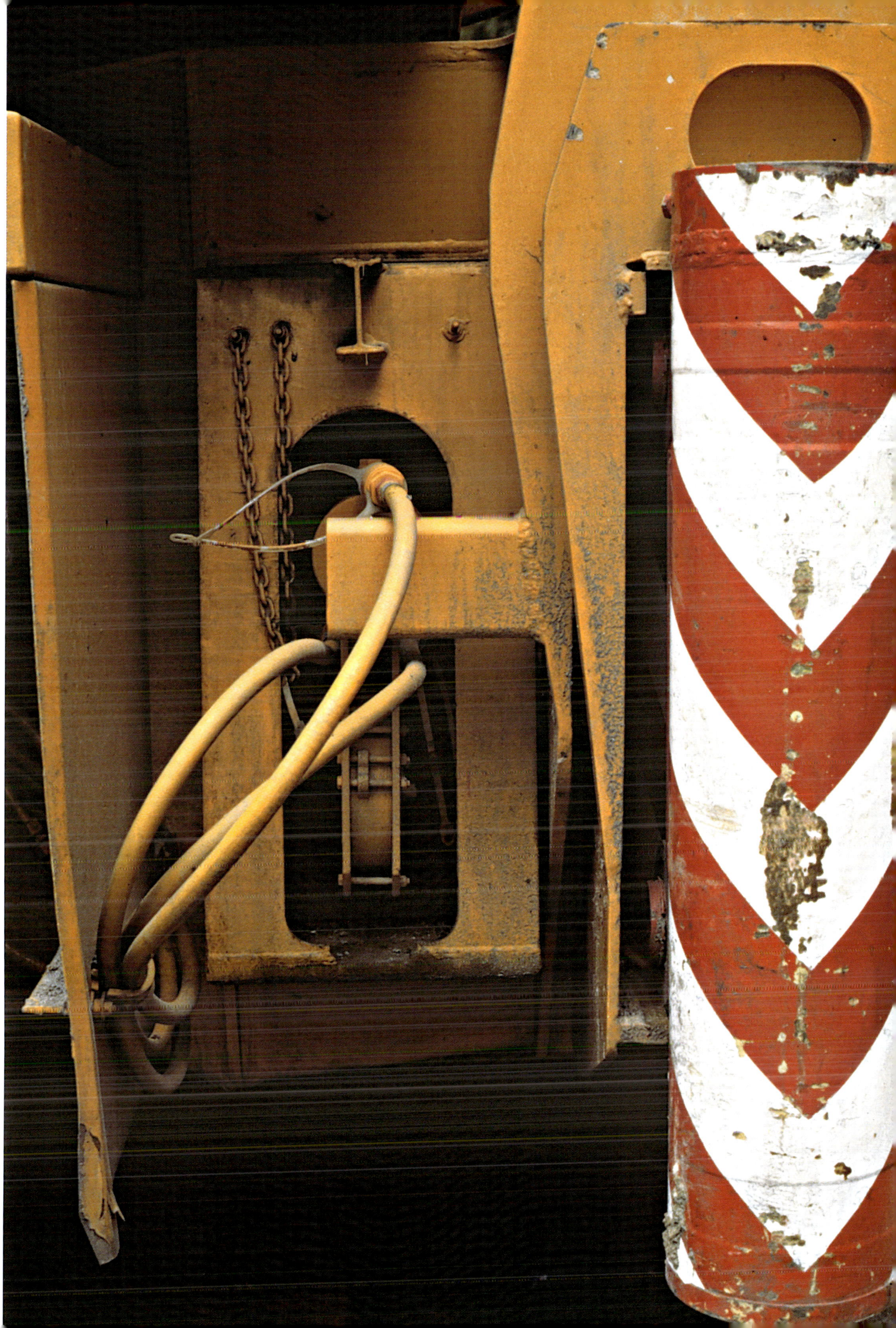

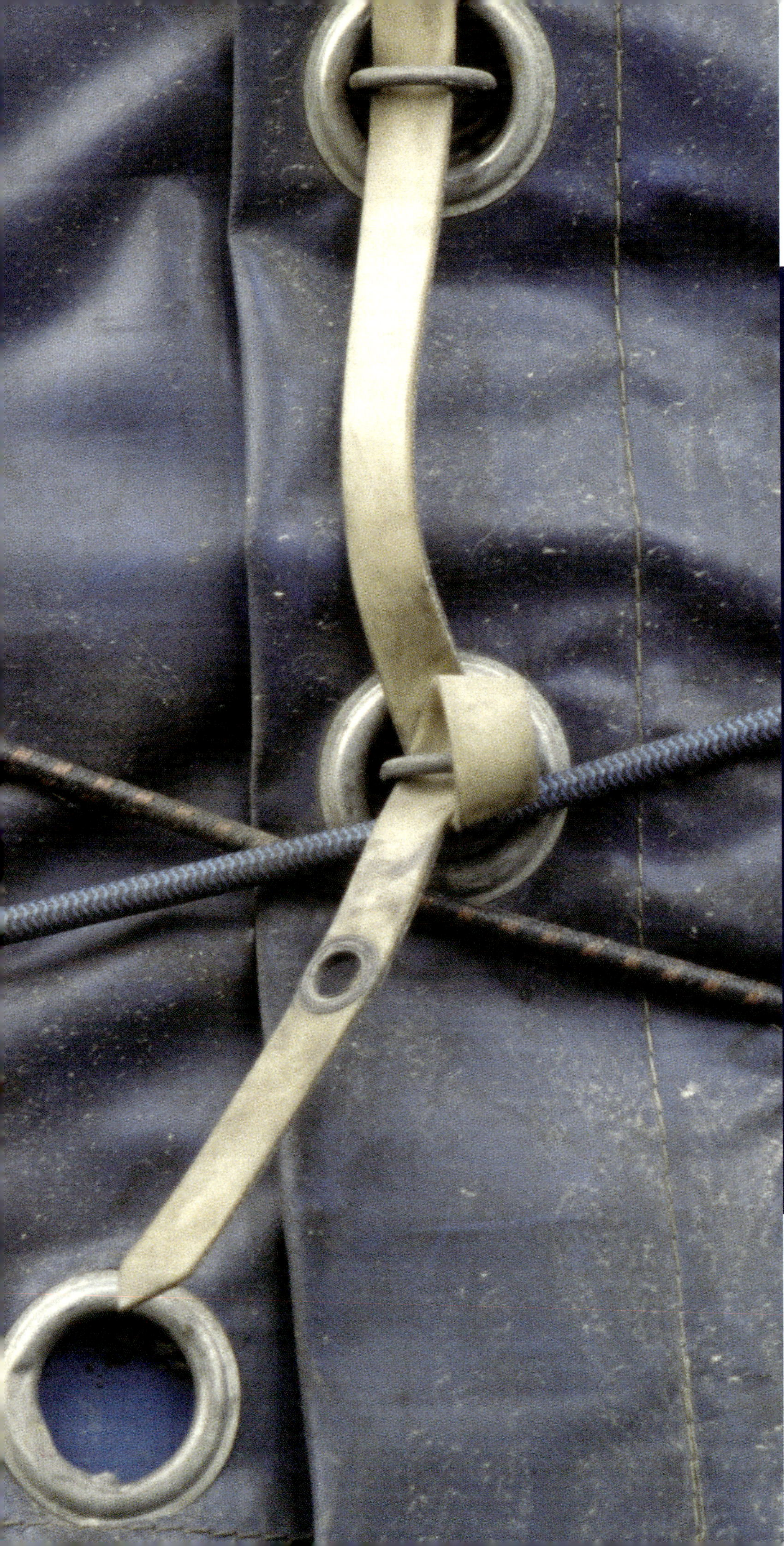

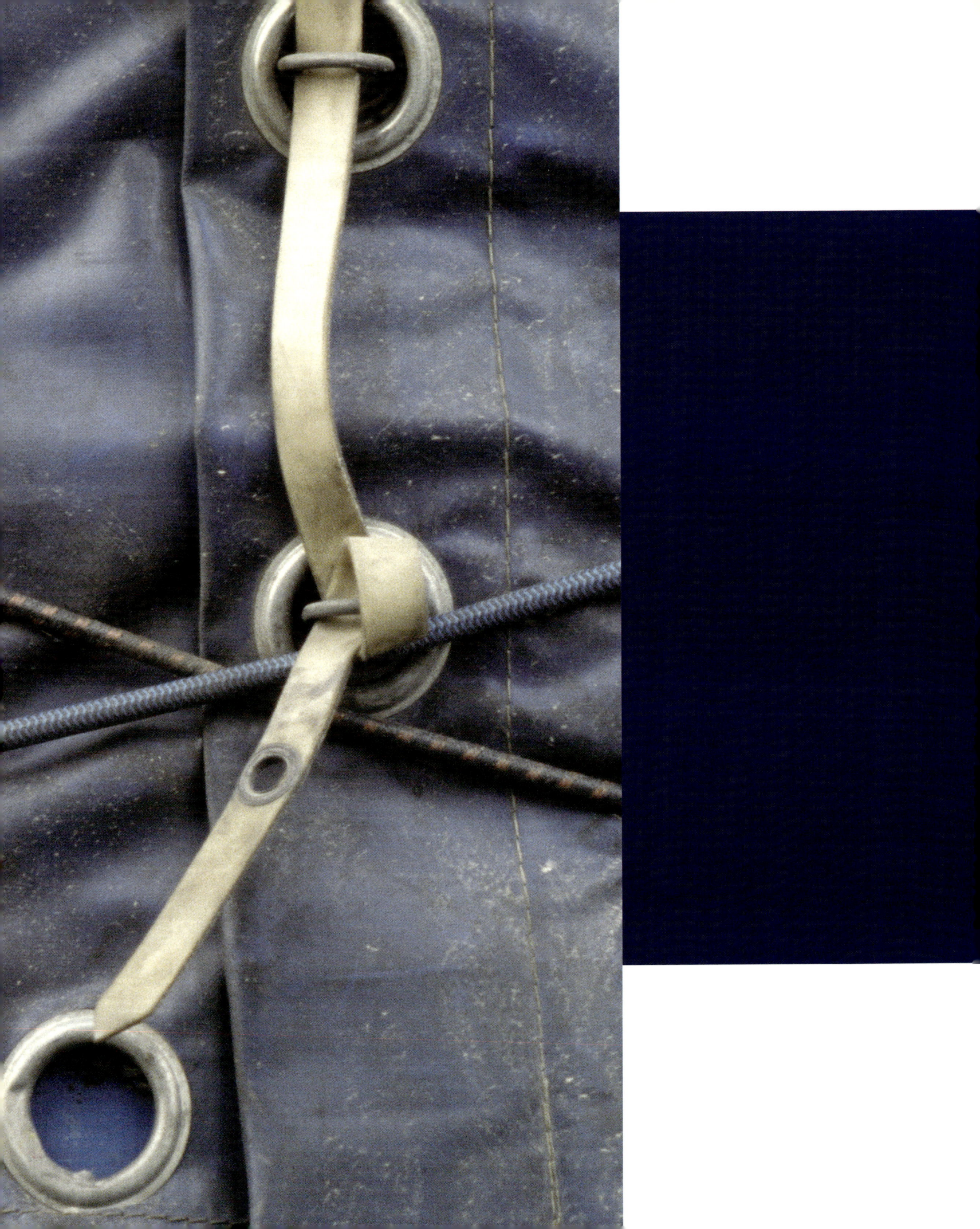

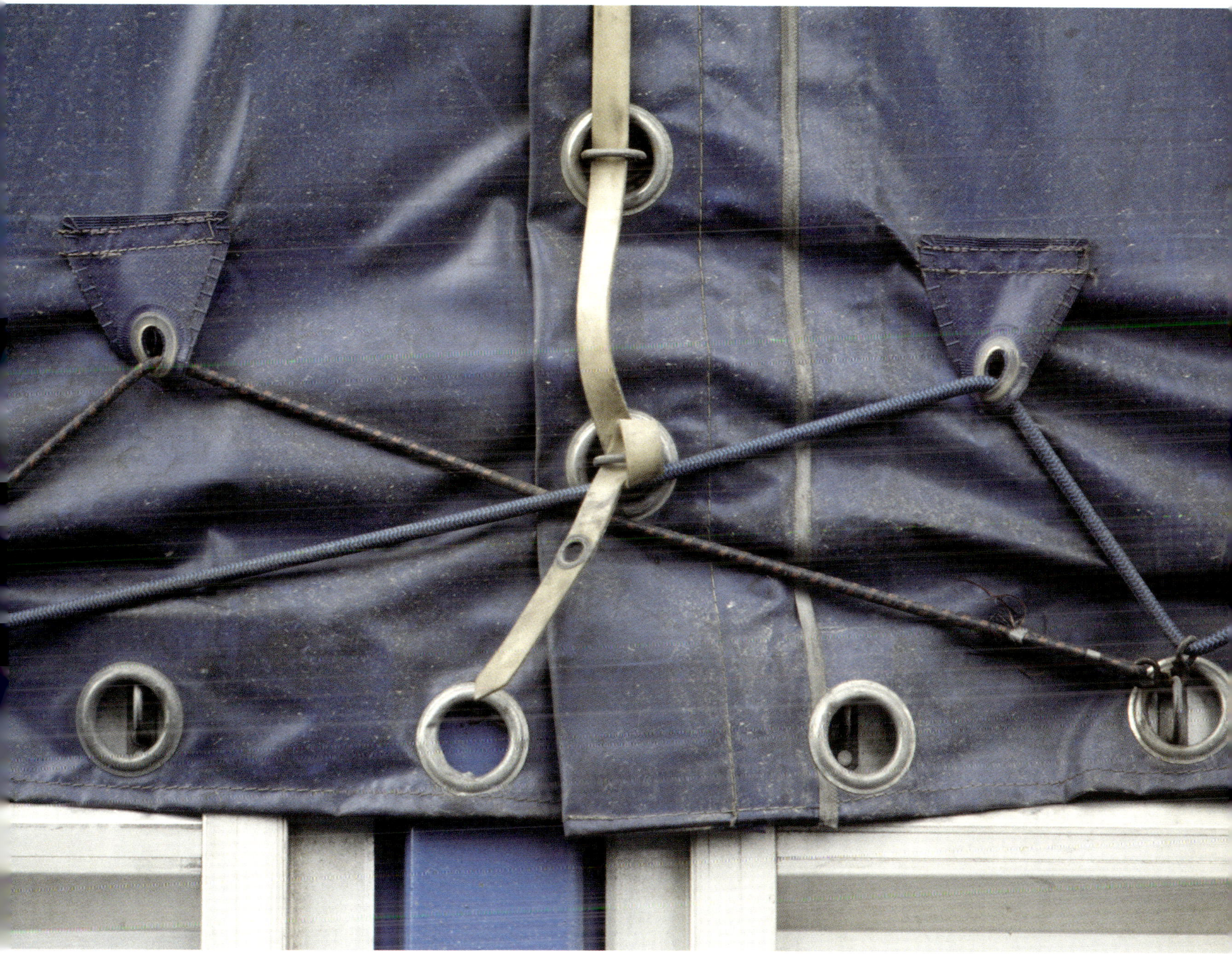

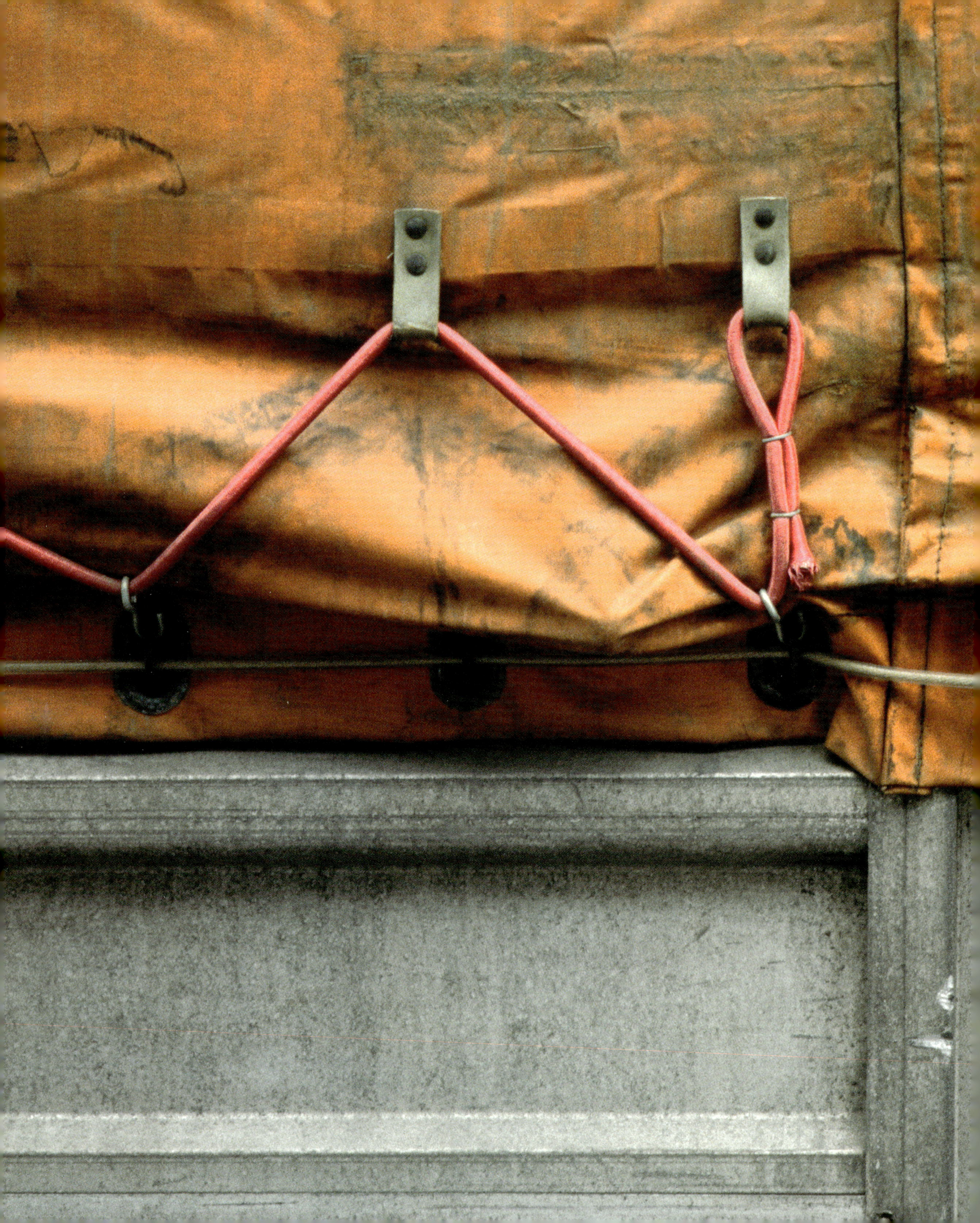

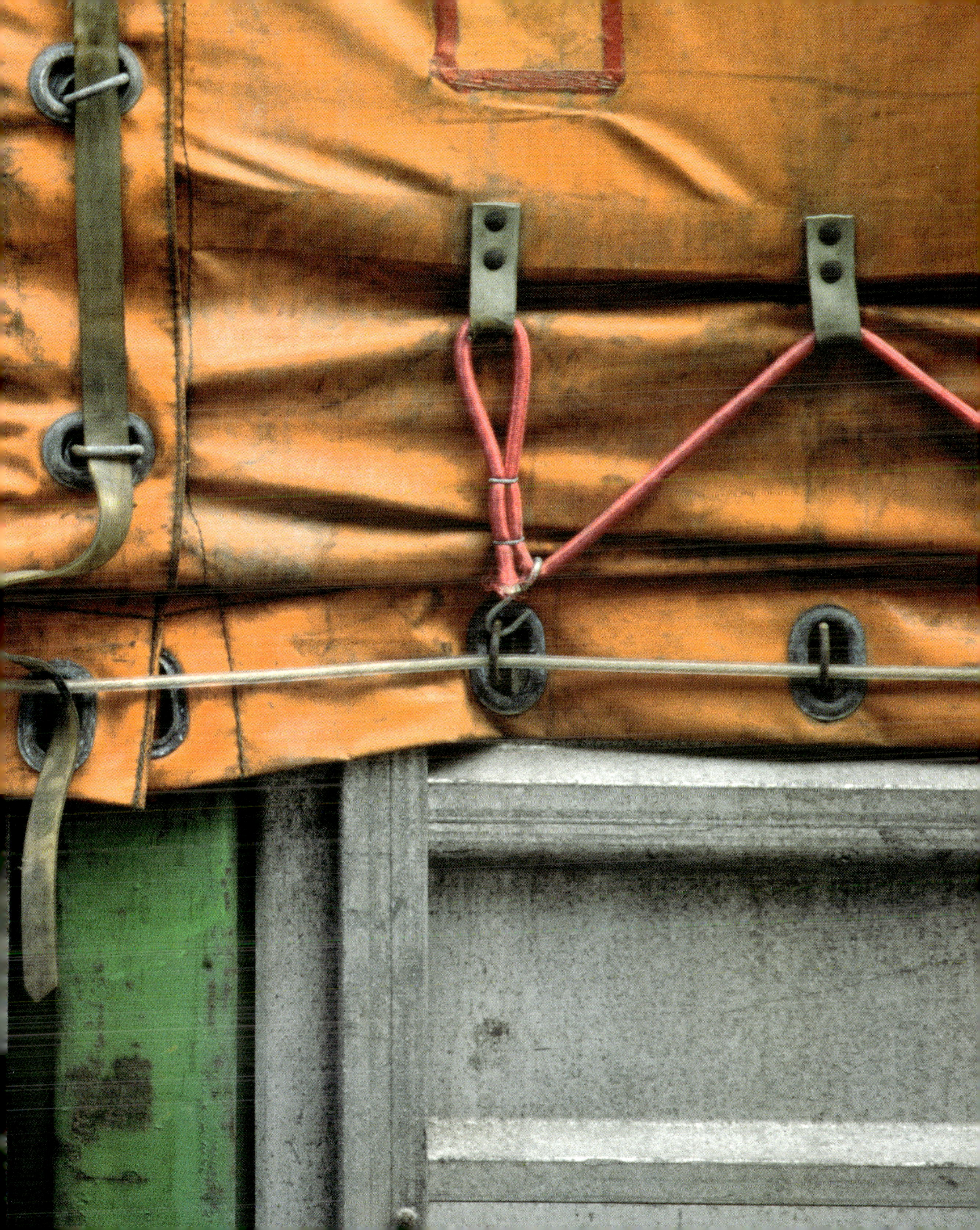

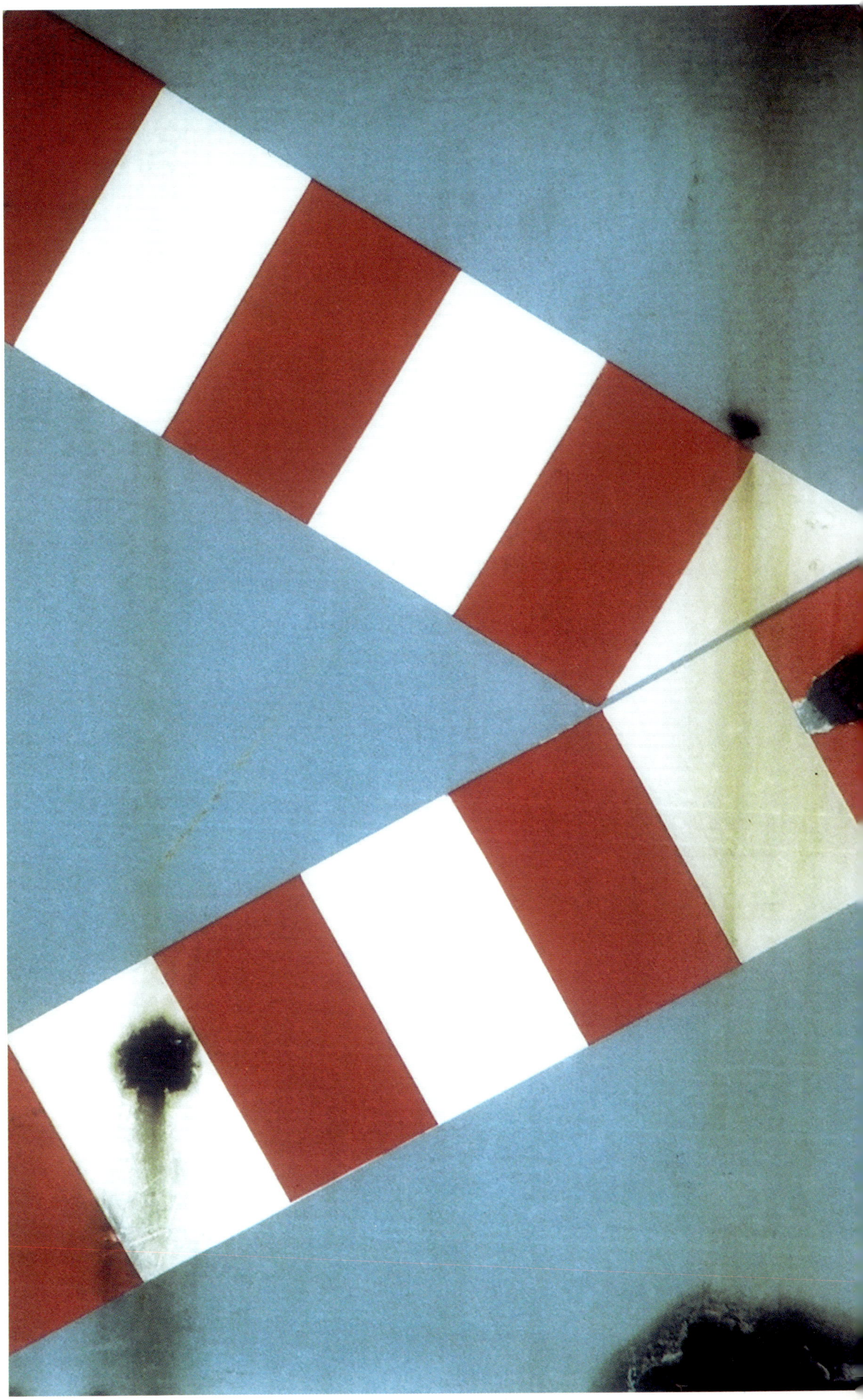

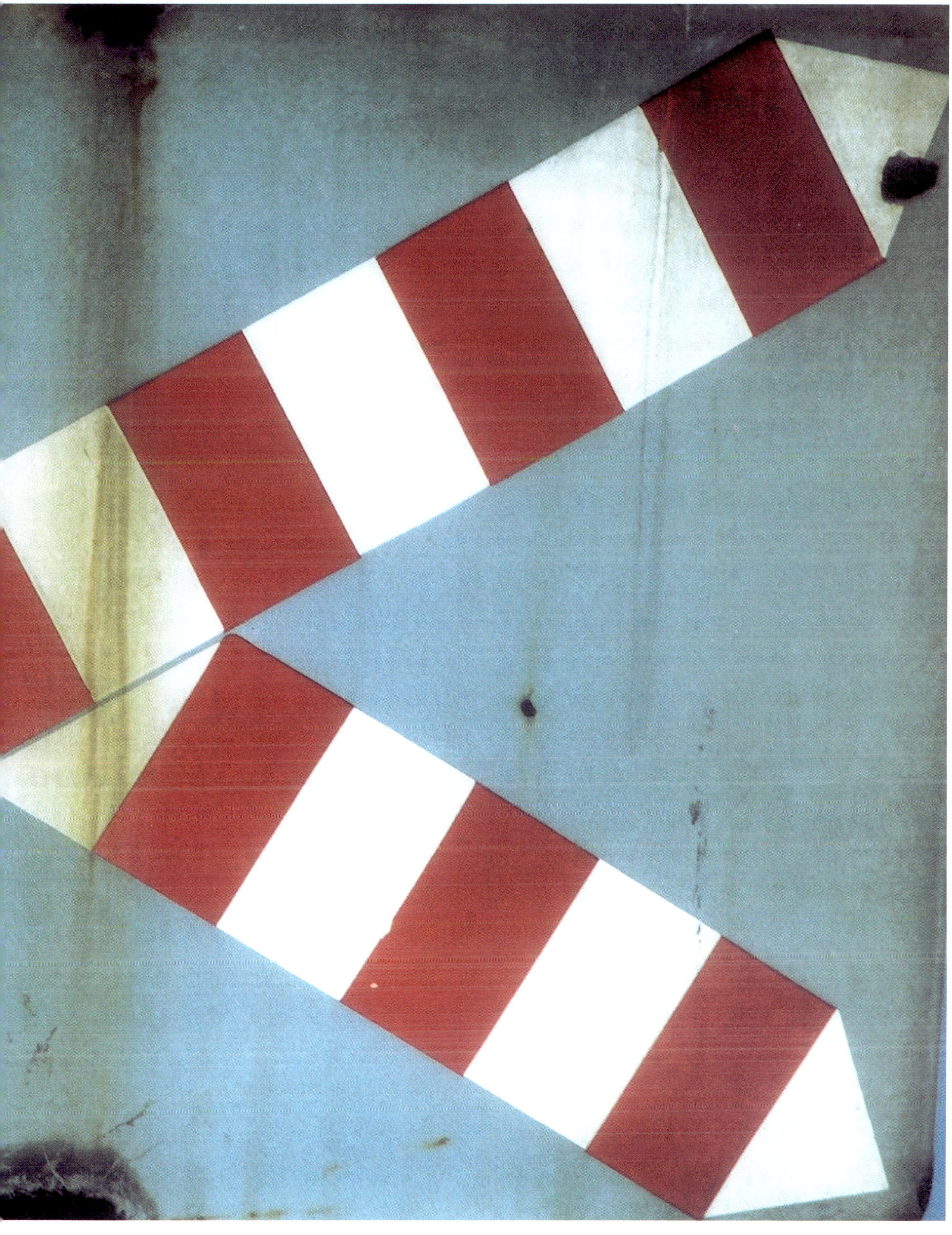

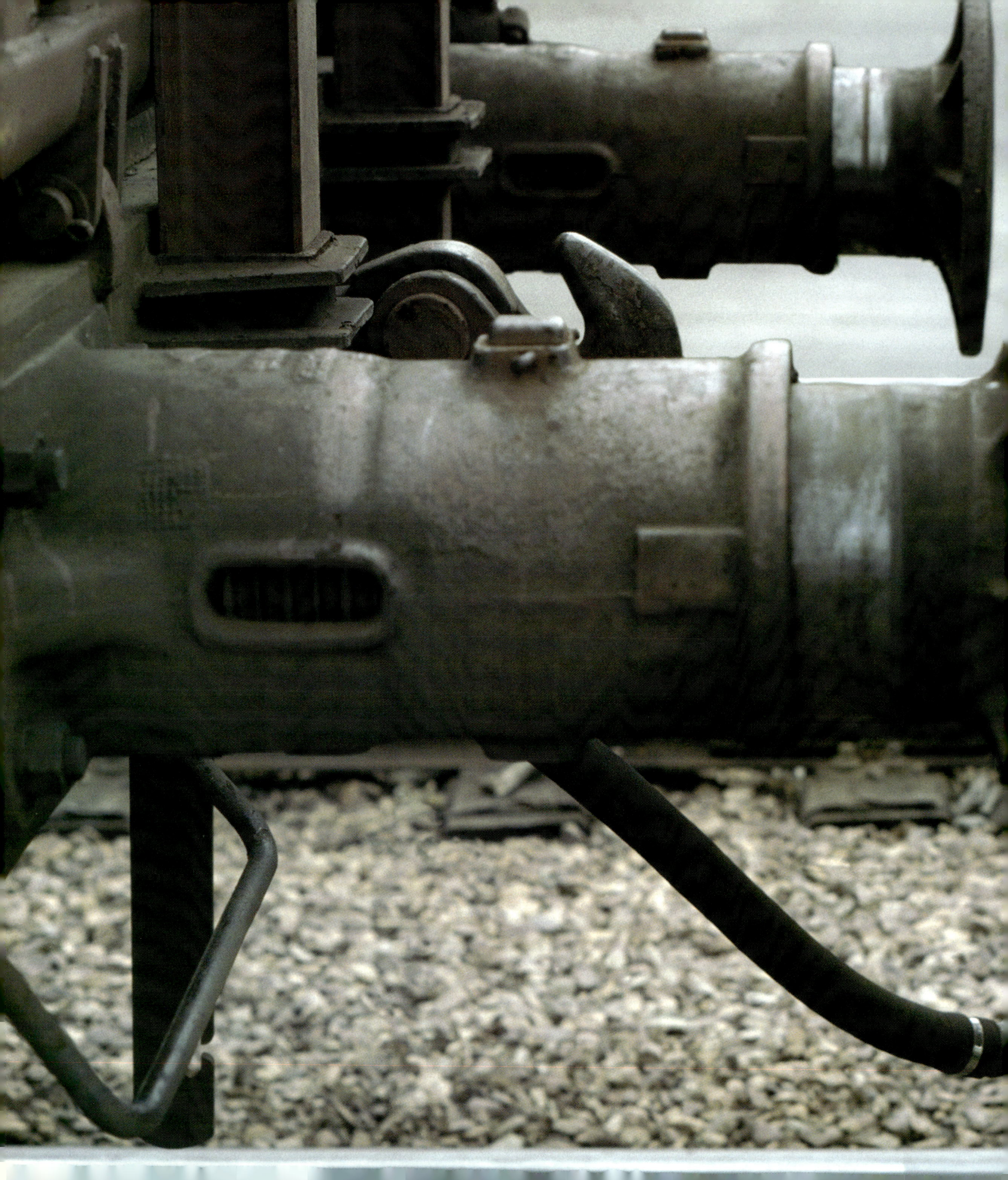

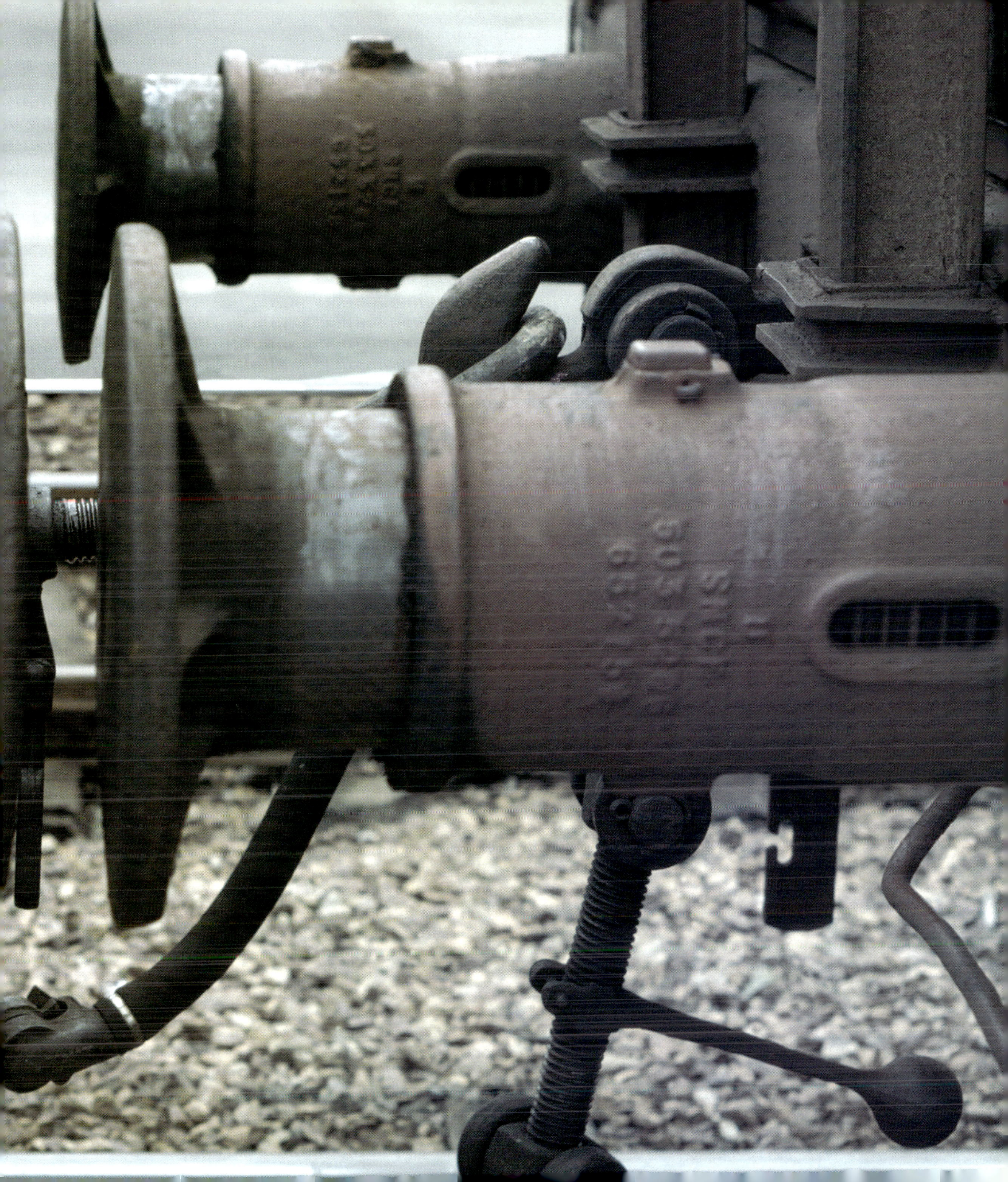

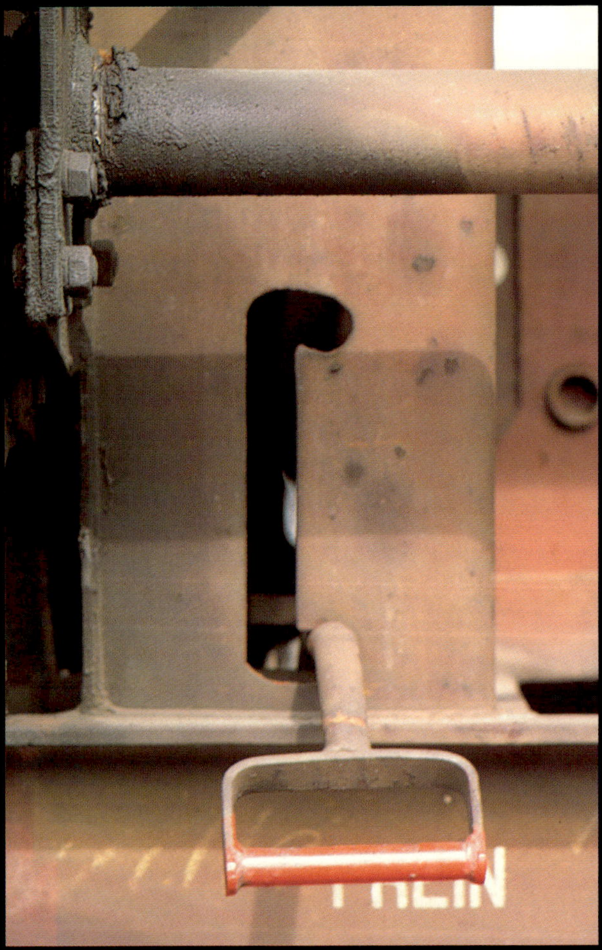

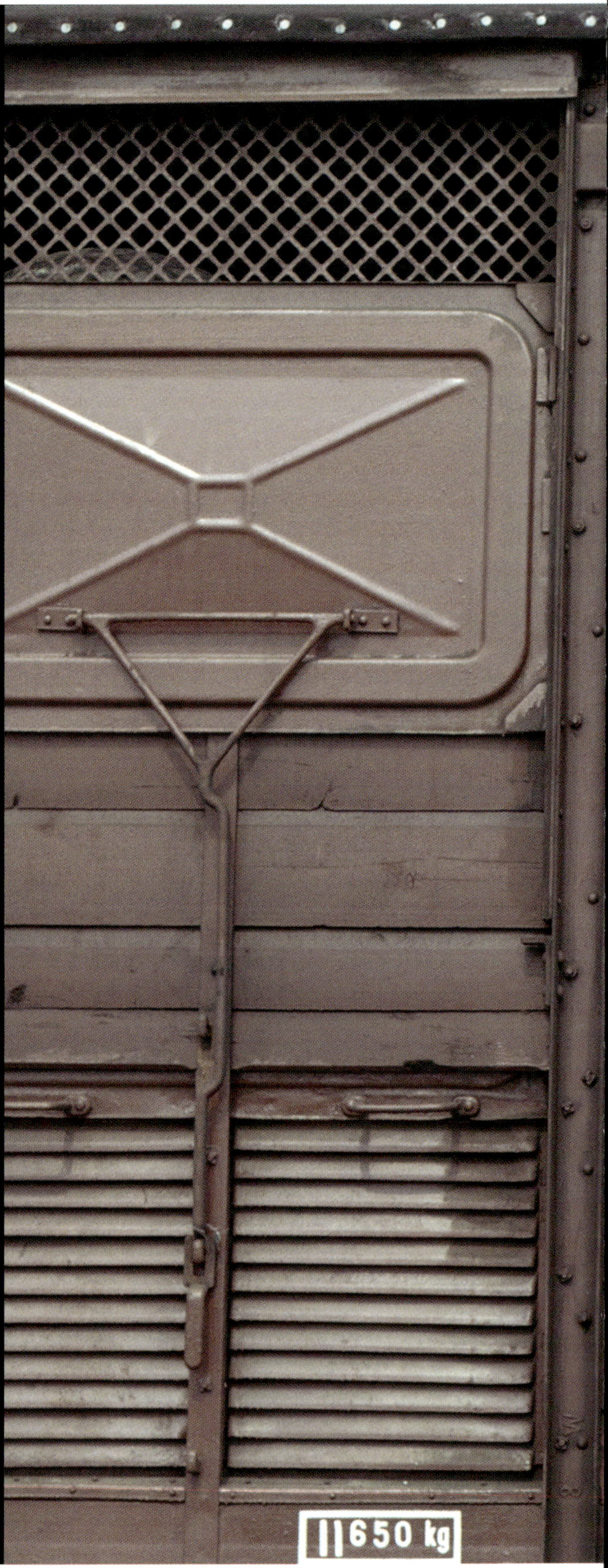
11650 kg

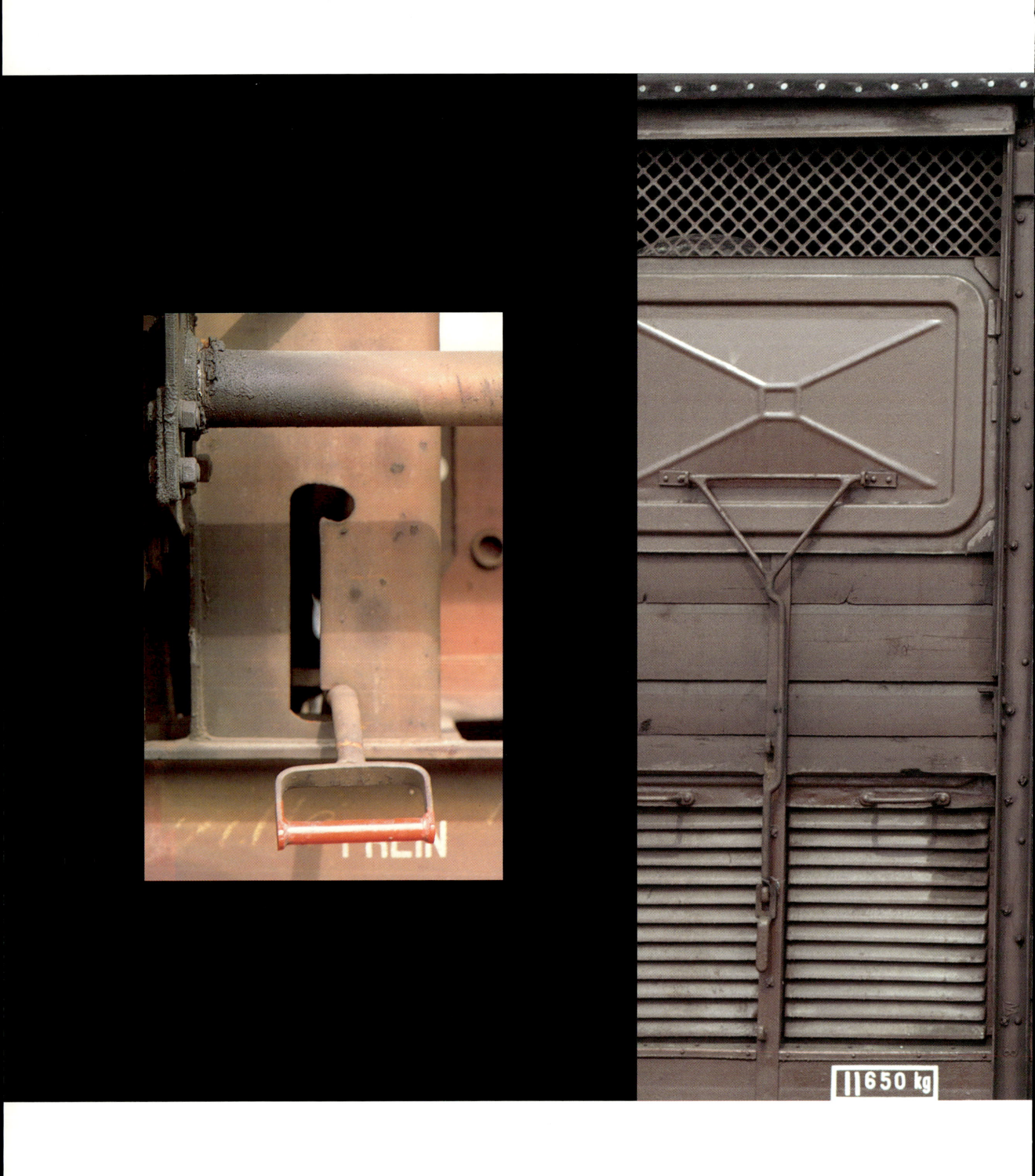

RIV
SNCF
5 3 130-4
Ghks 6 14

A	B	C
	18t	
	18t	

5.8 m³

←11.18m→

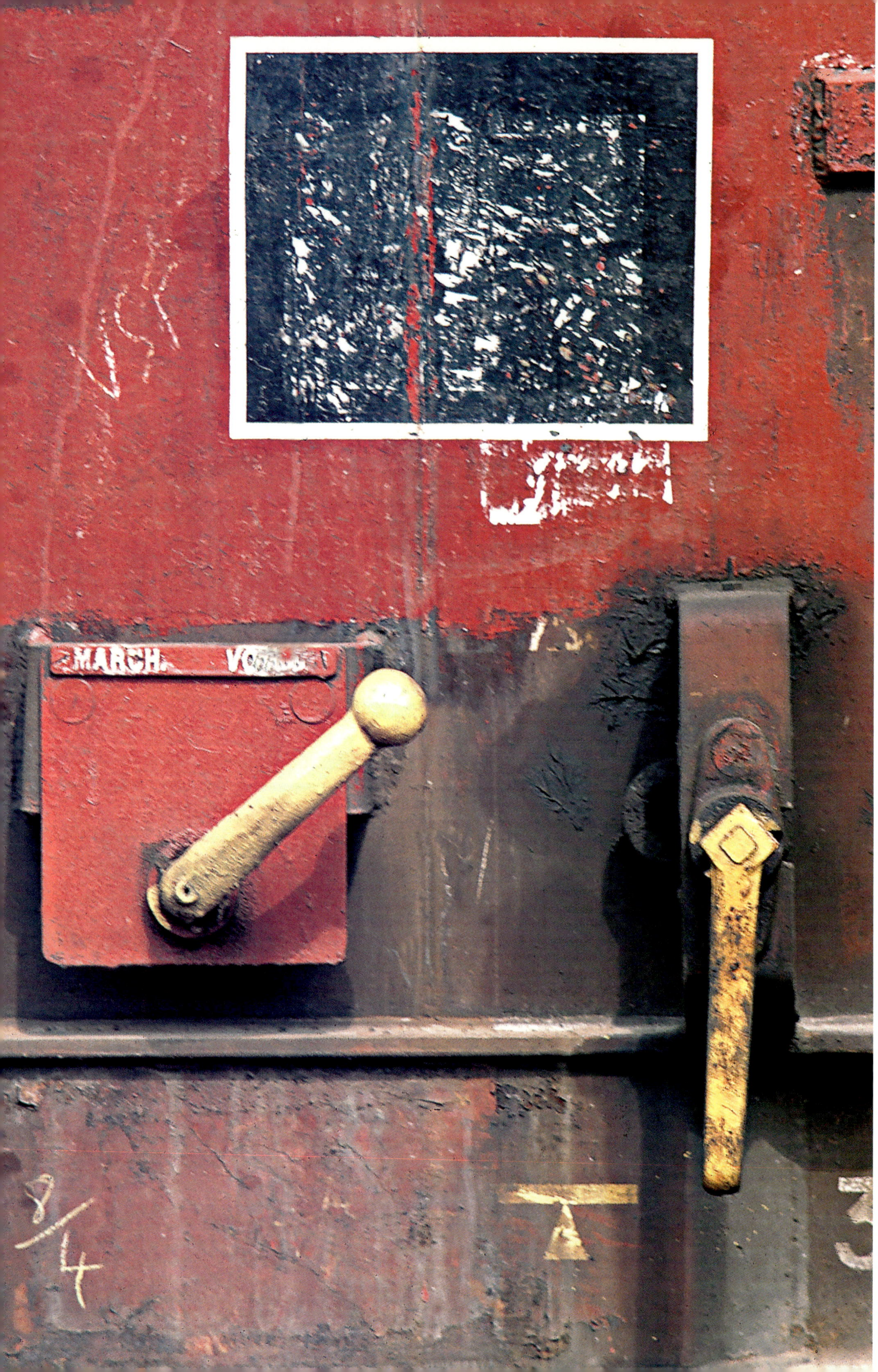
MARCH

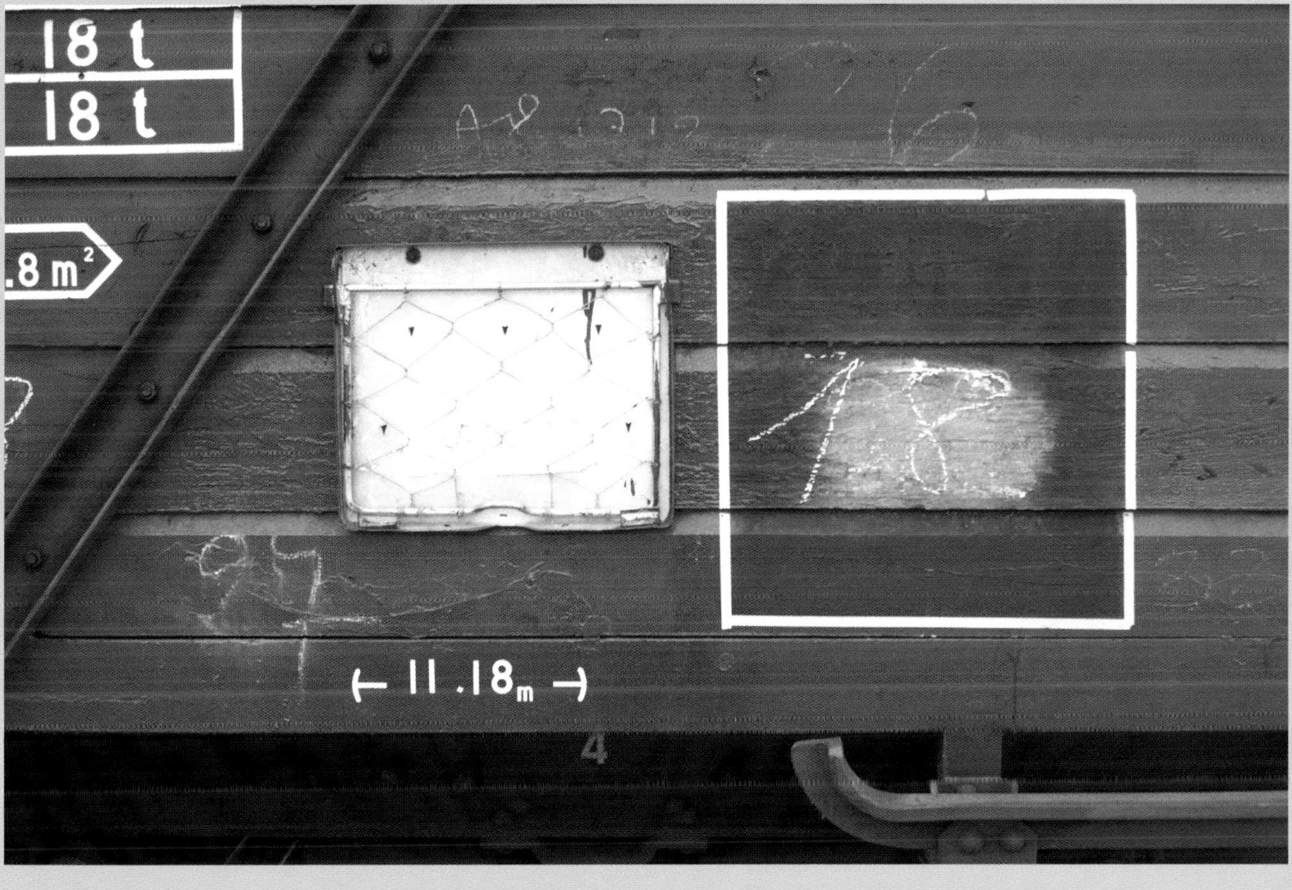
18 t
18 t
.8 m²
← 11 .18m →
4

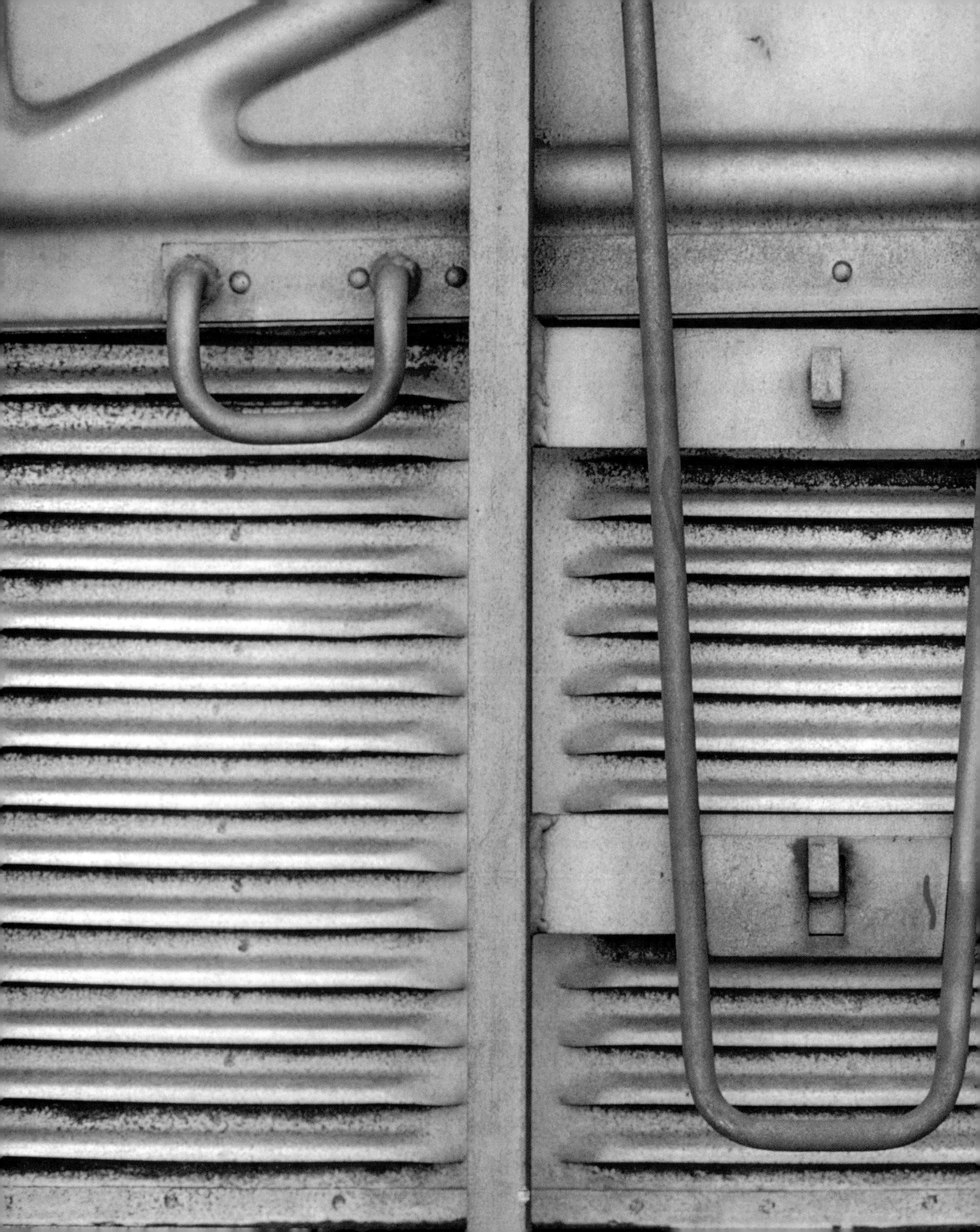

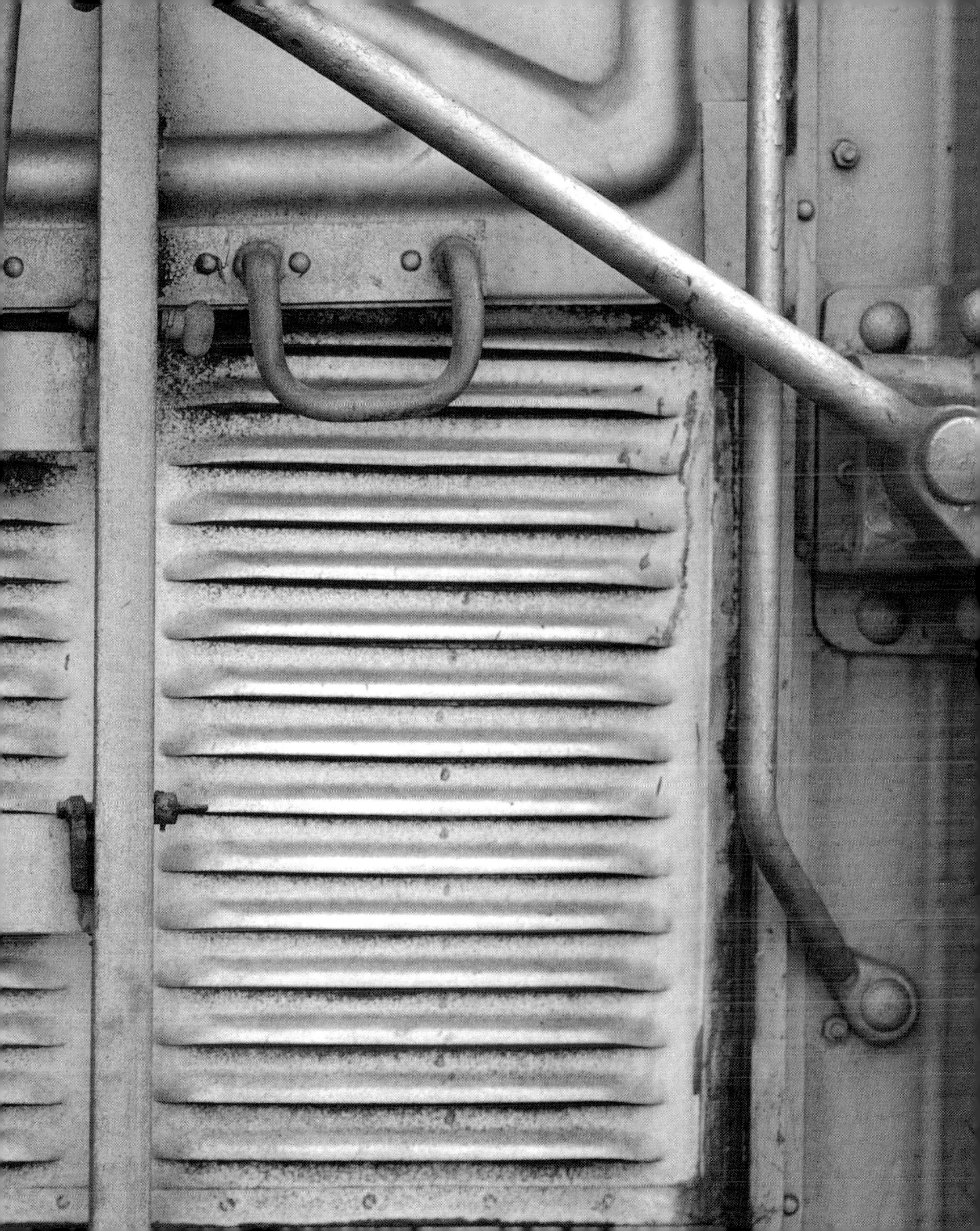

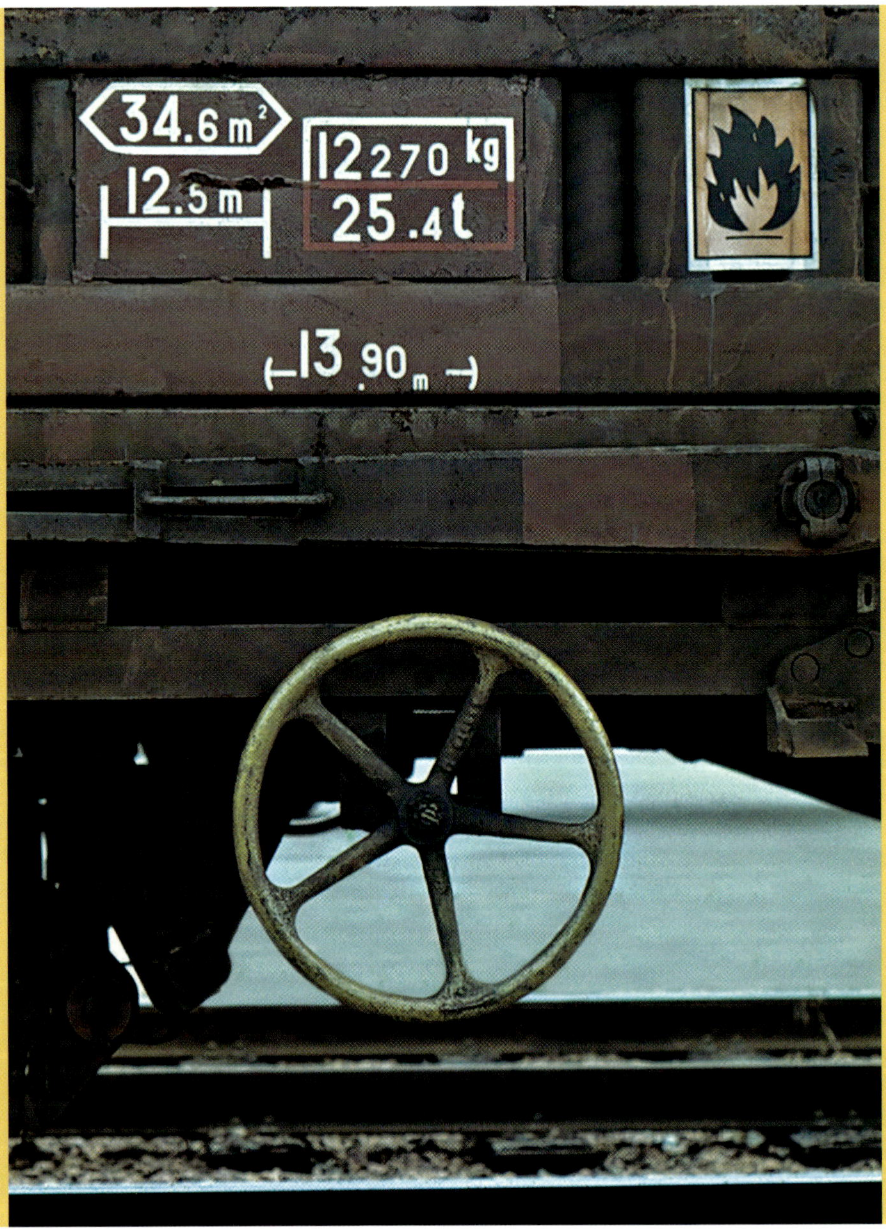
34.6 m²
12.5 m
12 270 kg
25.4 t
13.90 m

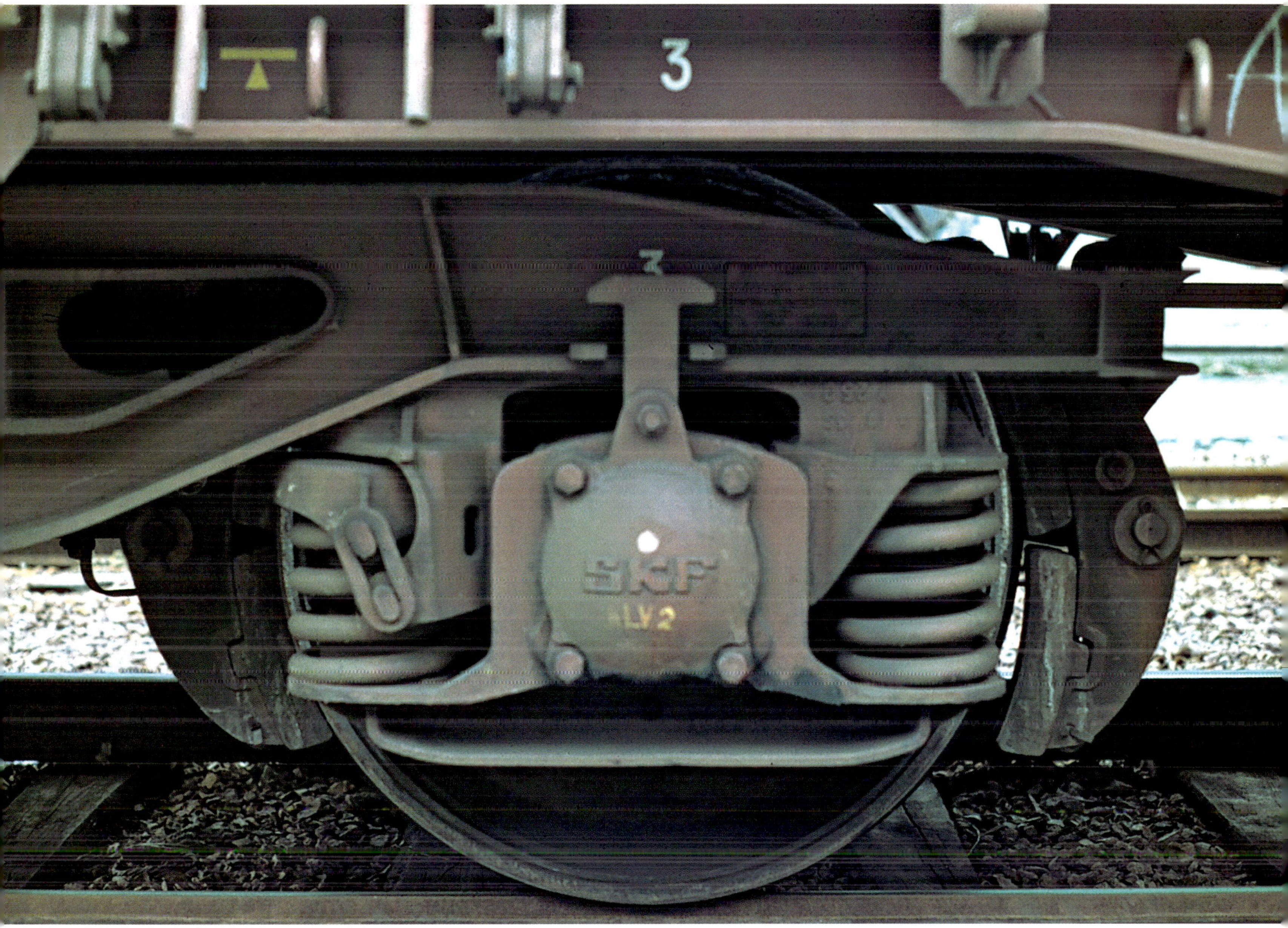
3
SKF
LY2

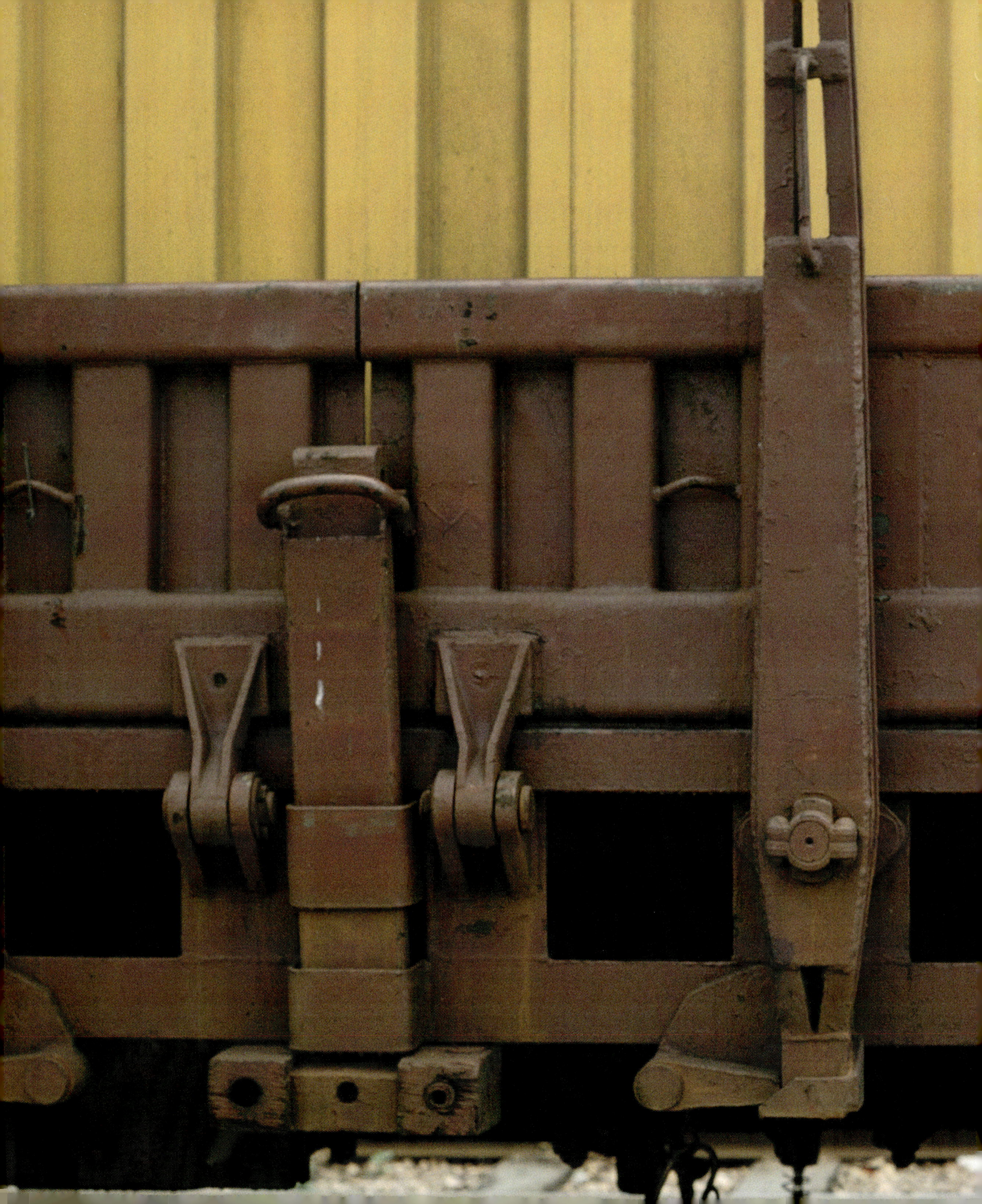

3

NE PAS TAMPONNER
NI MANŒUVRER
F

	m	—t
a-a	2	16
b-b	5	19
c-c	8	23

a

01 87 330 5 |
RIV-EUROPSNCF · Ks

V.T LRV 23 11 71

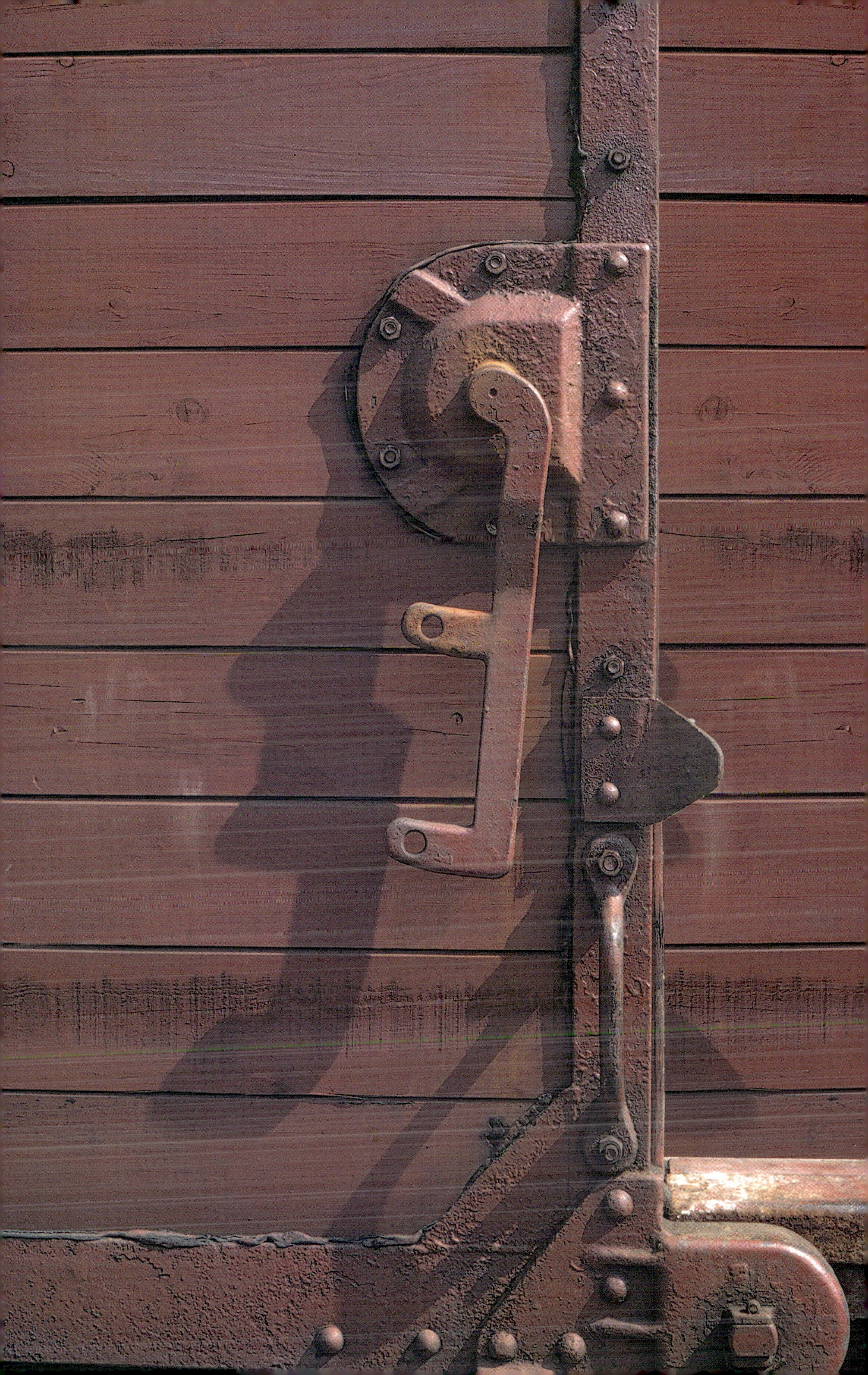

INTERFRIGO　　　　　　GARE D'ATTACHE: BALE-SNCF

BÂLE

ETR

II RIV-IF

97 SNCF

82 8 545-7 P

CAPACITÉ 55 m³

	A	B
	5.8	19.8
S	5.8	19.8

6.170

RÉFRIGÉRANT
STEF

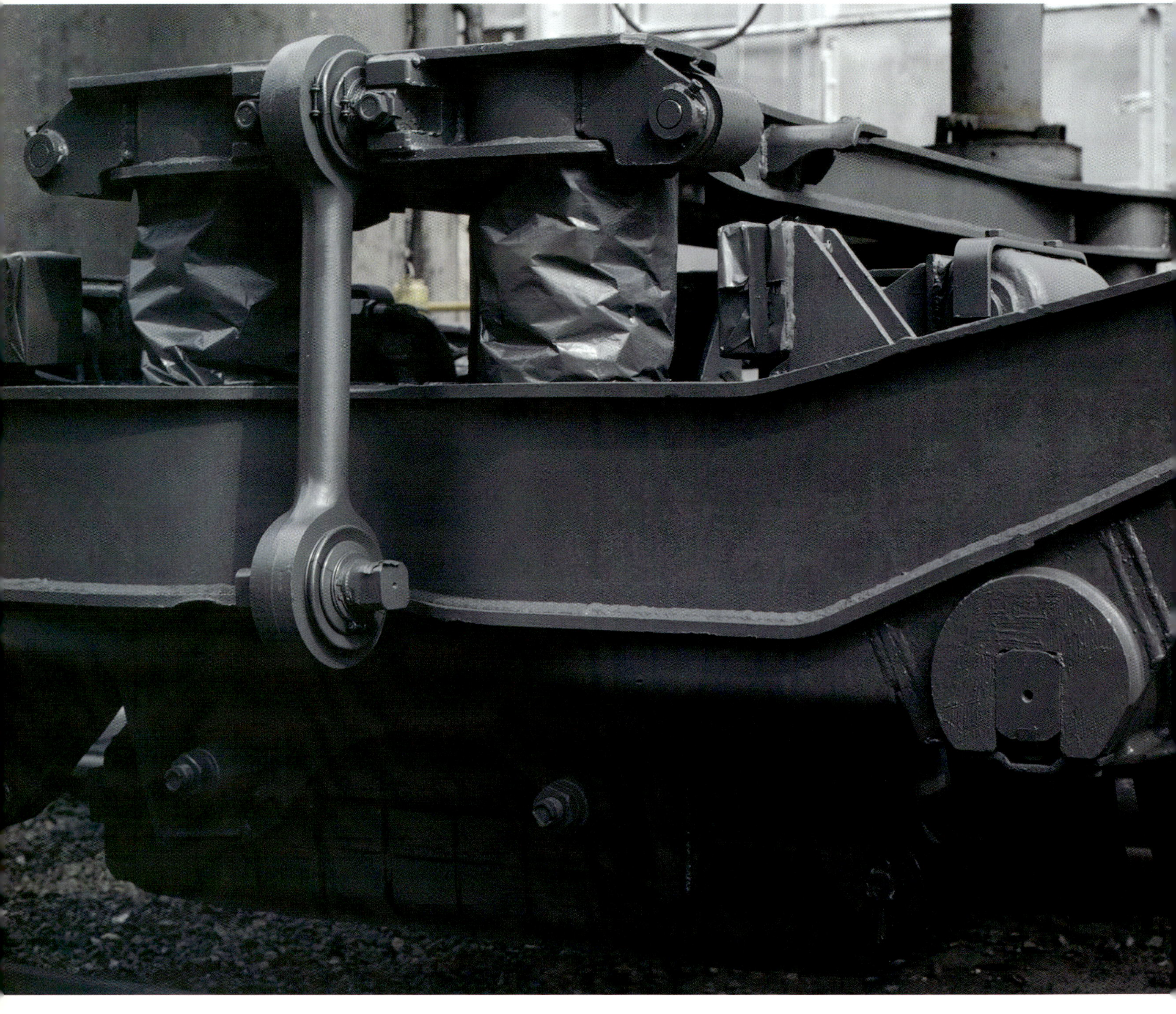

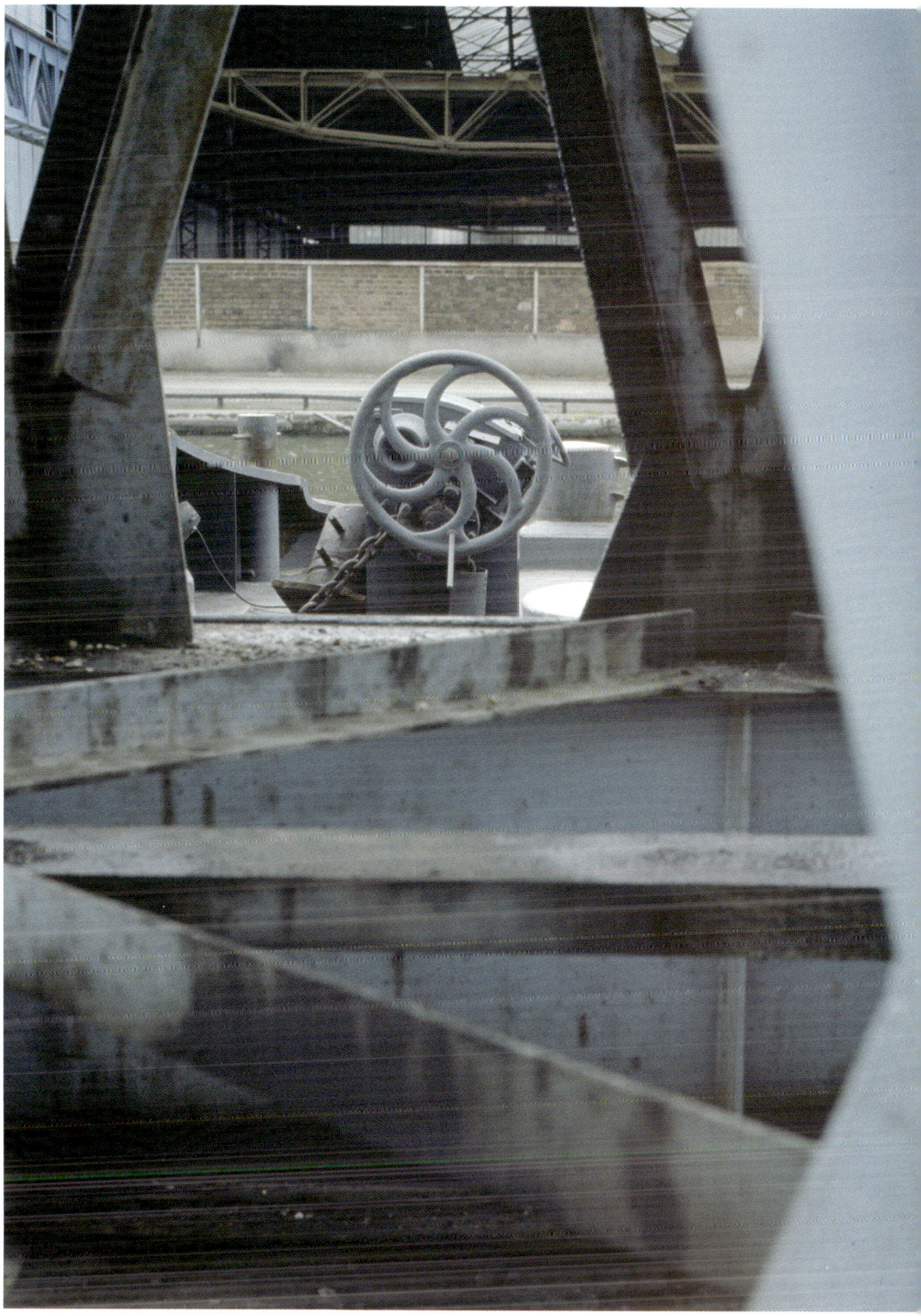

FREIN
EN SERVICE

FREIN
ISOLE

CONT
FRE

FREIN ÉLECTROPN.
ISOLÉ
EN SERVICE

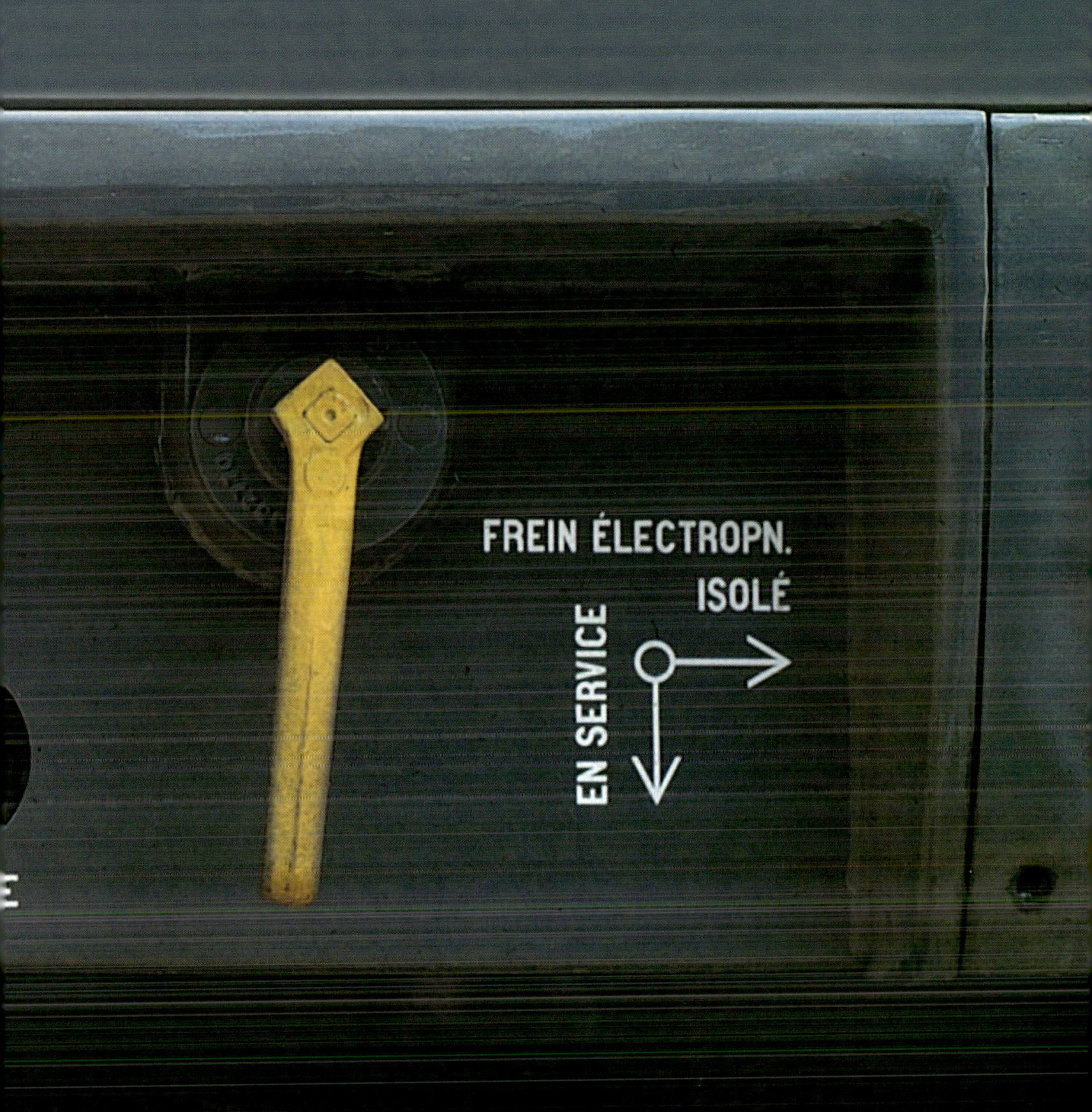

→ 2.5

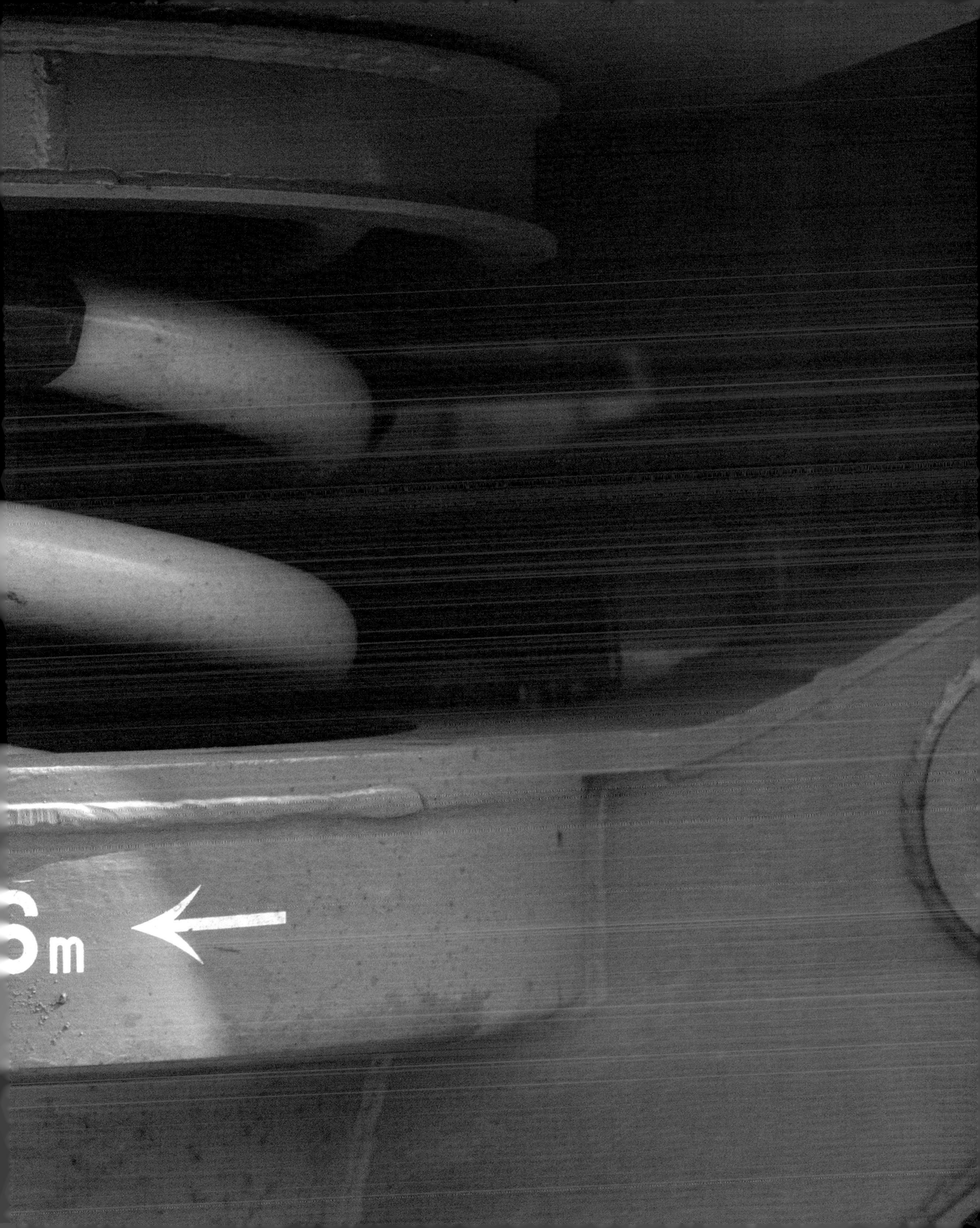
6m

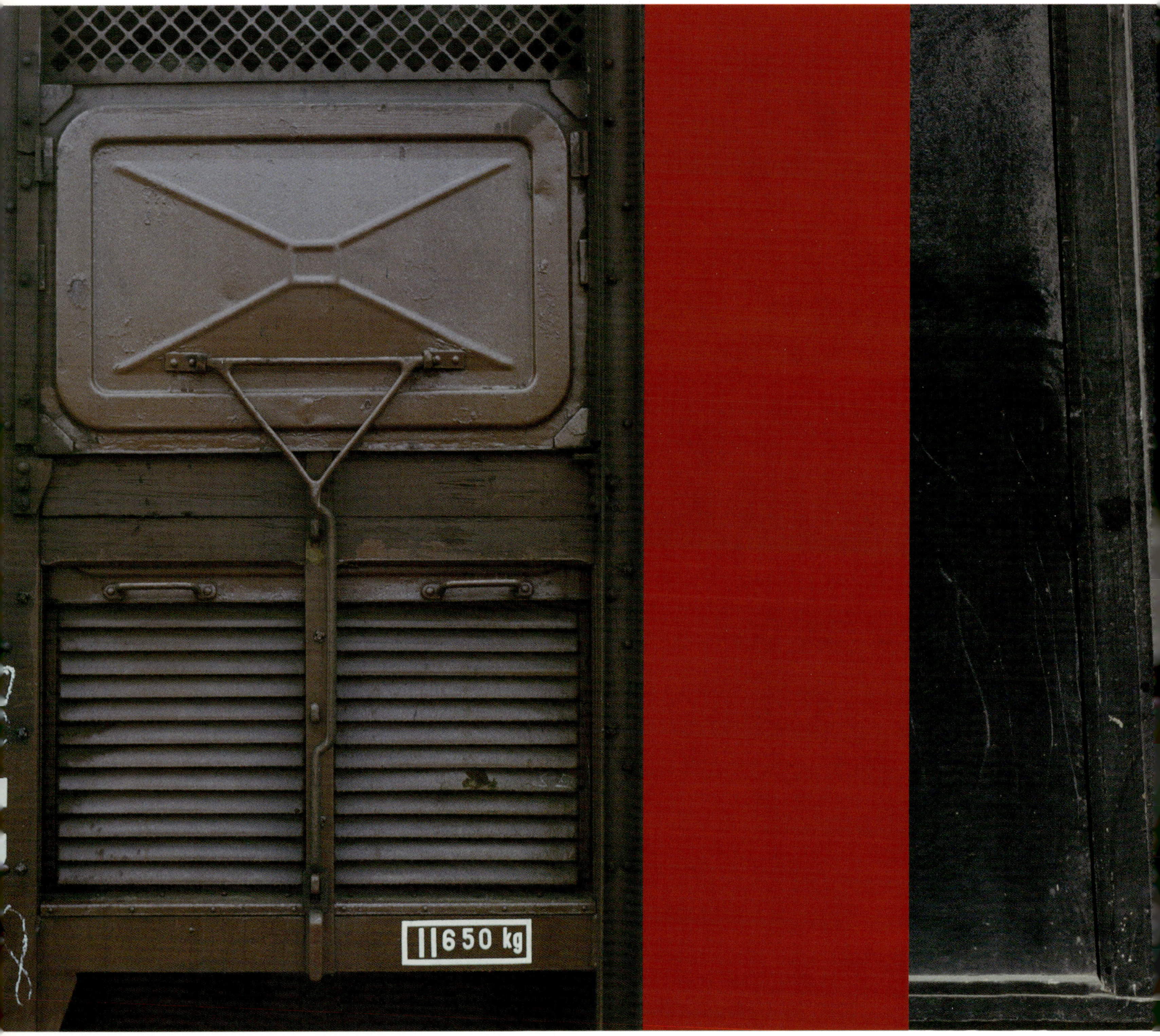
11650 kg

COLONNES SECHES INCENDIE
BATIMENT 25BIS
BATIMENT 24
BATIMENT 23BIS
BATIMENT 22
BATIMENT 21
BATIMENT 20
BATIMENT 25
BATIMENT 23
2
3
4
6
7
8
1
5

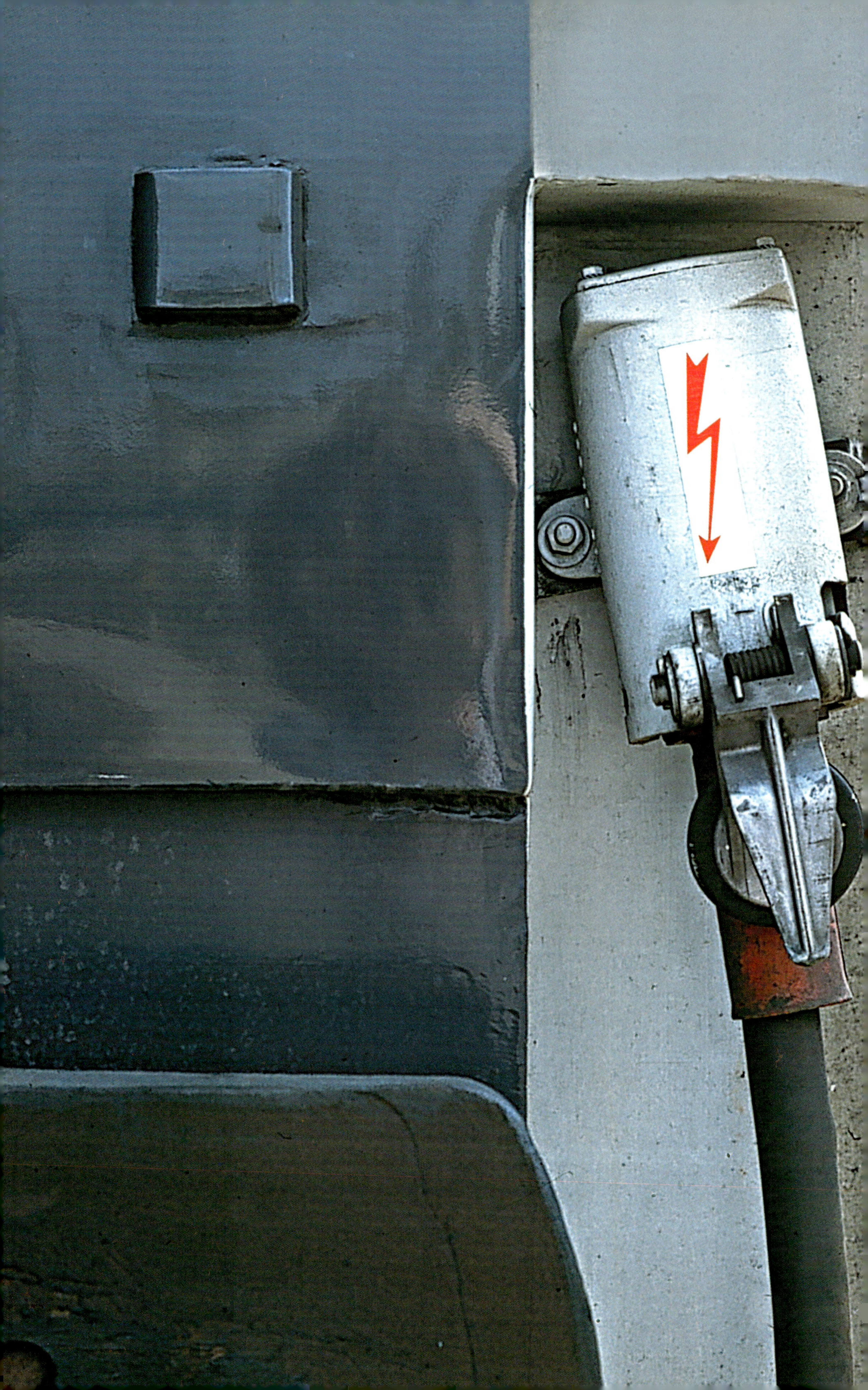

TEL 34·85·83

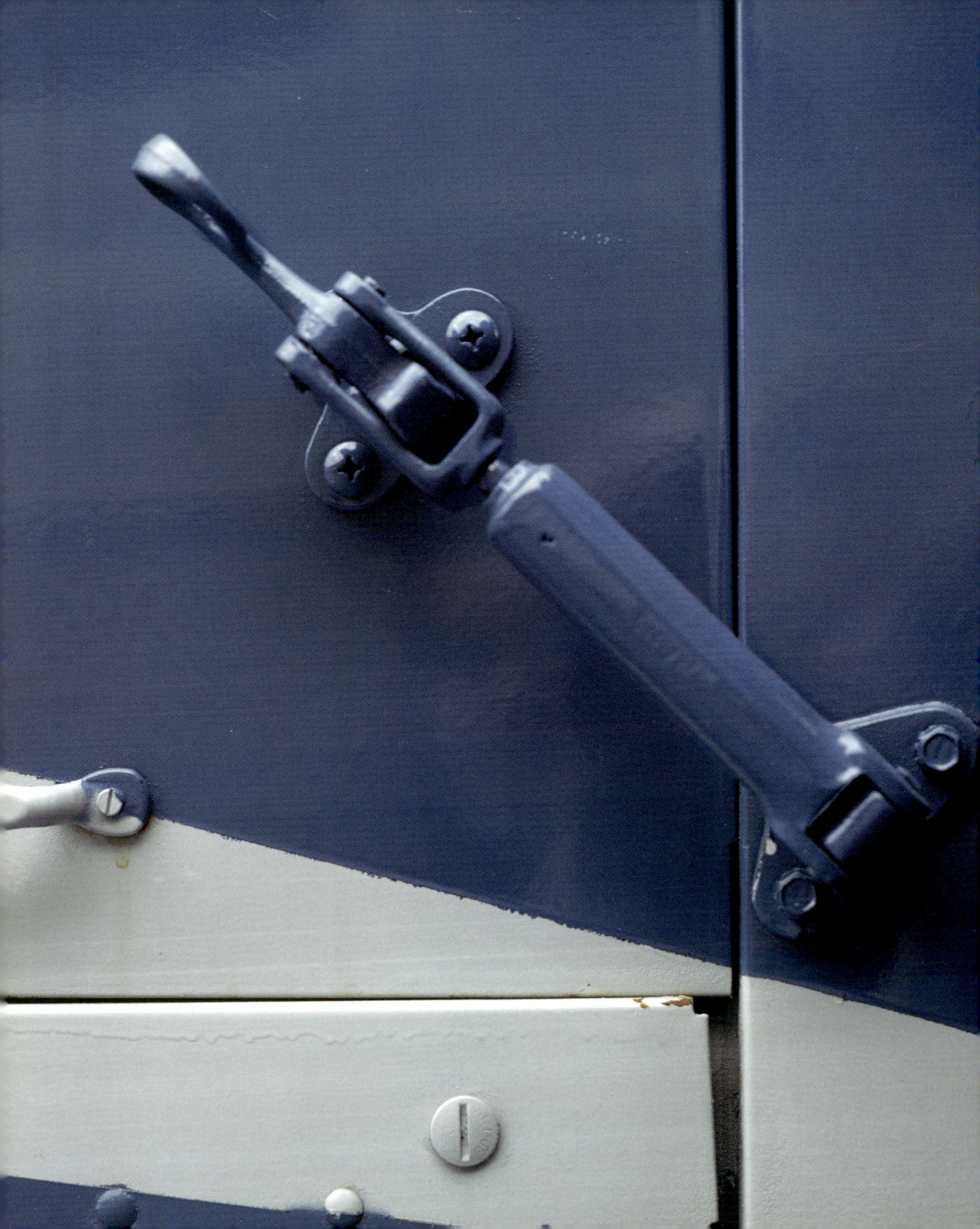

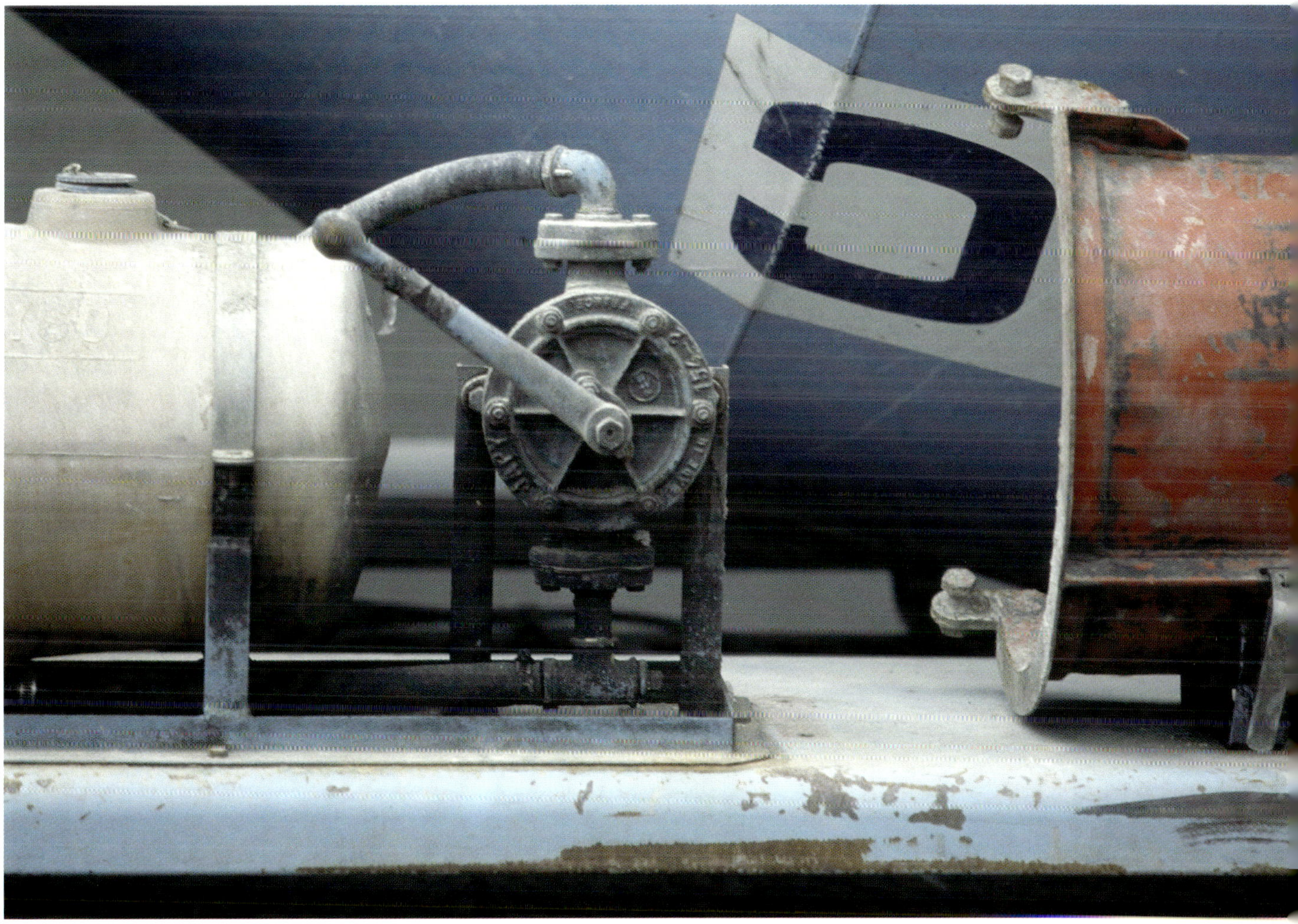

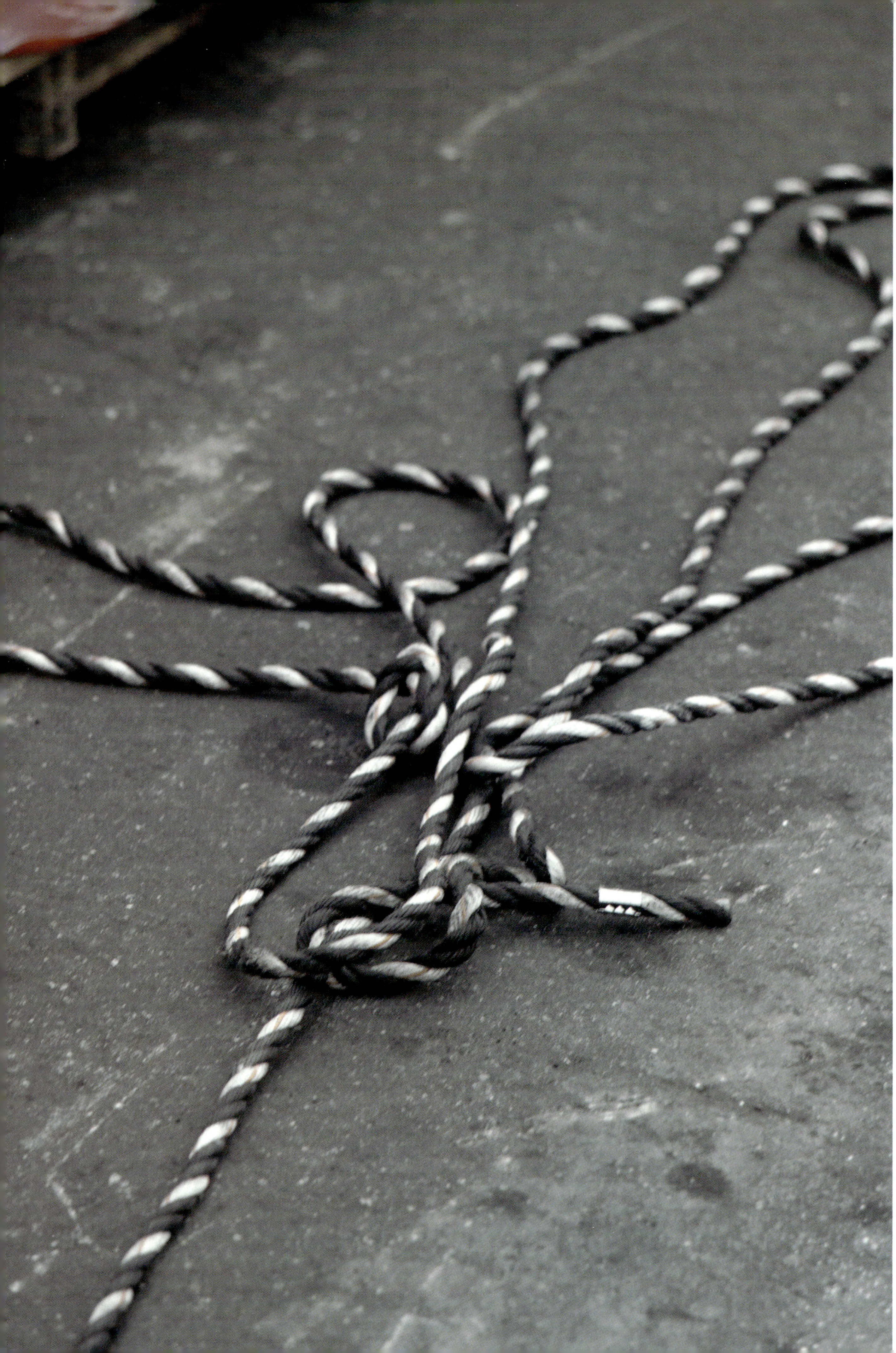

PRIÈRE
DE NE PAS
STATIONNER

SORTIE
DE
VOITURES

TELEPHONE
POUR APPELER
LEVER LE BRAS DU POSTE
AVANT DE
TOURNER LA MANIVELLE
SNCF

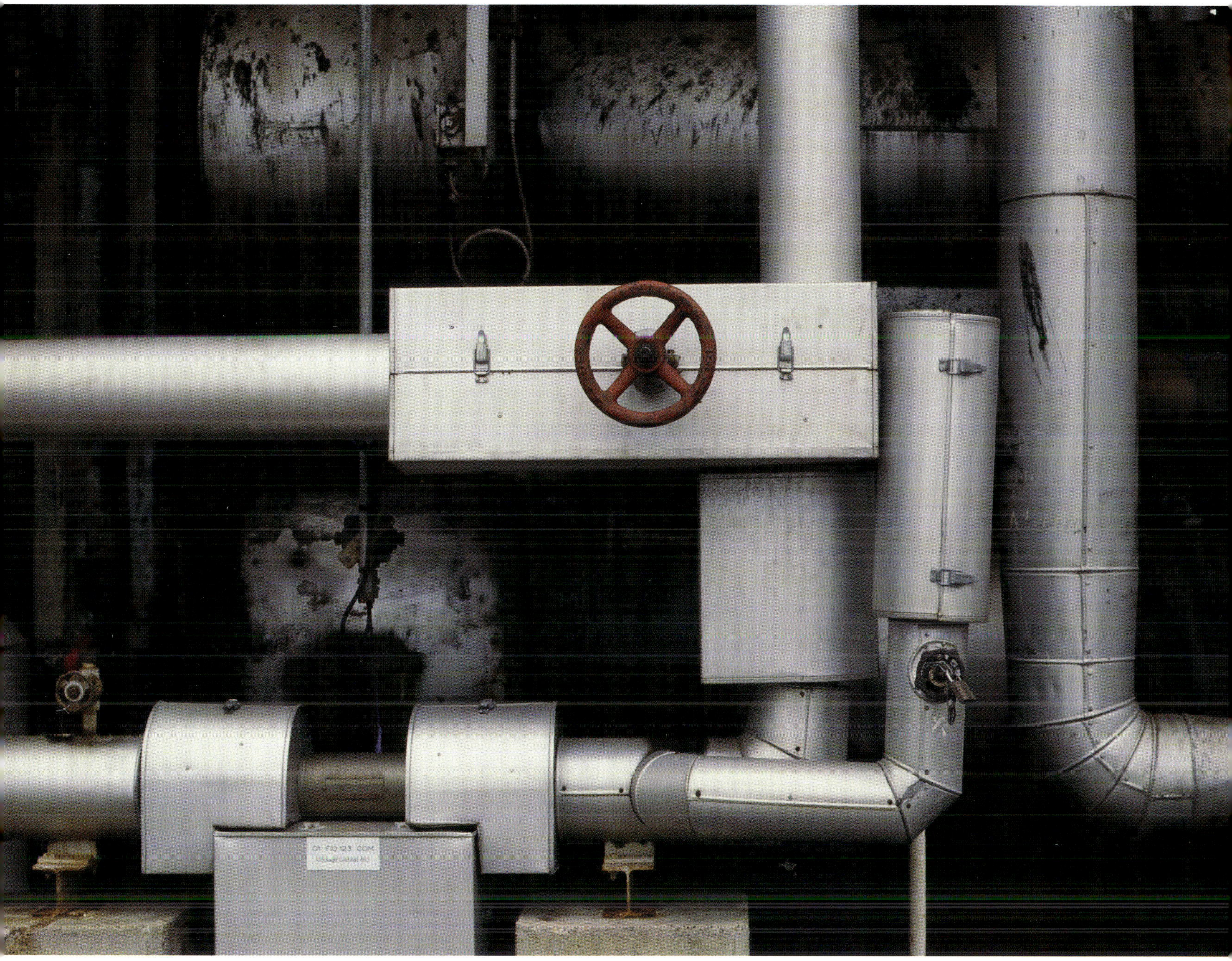

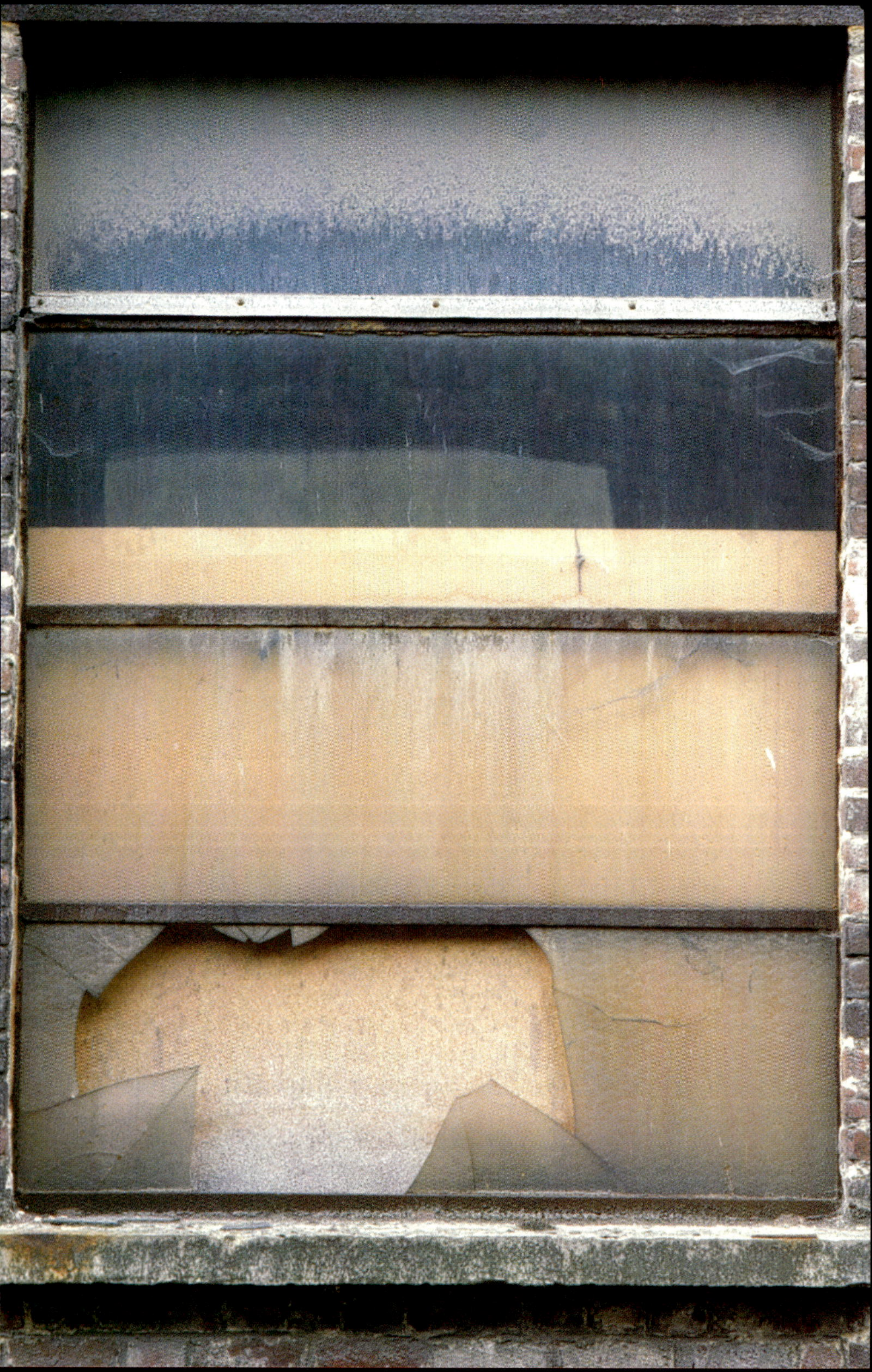

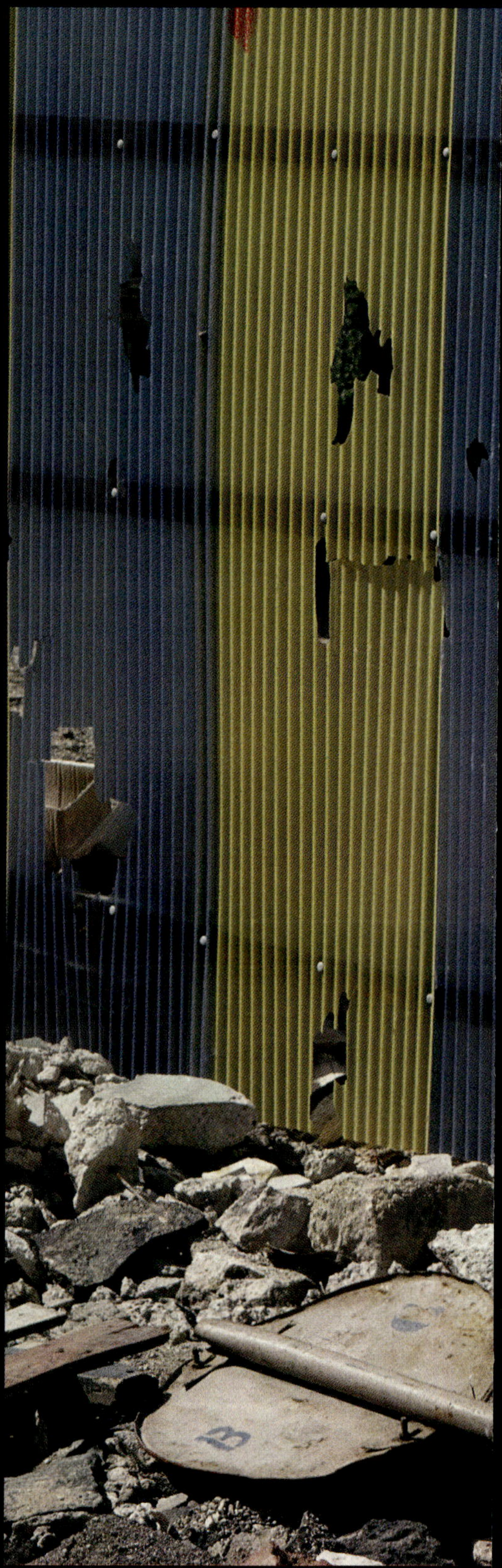

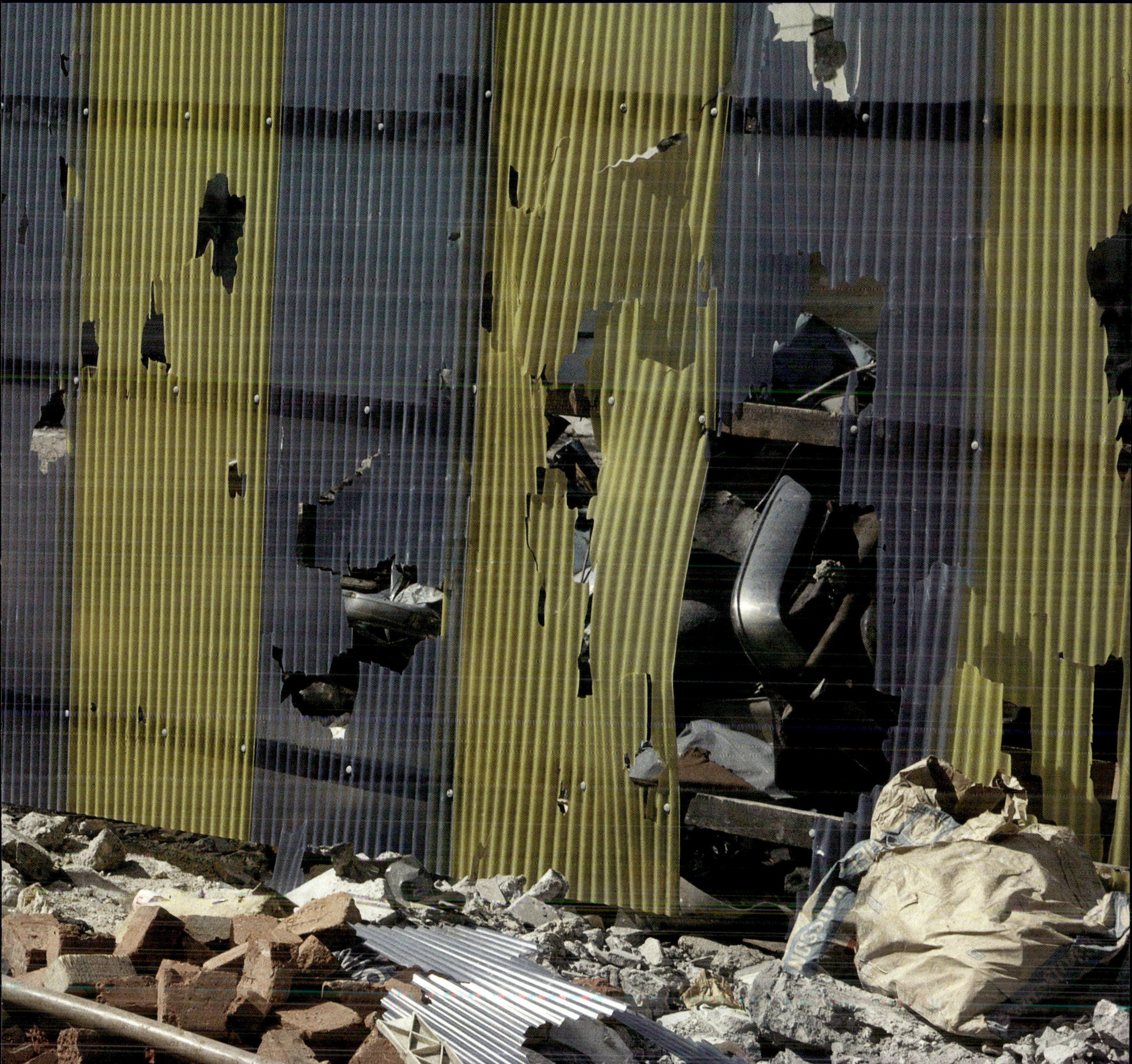

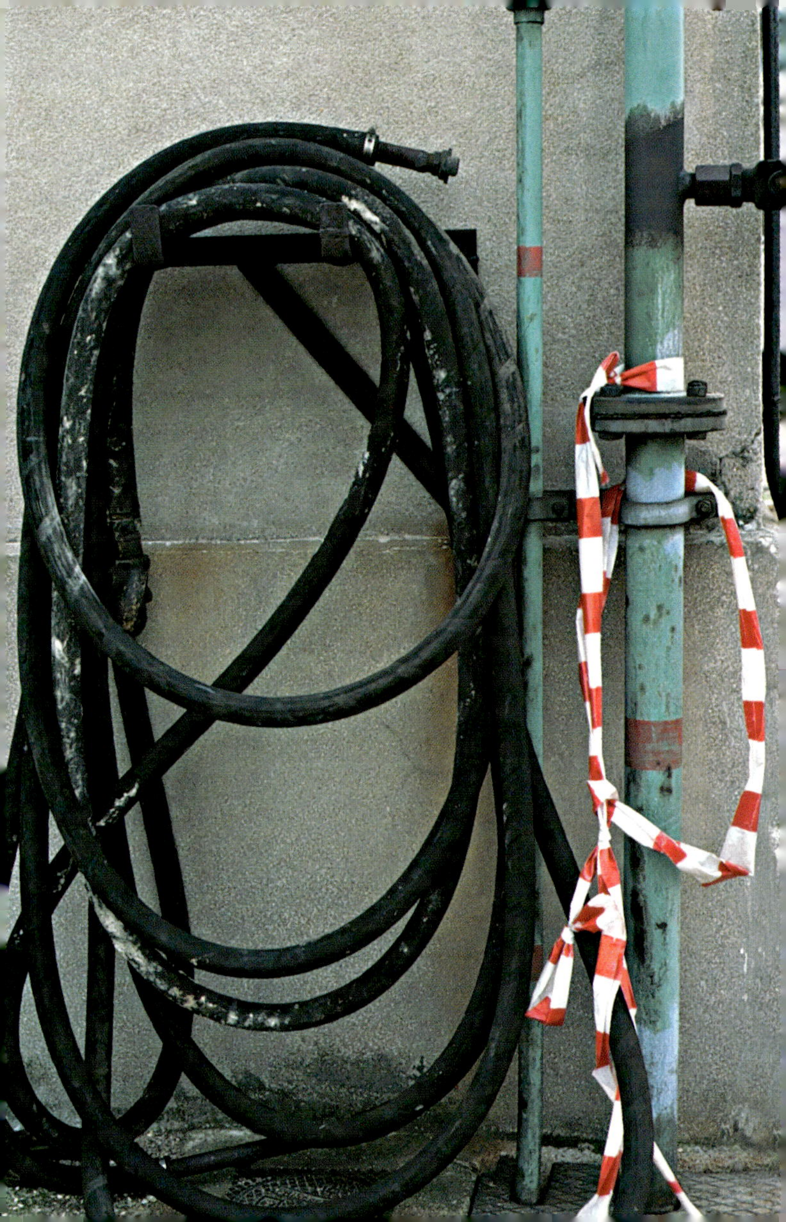

CNCU 060237
SNCF P
FXX 5.00
920 Kg
M 4.080 Kg
N 4.280 Kg
P
6.200 Kg
9 m³
C
C
DE CADRES
PARIS 12
Tel 345-32-20

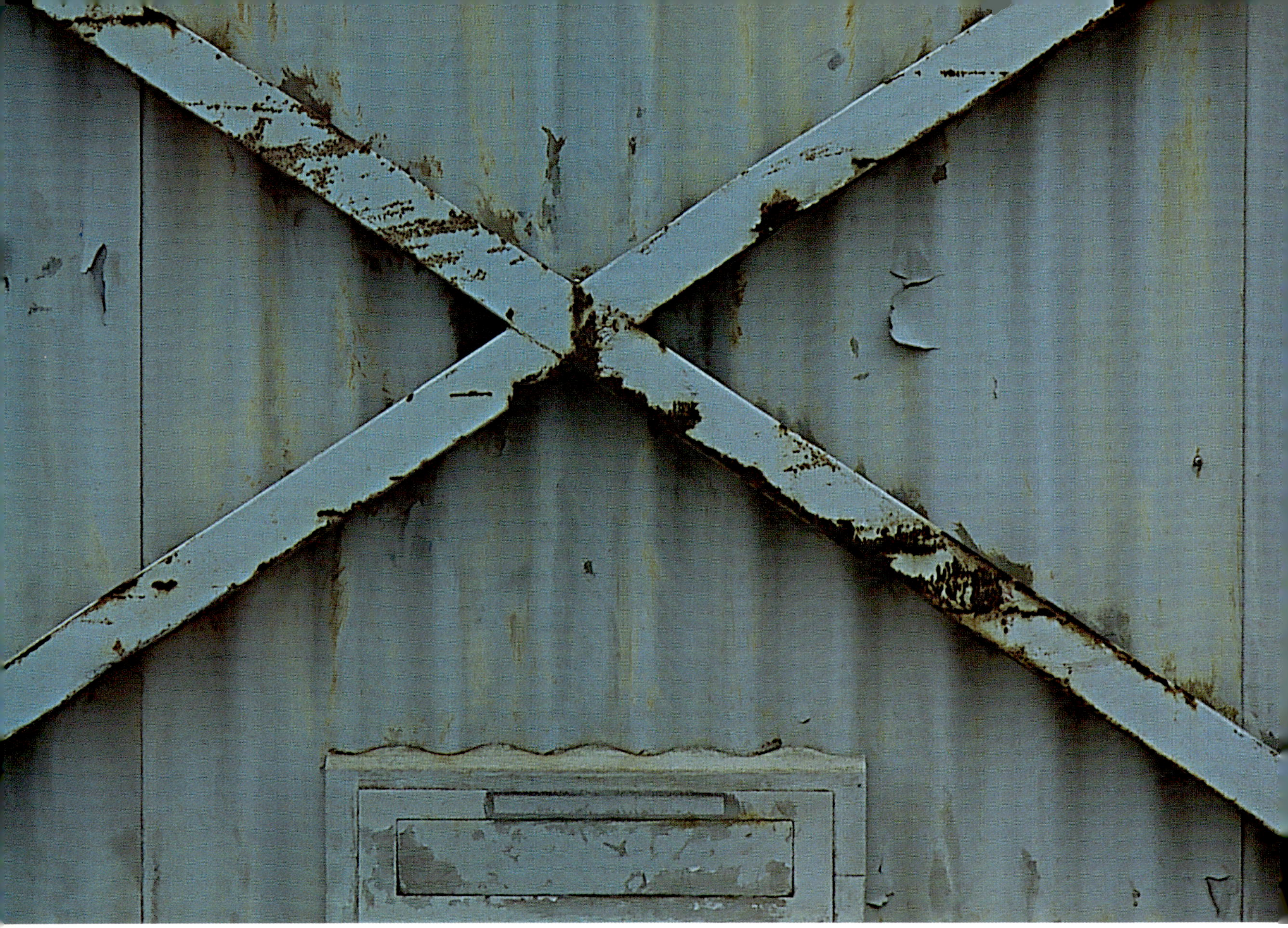

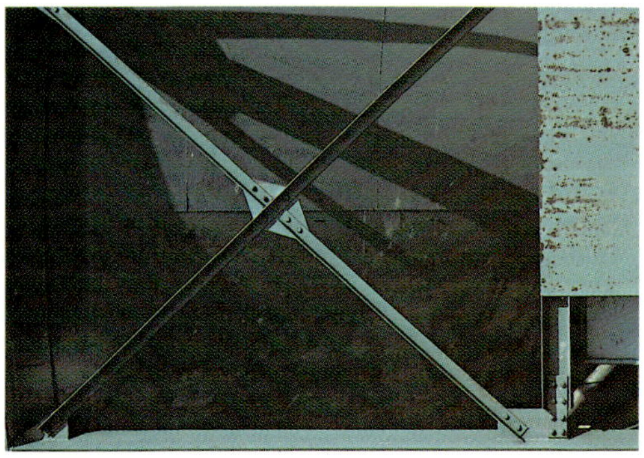

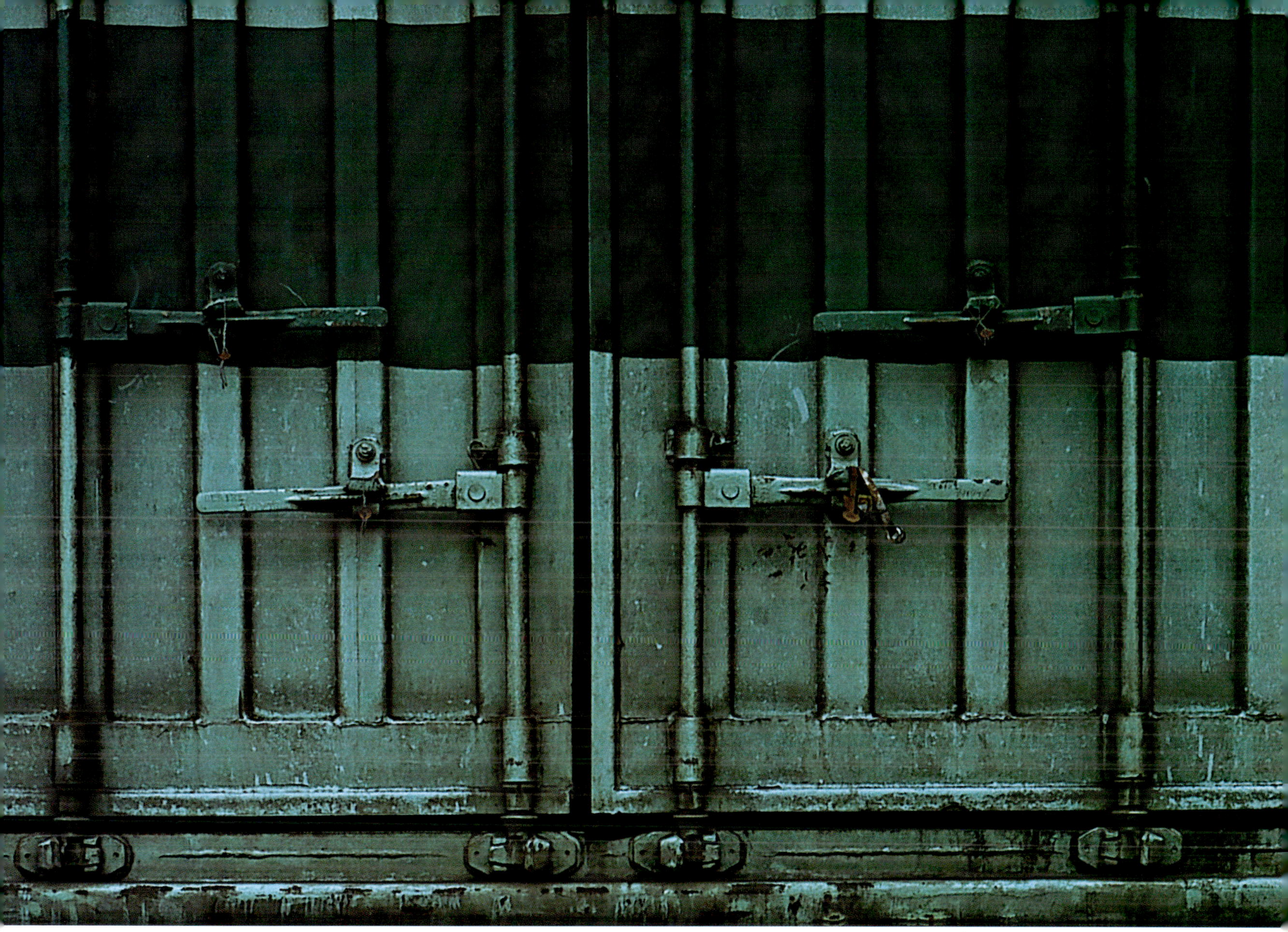

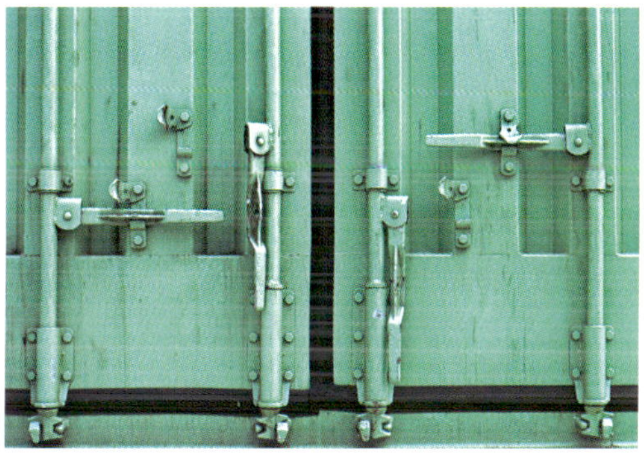

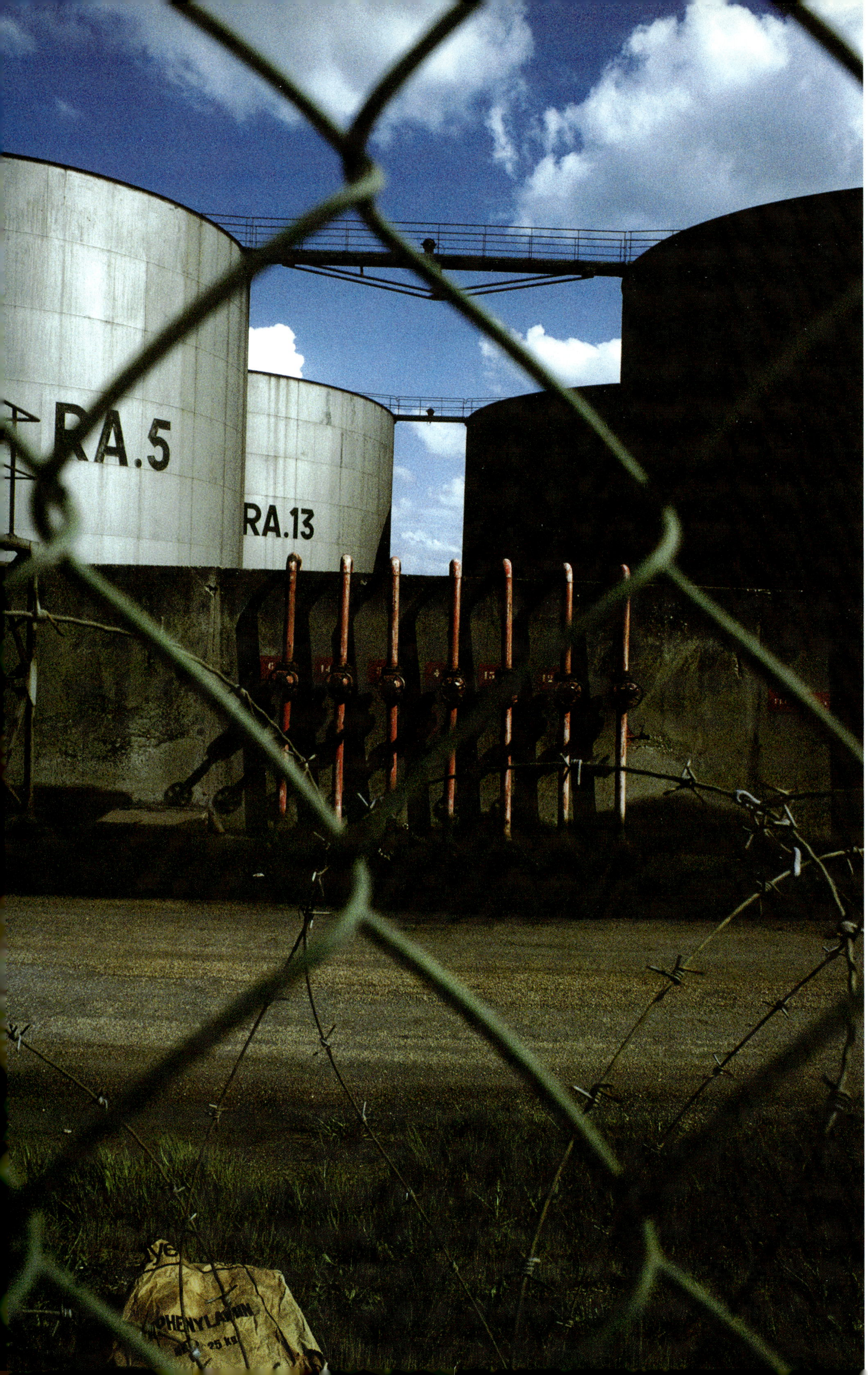
RA.5
RA.13

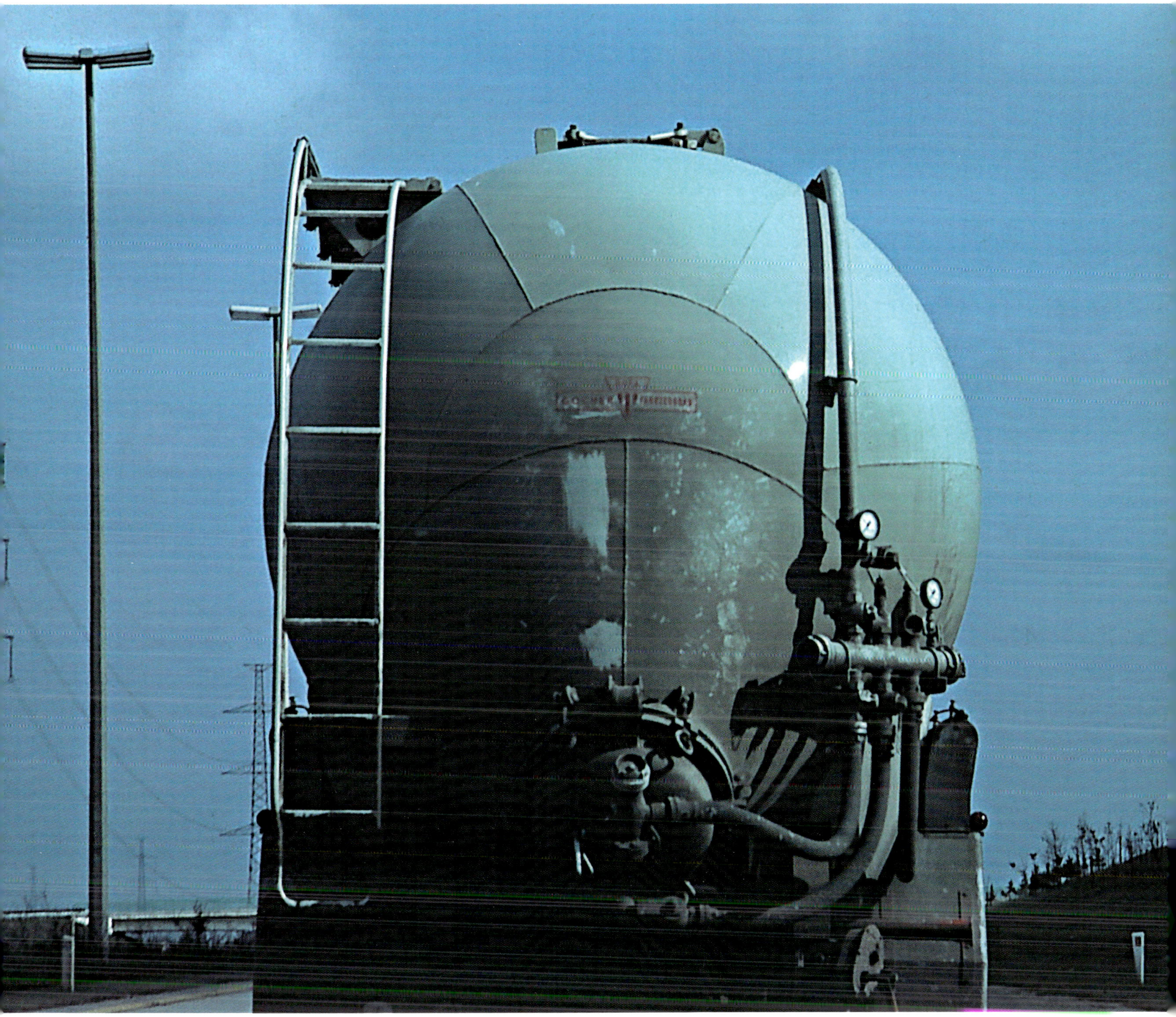

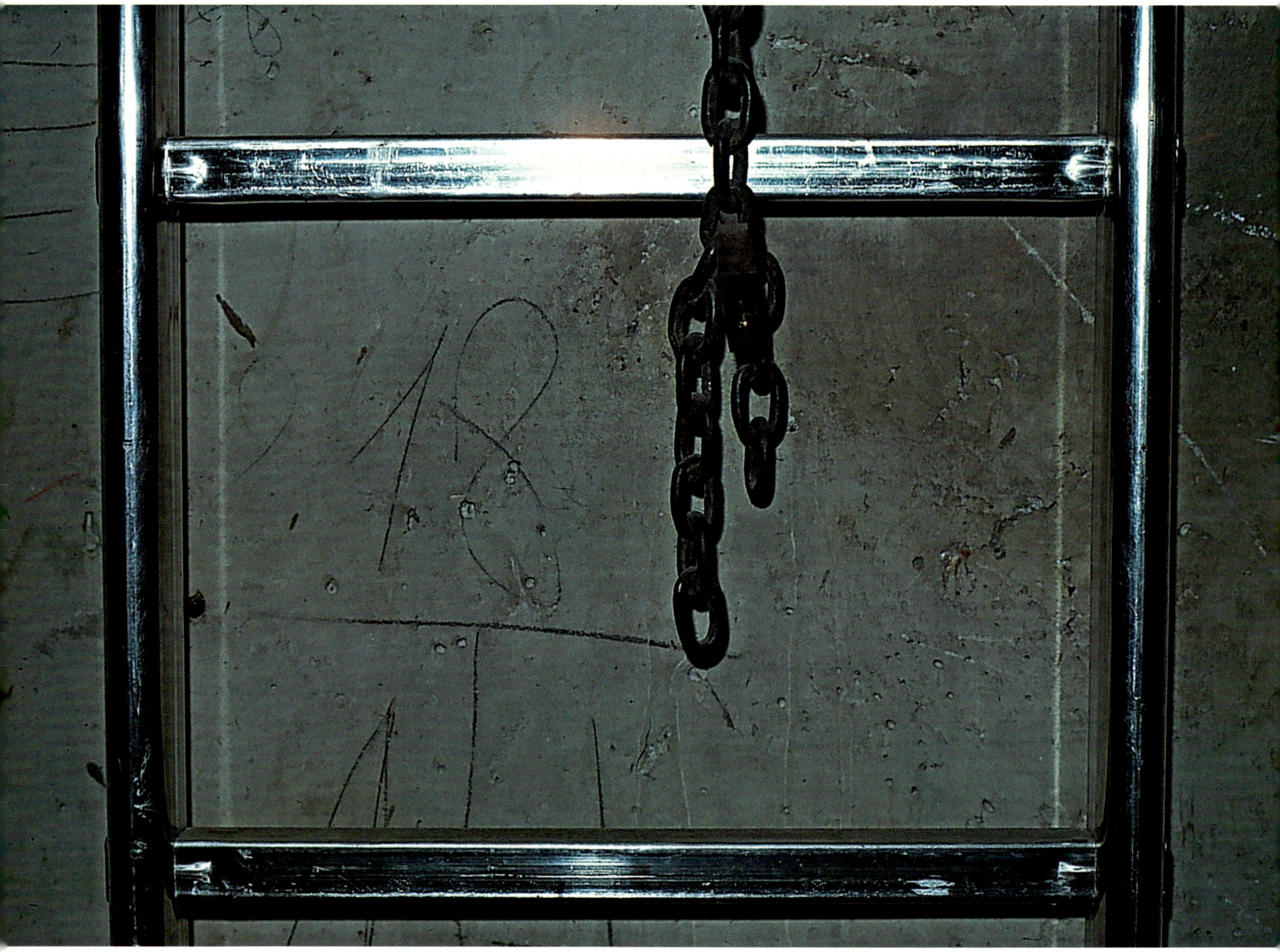
18

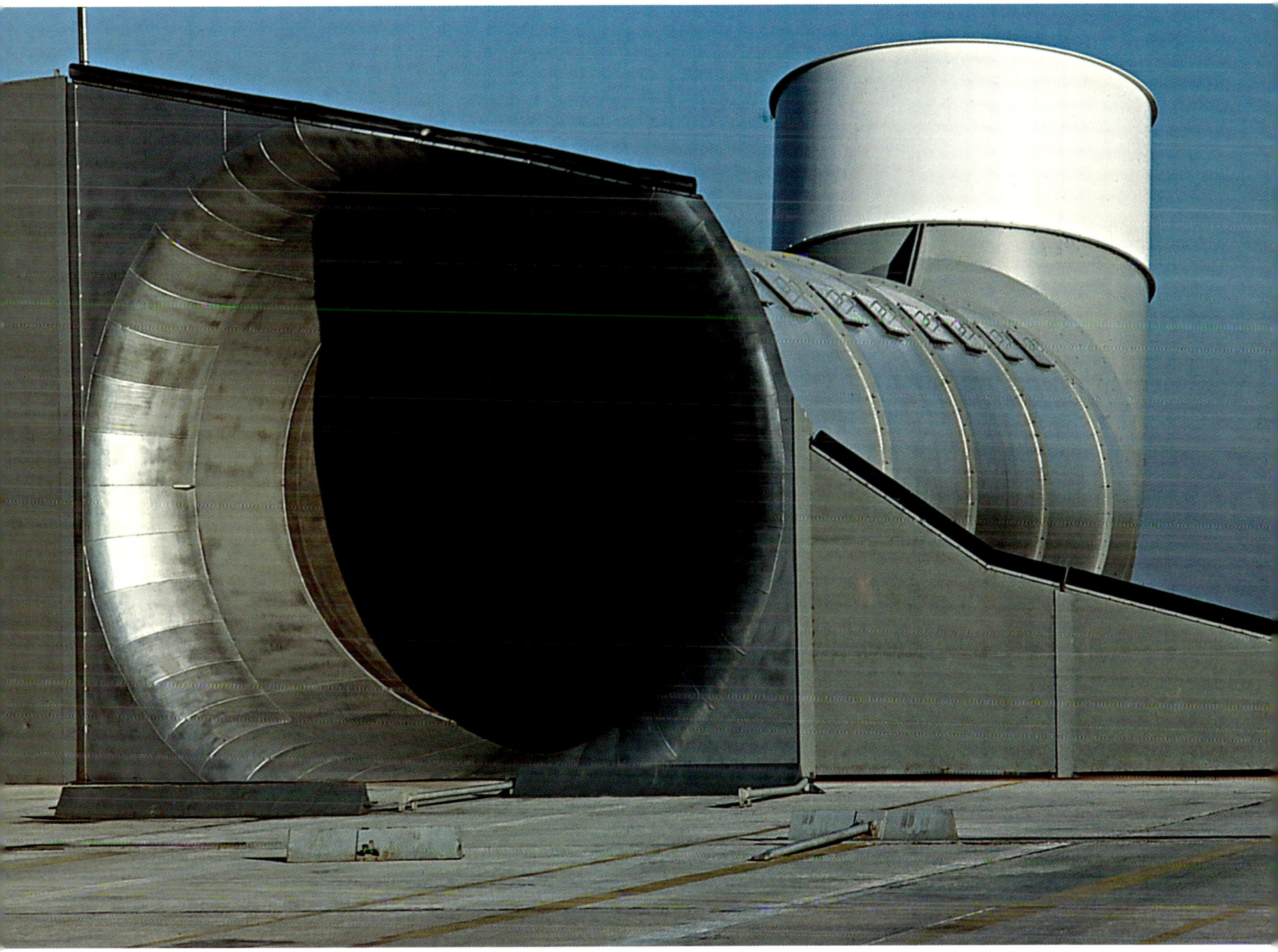

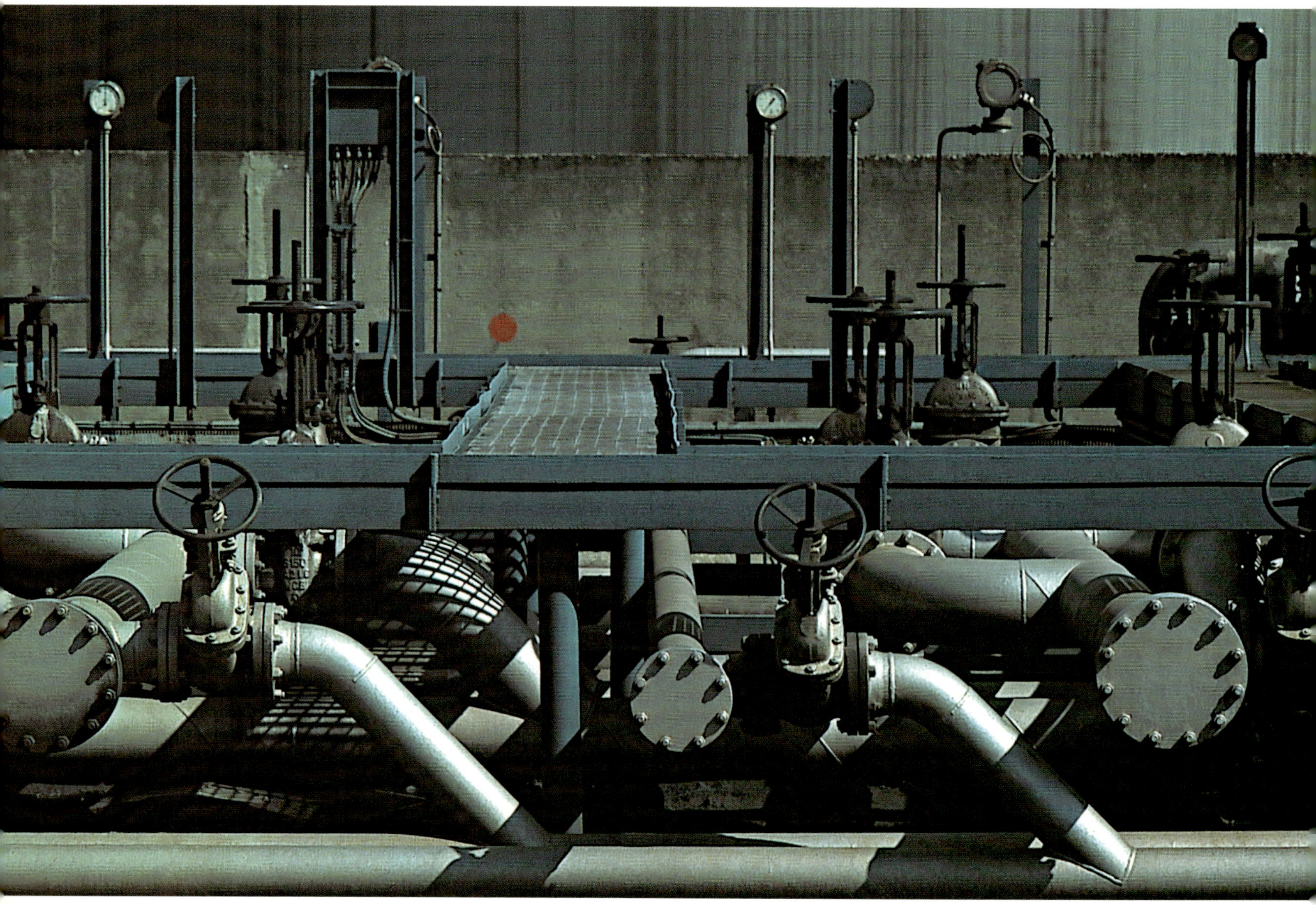

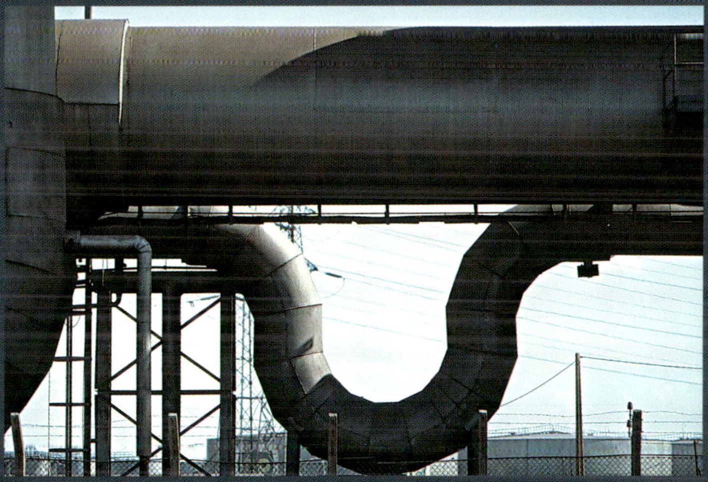

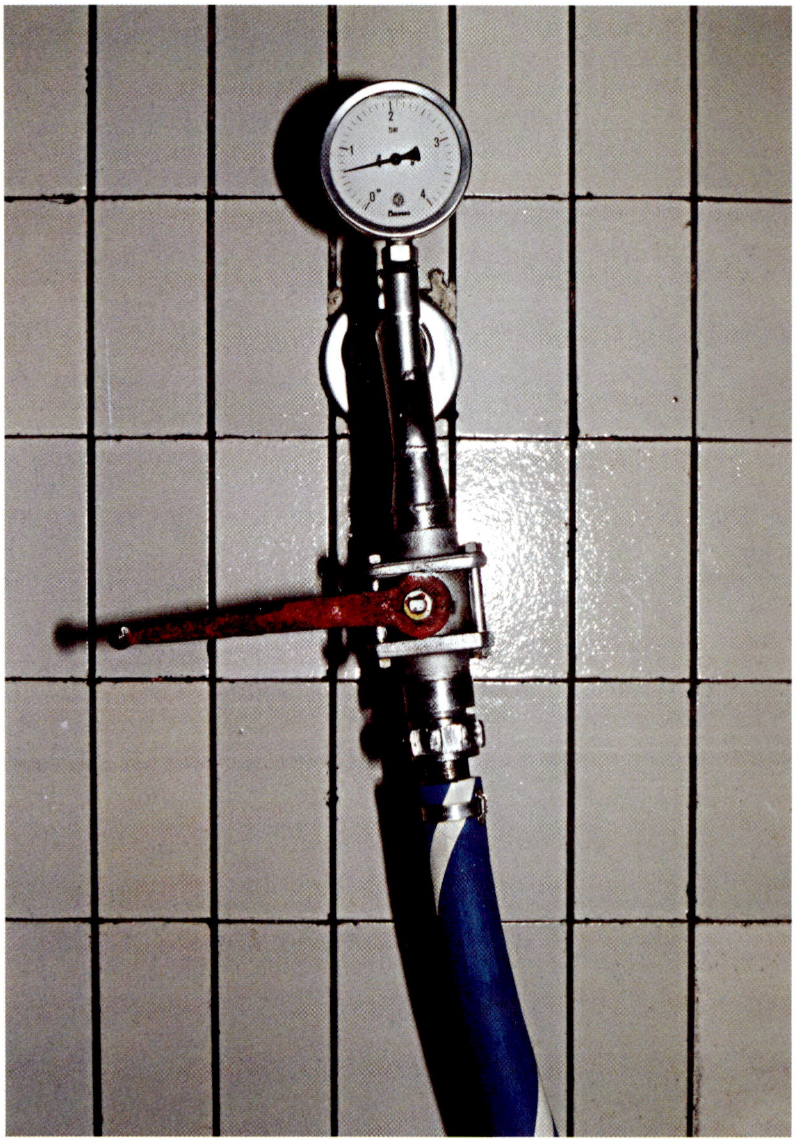

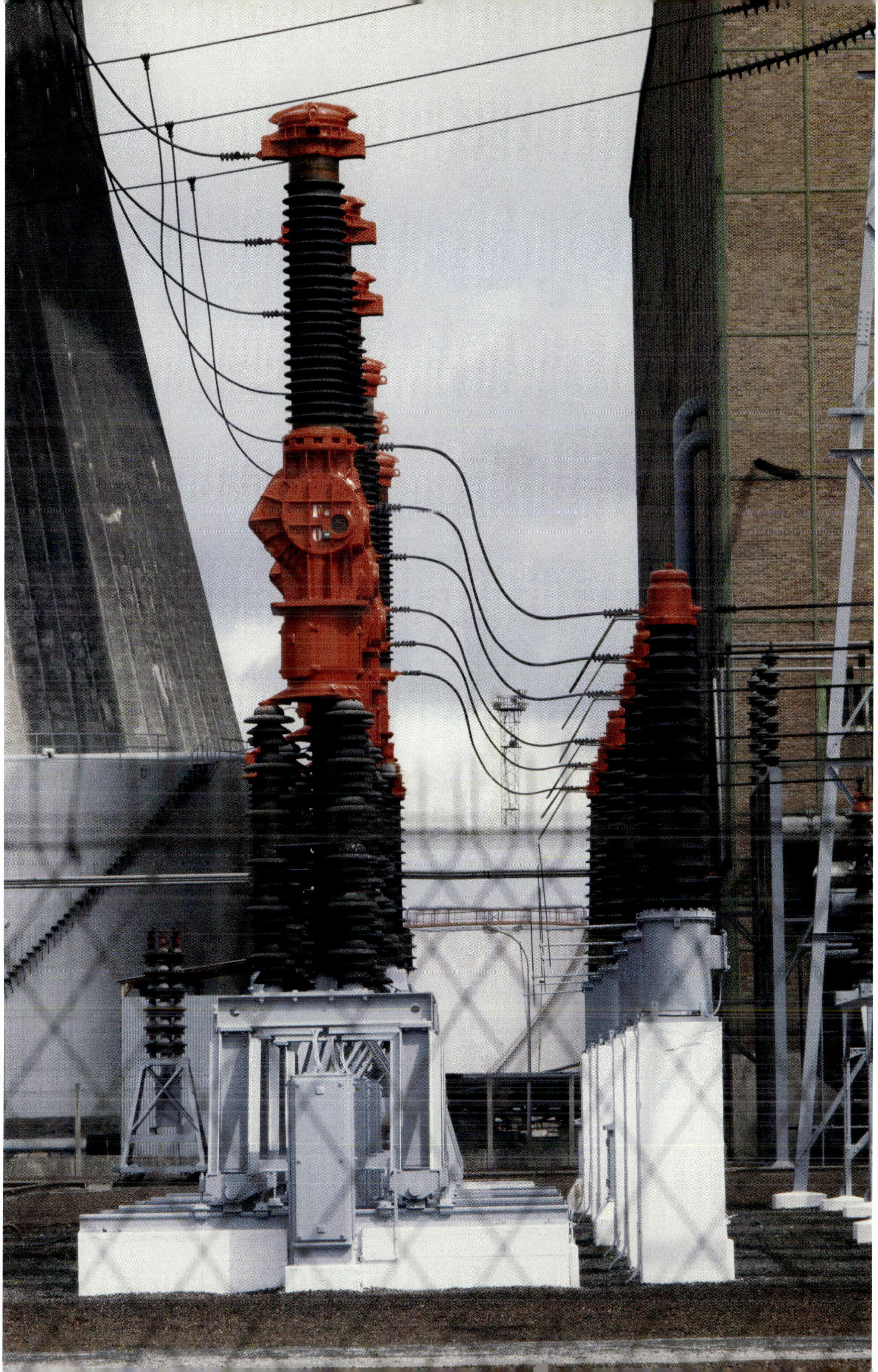

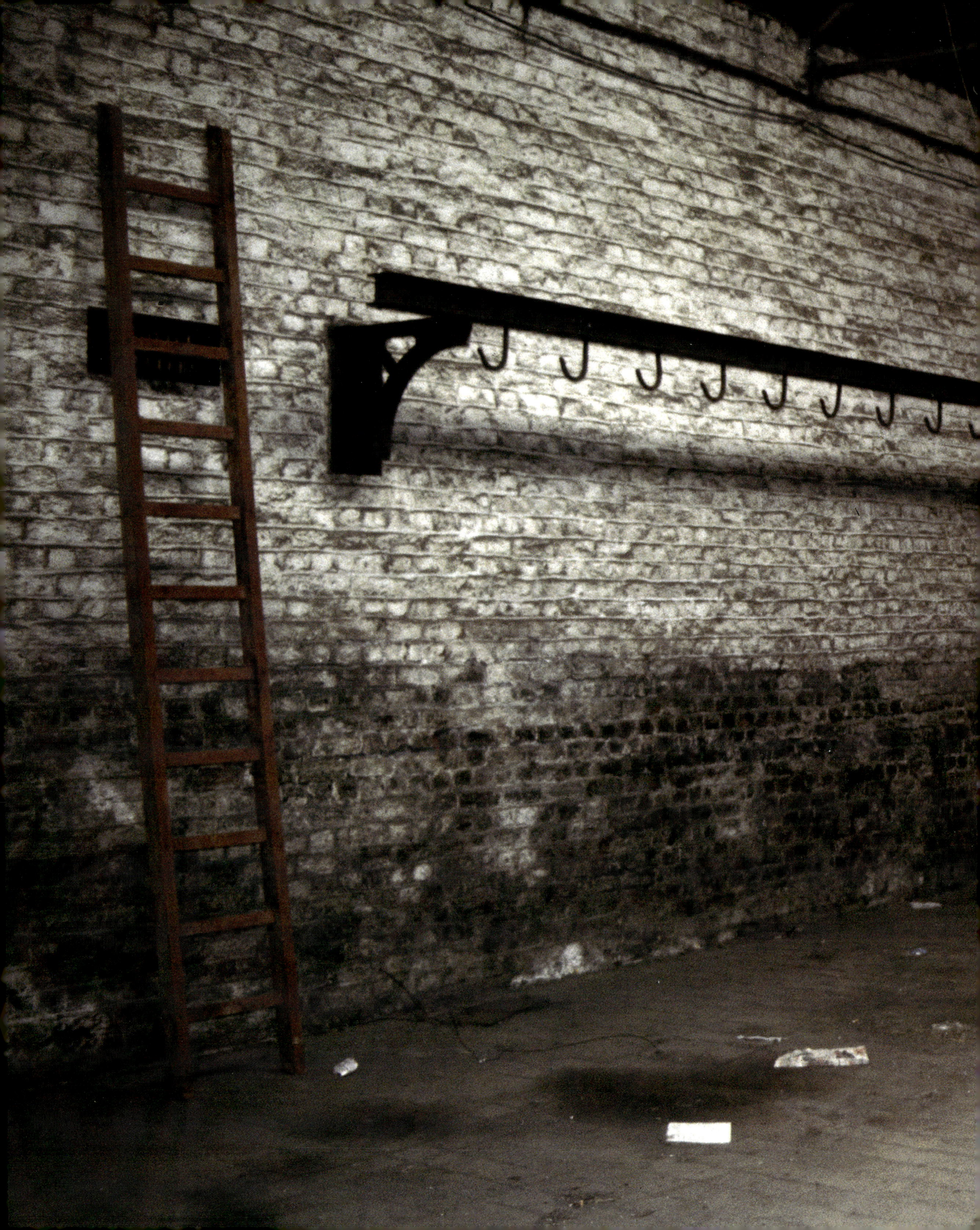

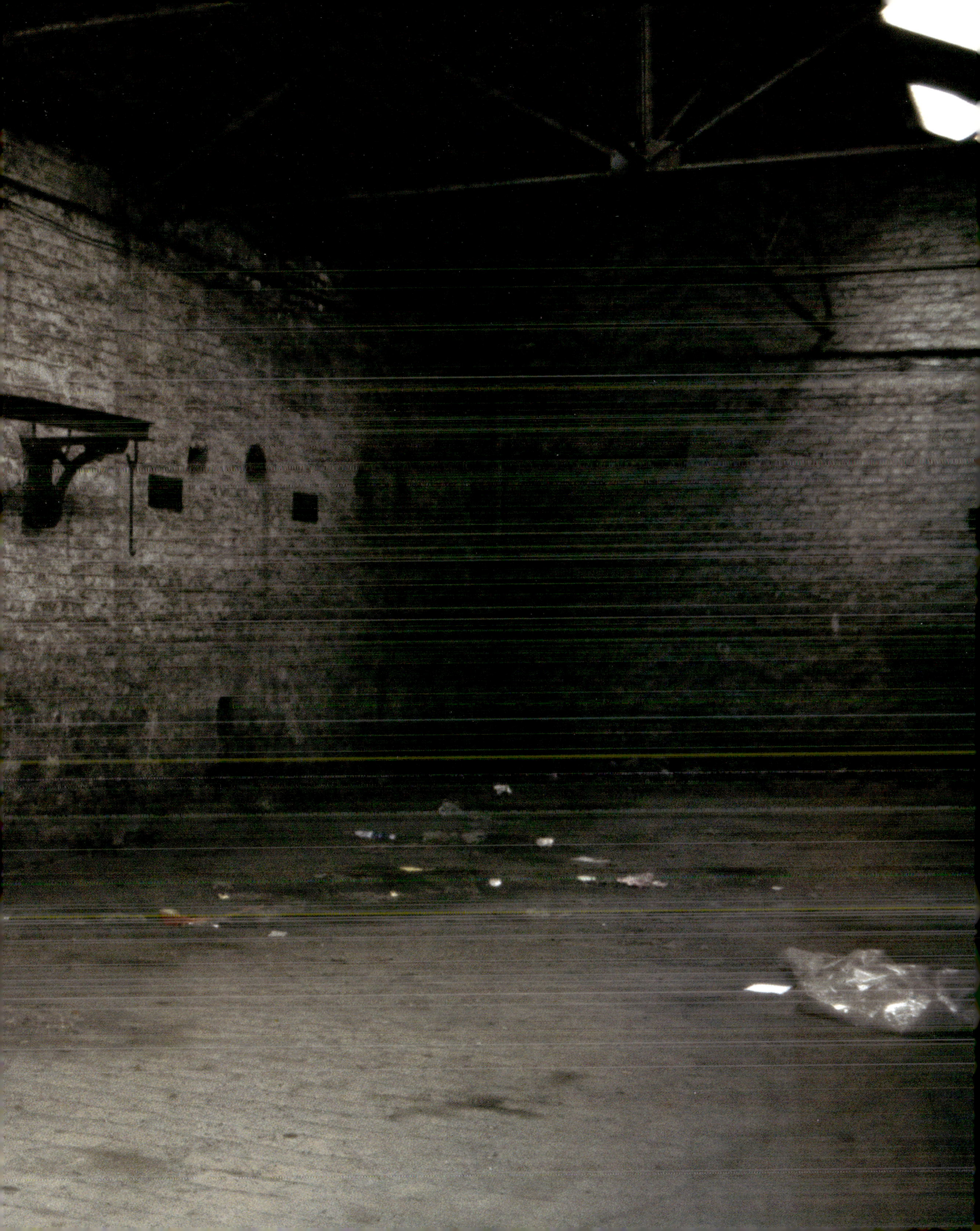

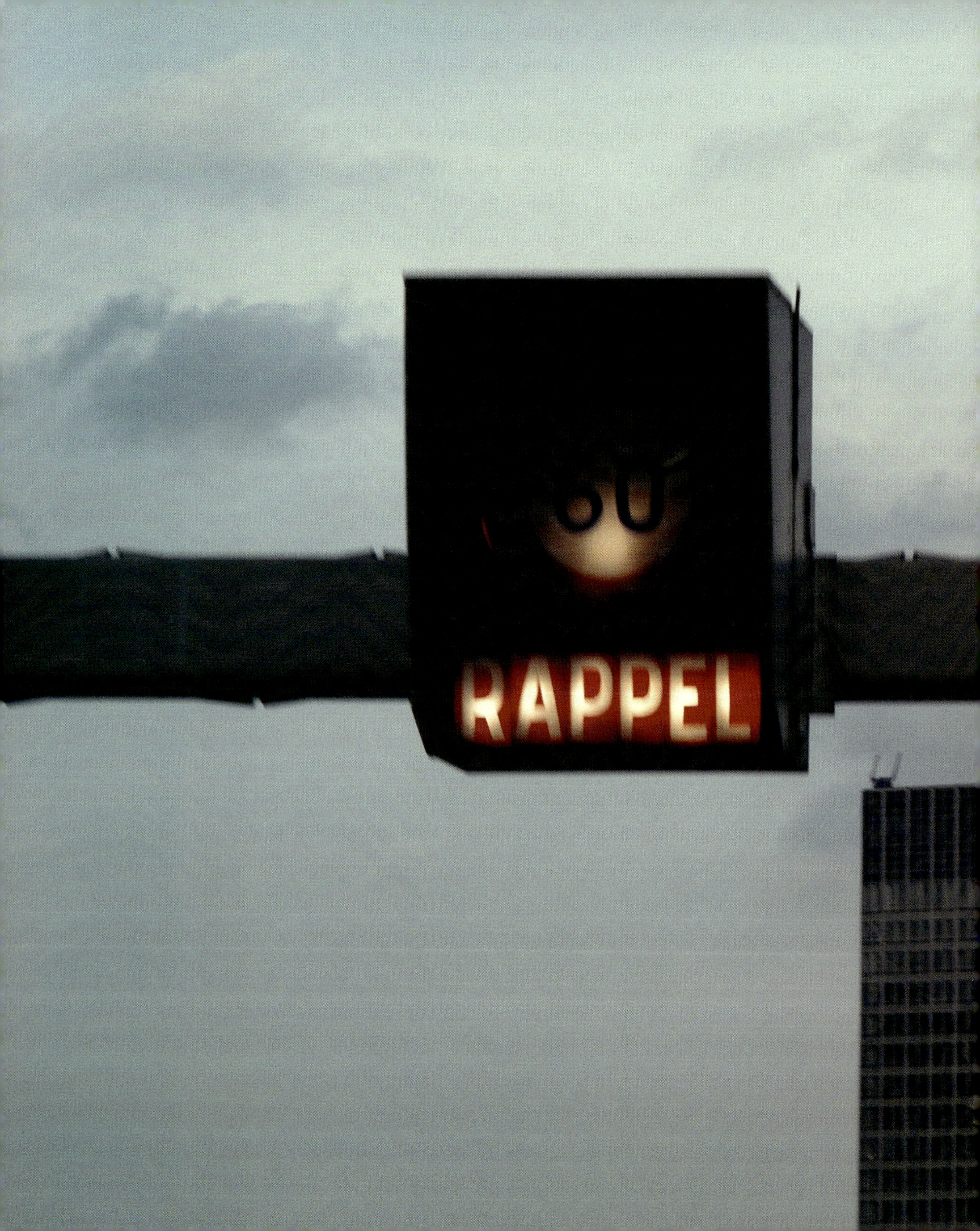
RAPPEL

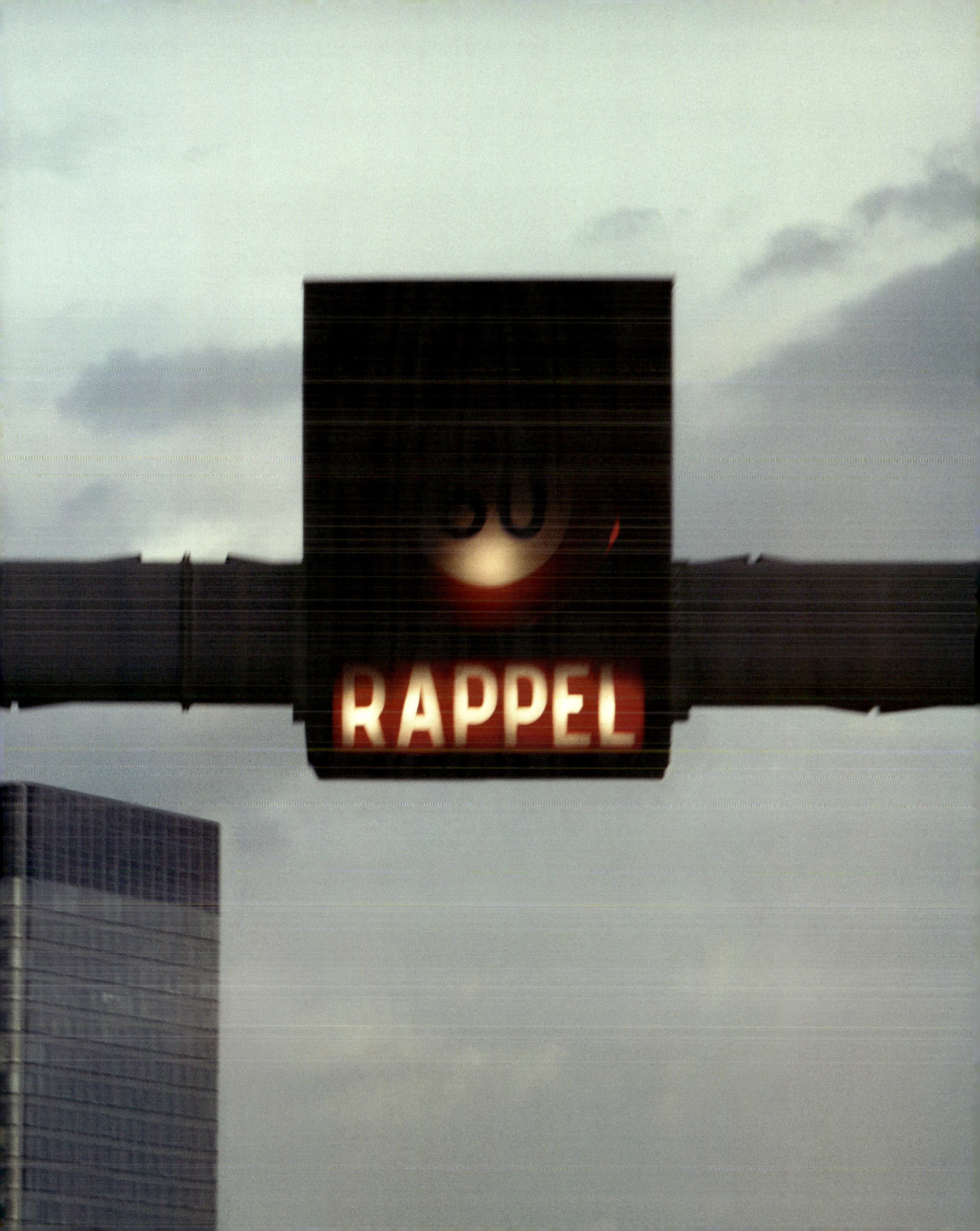
RAPPEL

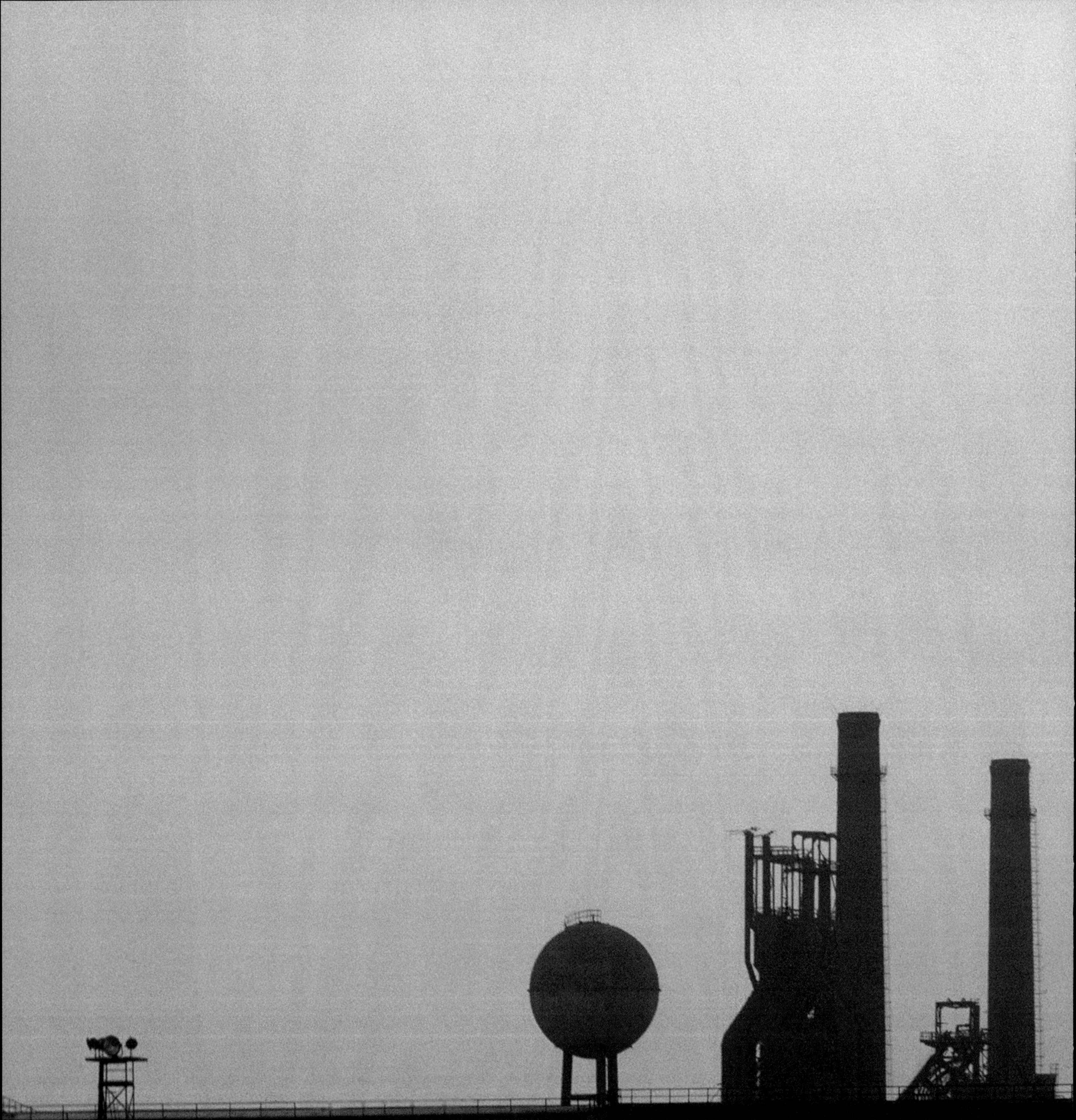

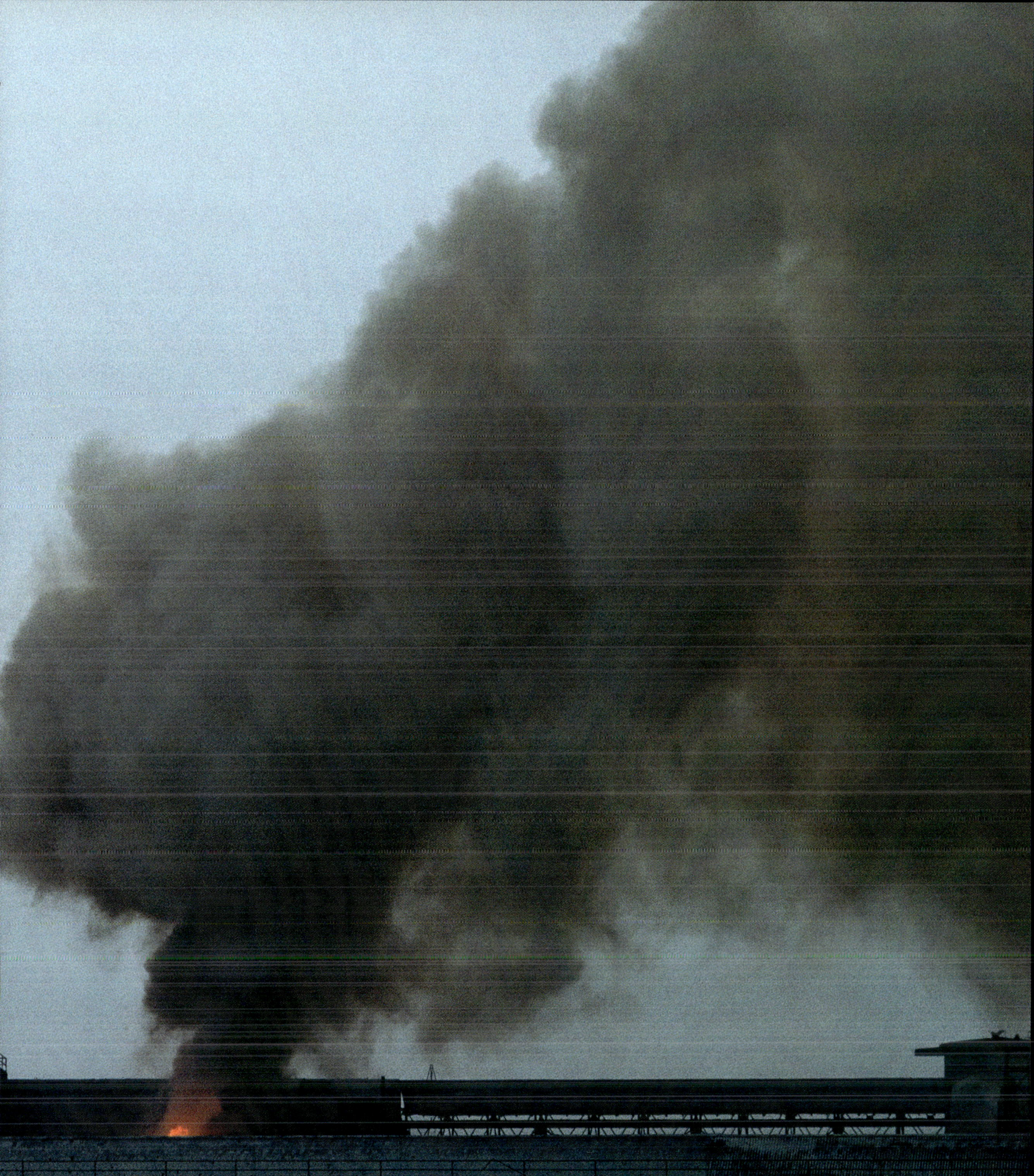

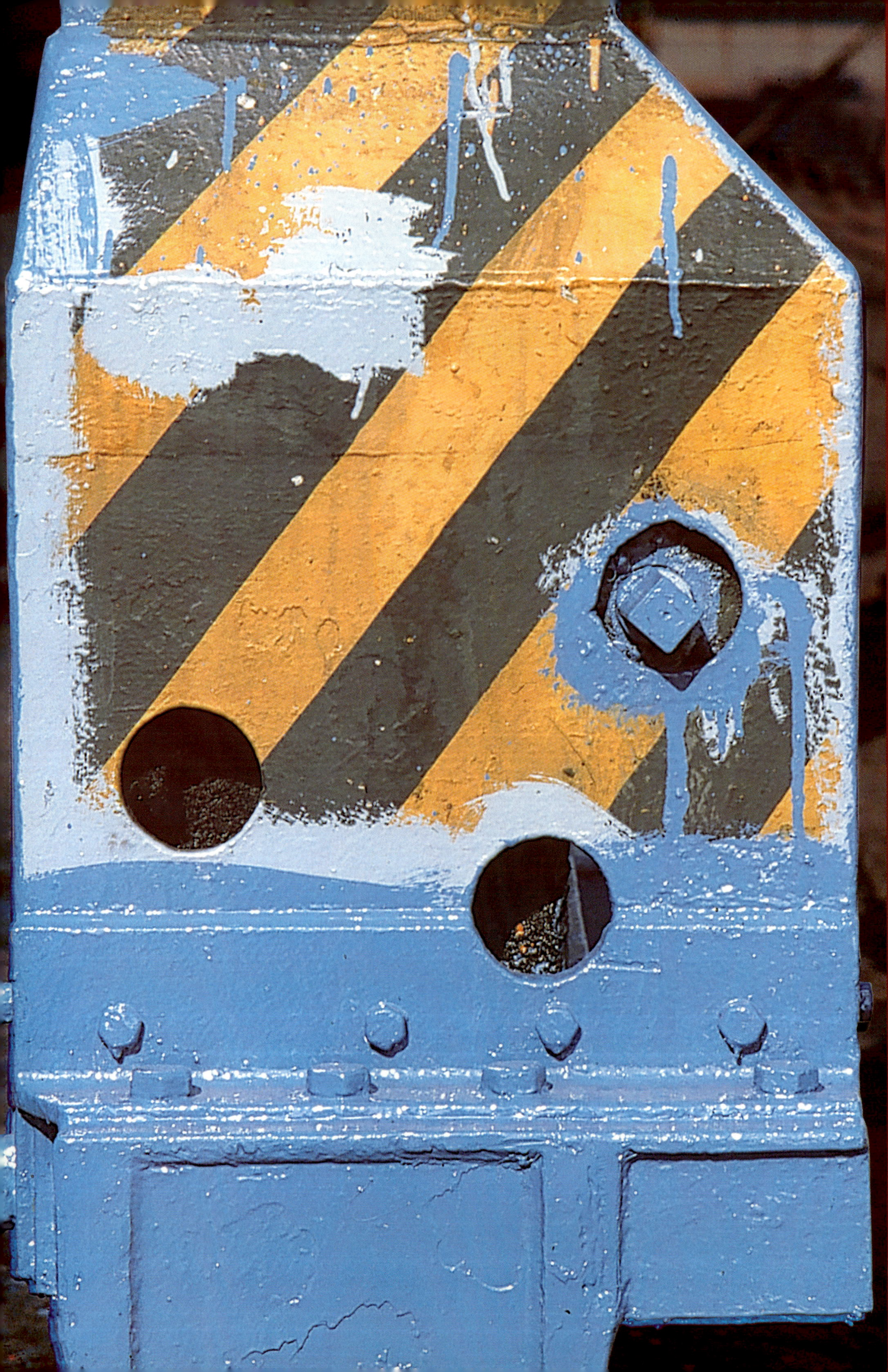

PARK

Y 2420

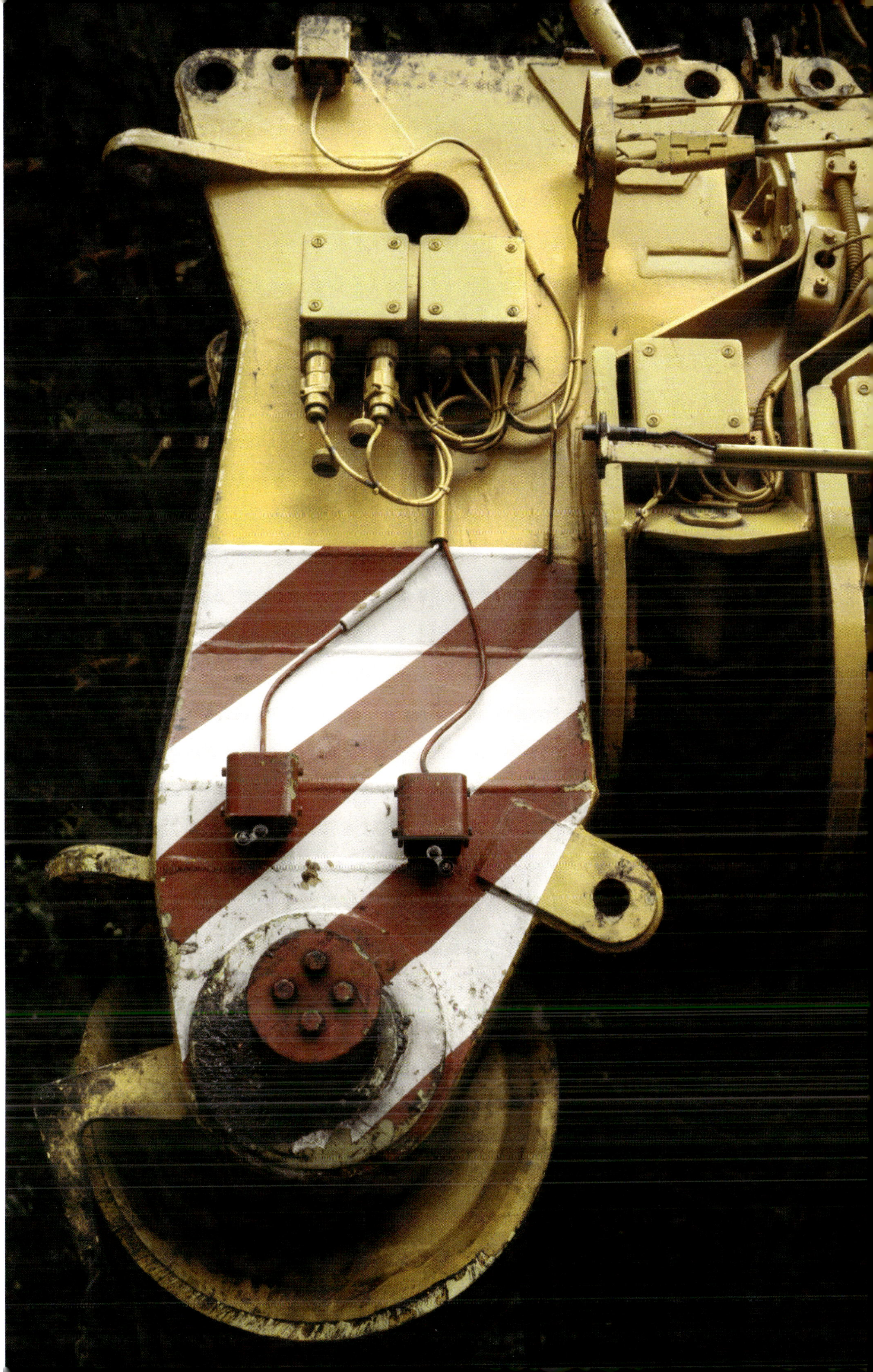

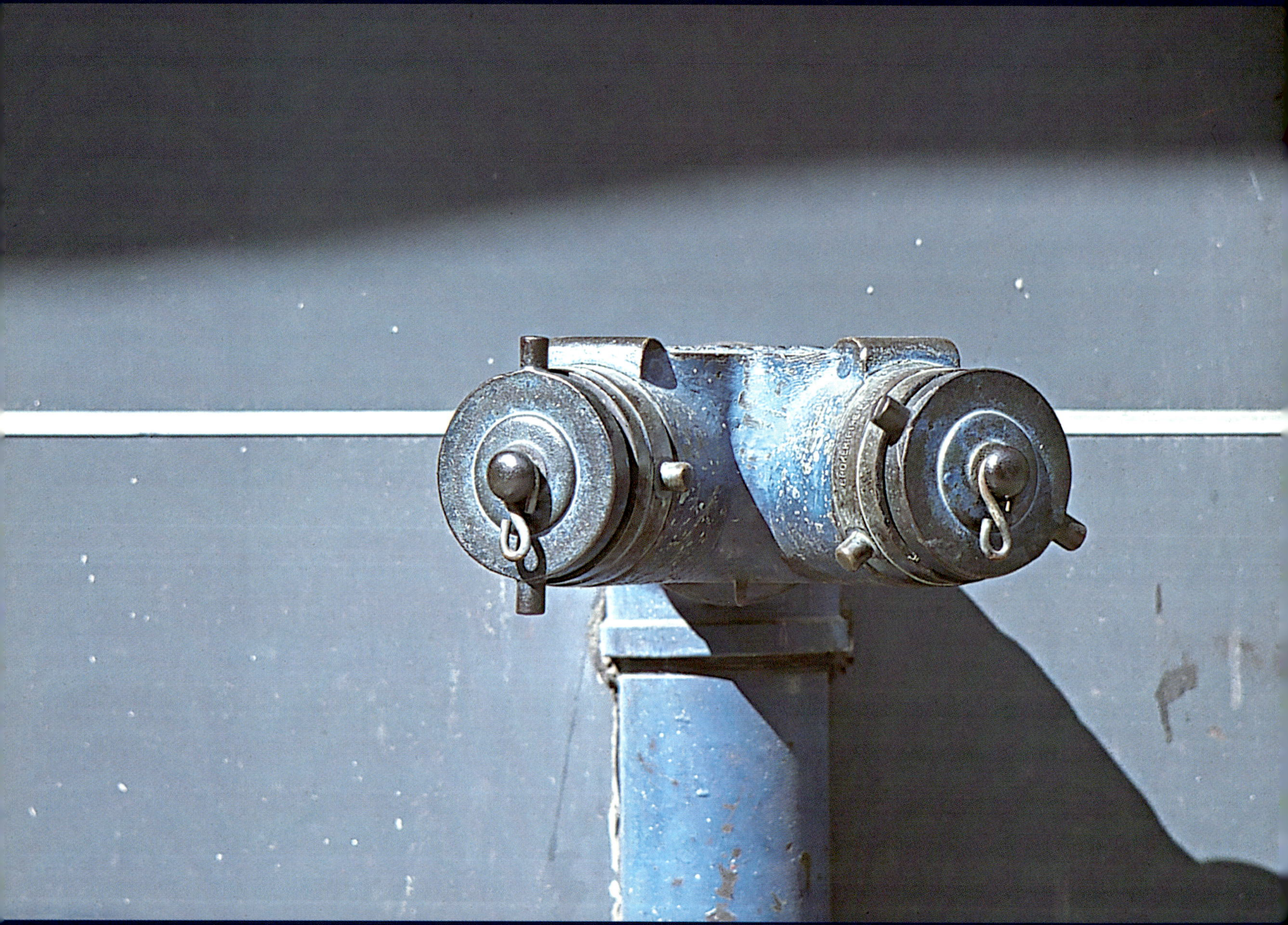

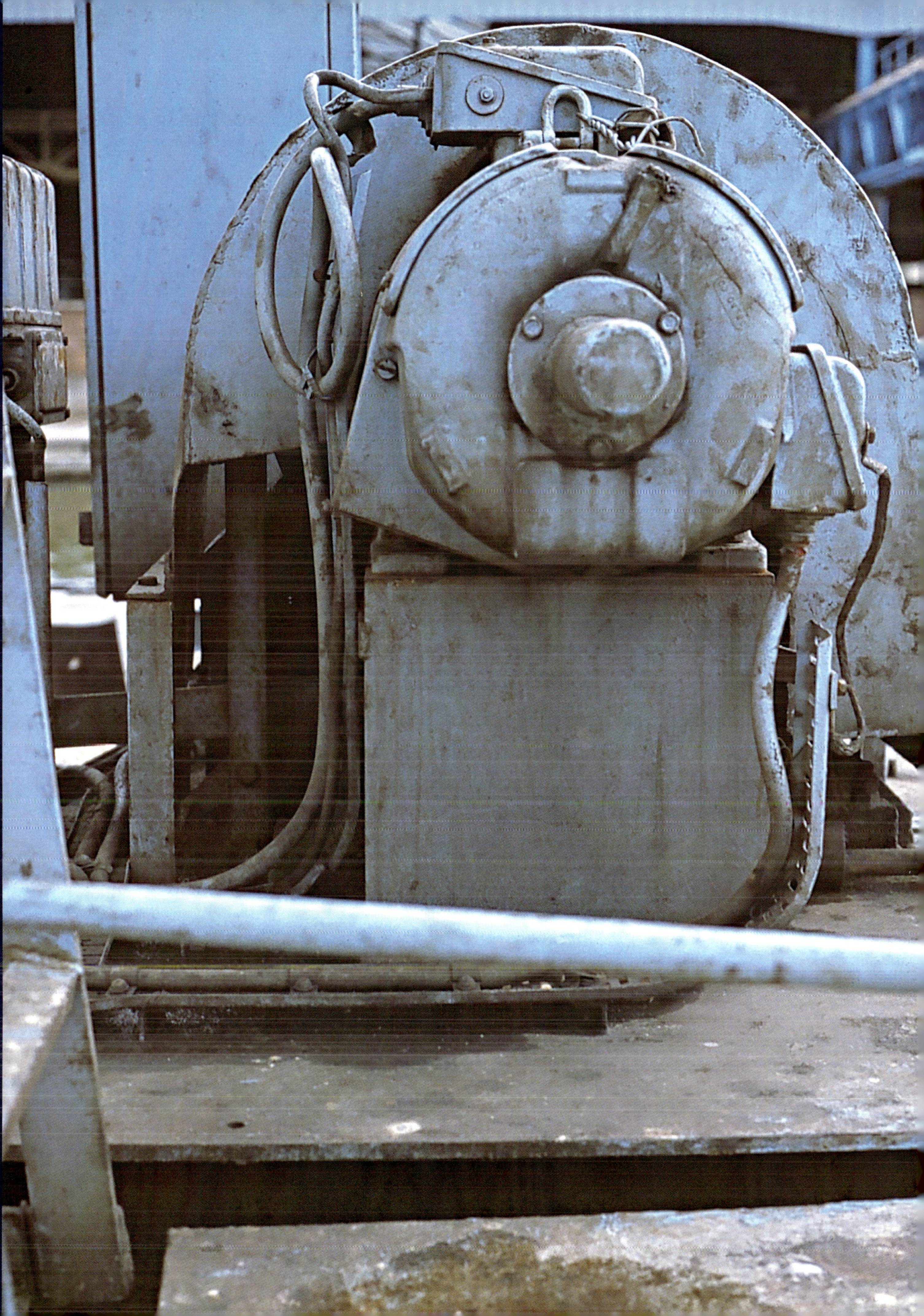

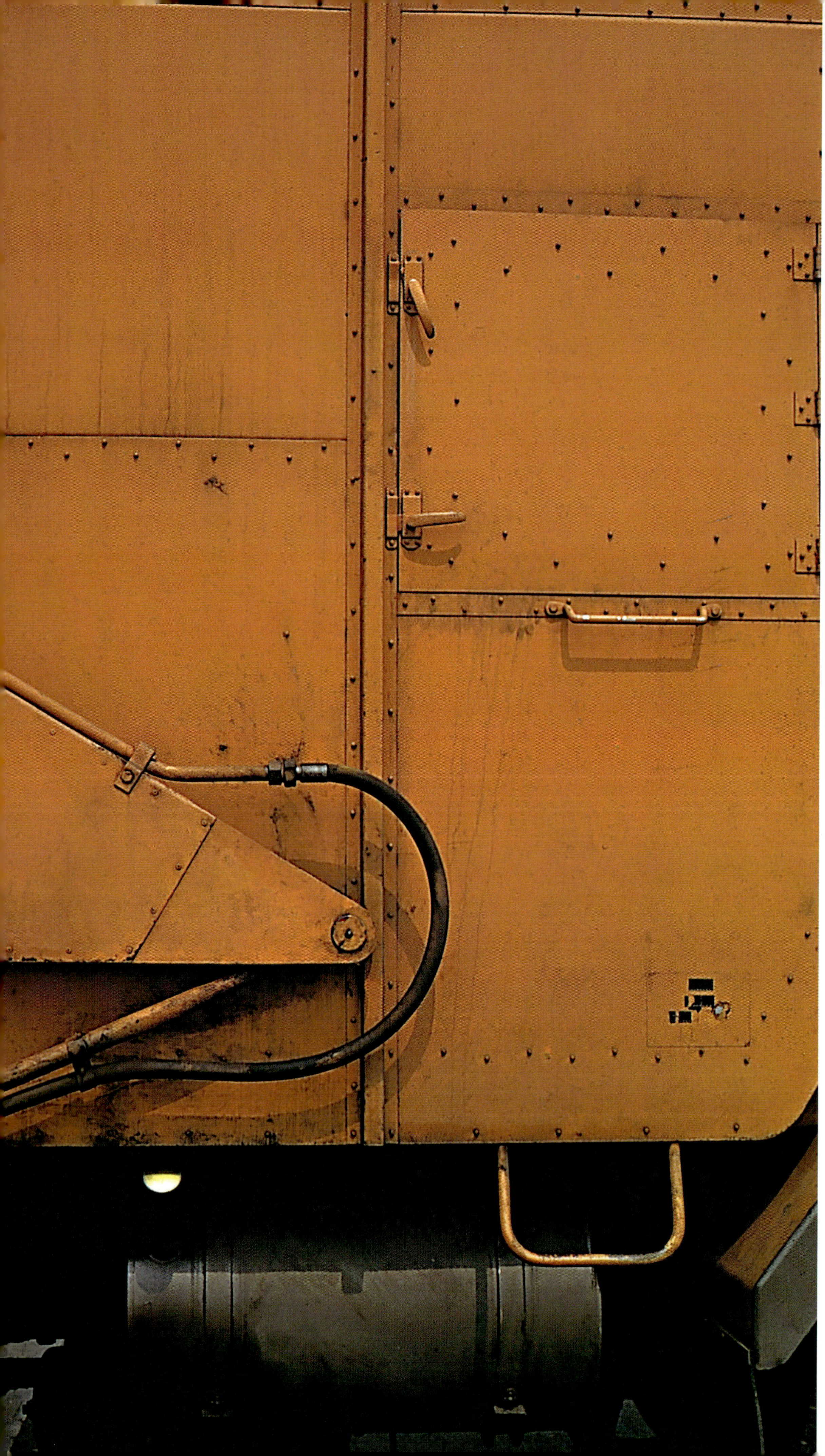

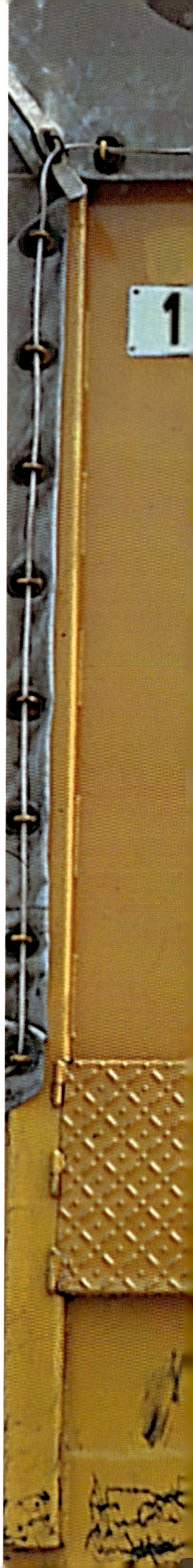
1

ZB 75

K311

MOL

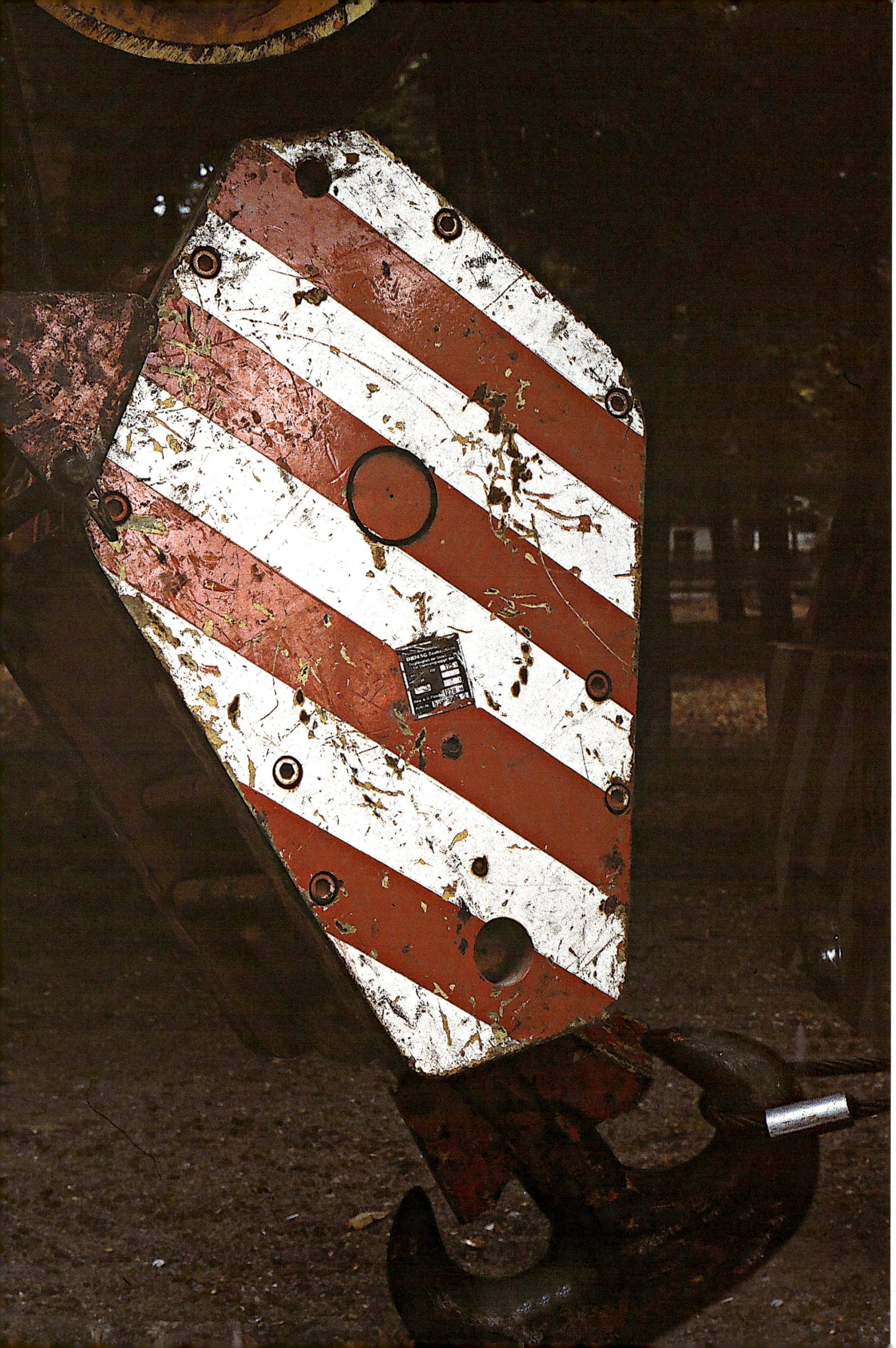

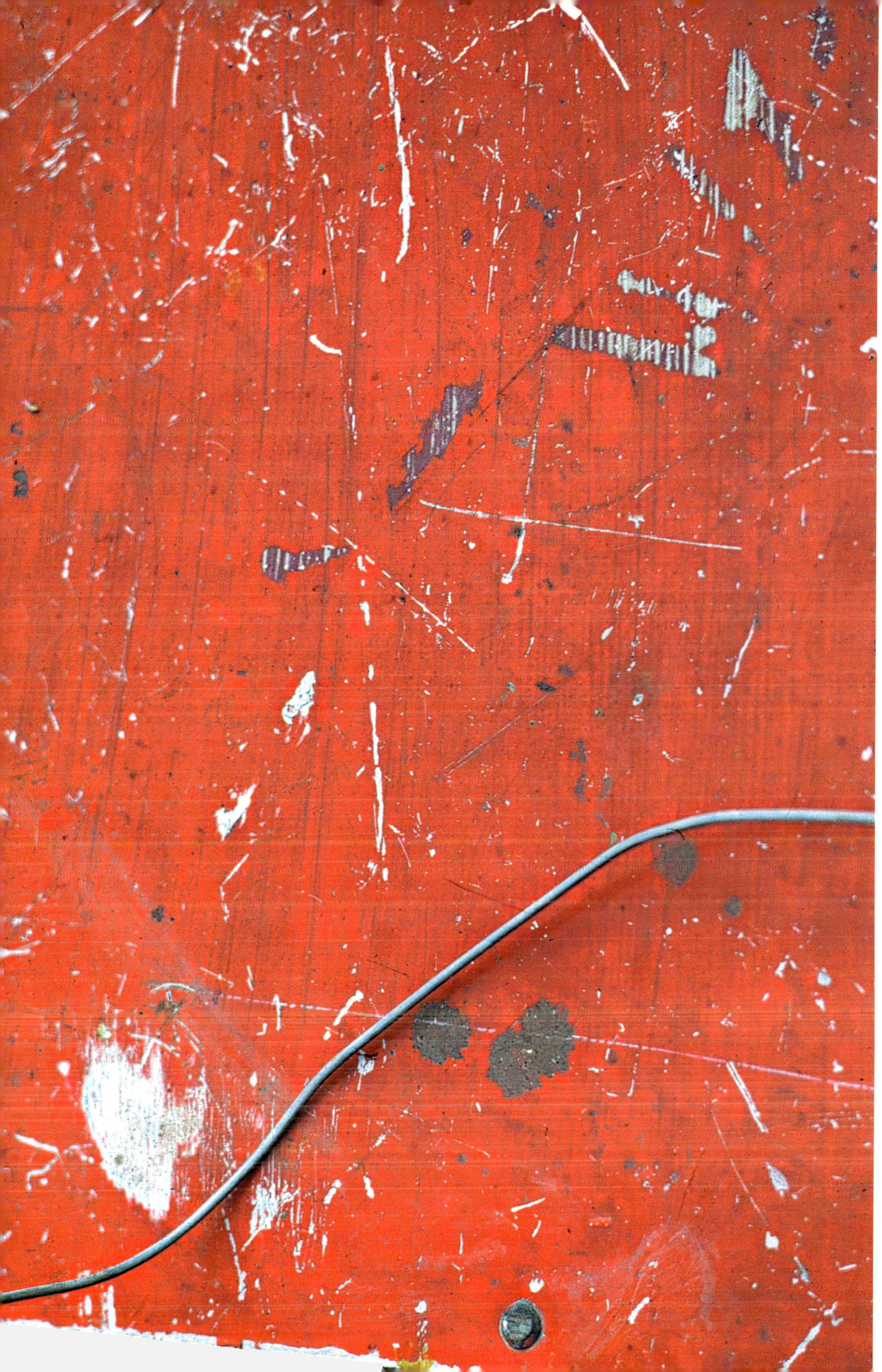

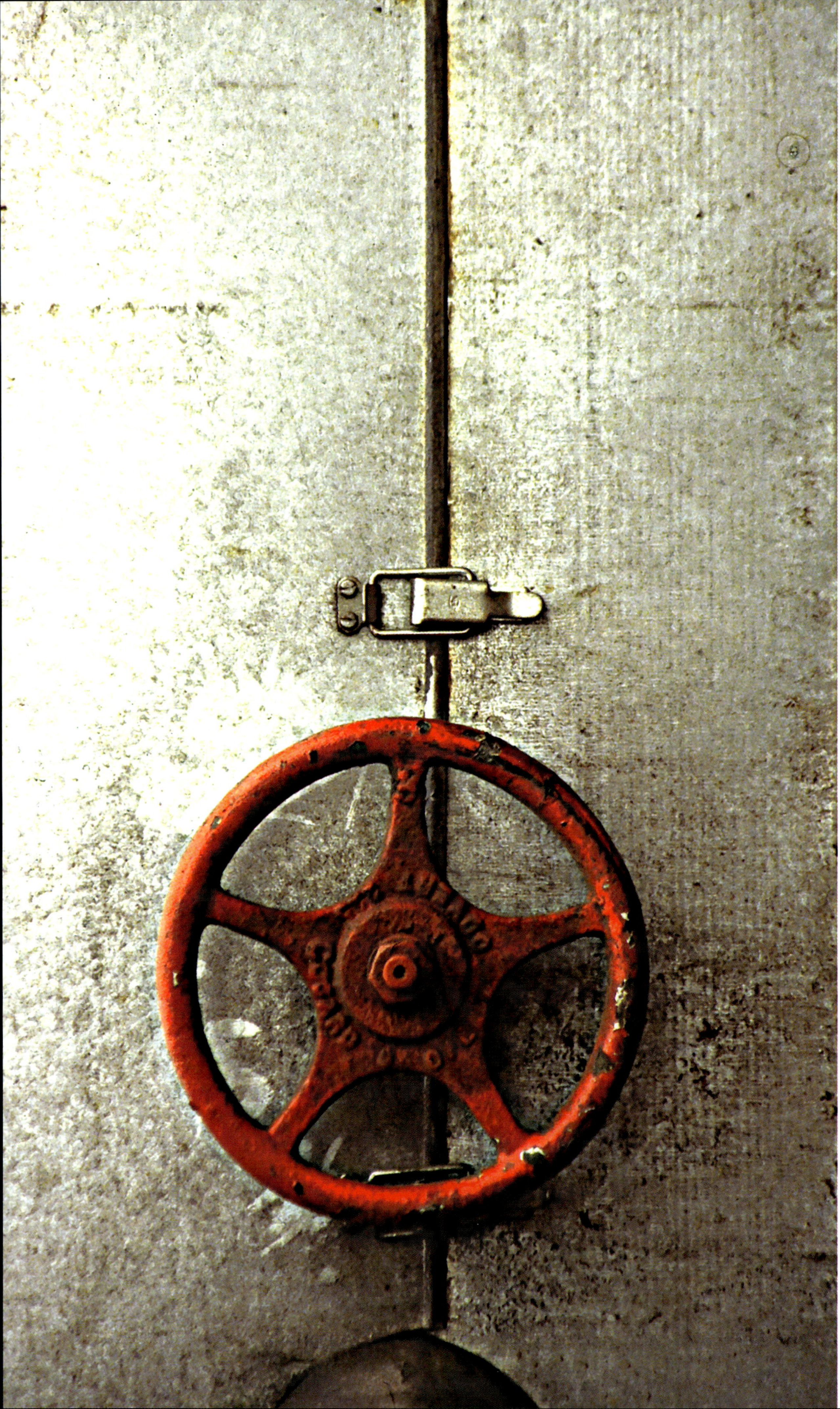

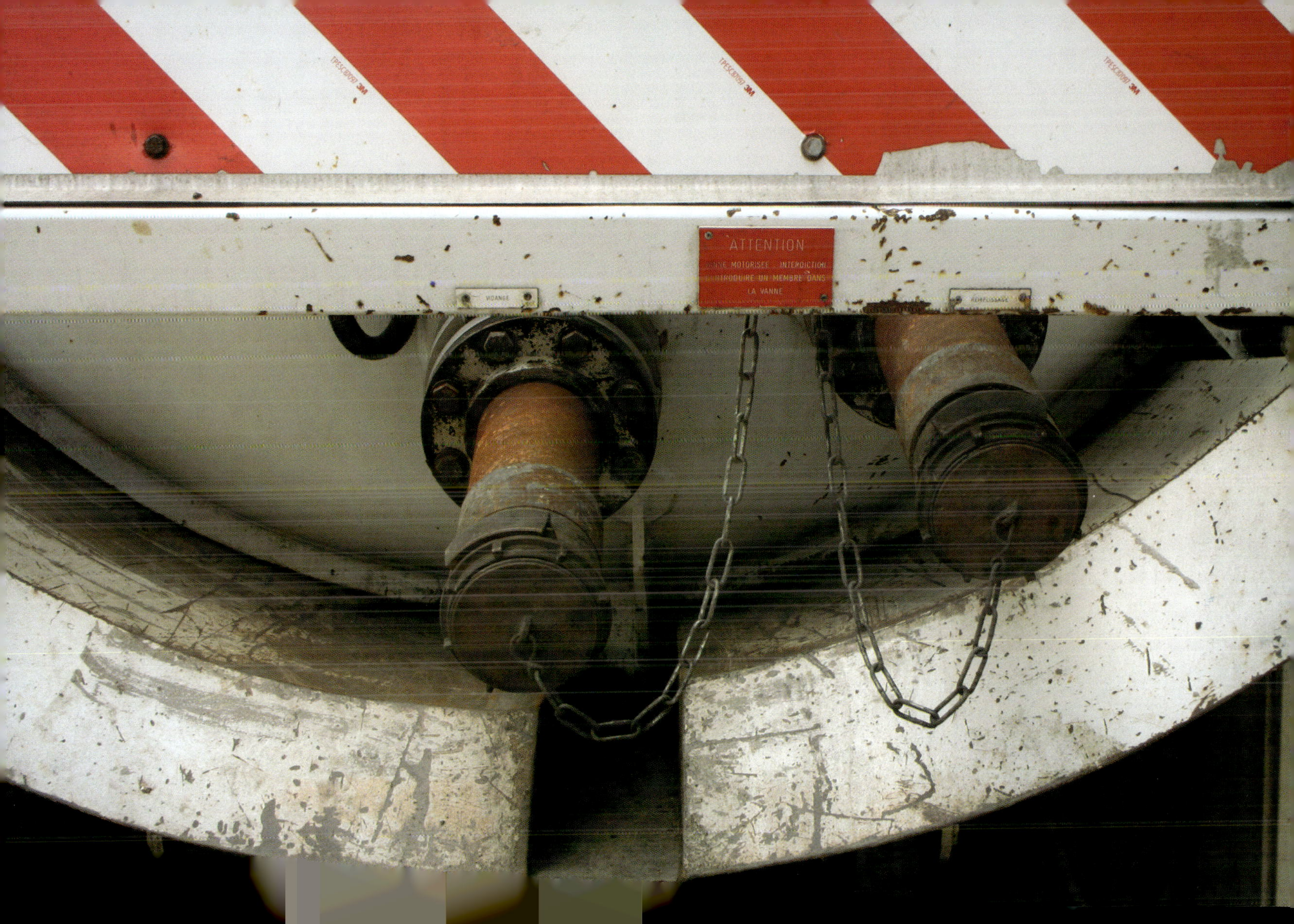
ATTENTION
LA VANNE
VIDANGE

DEBIT N H3 = JAUNE
DEBIT AIR = VERT

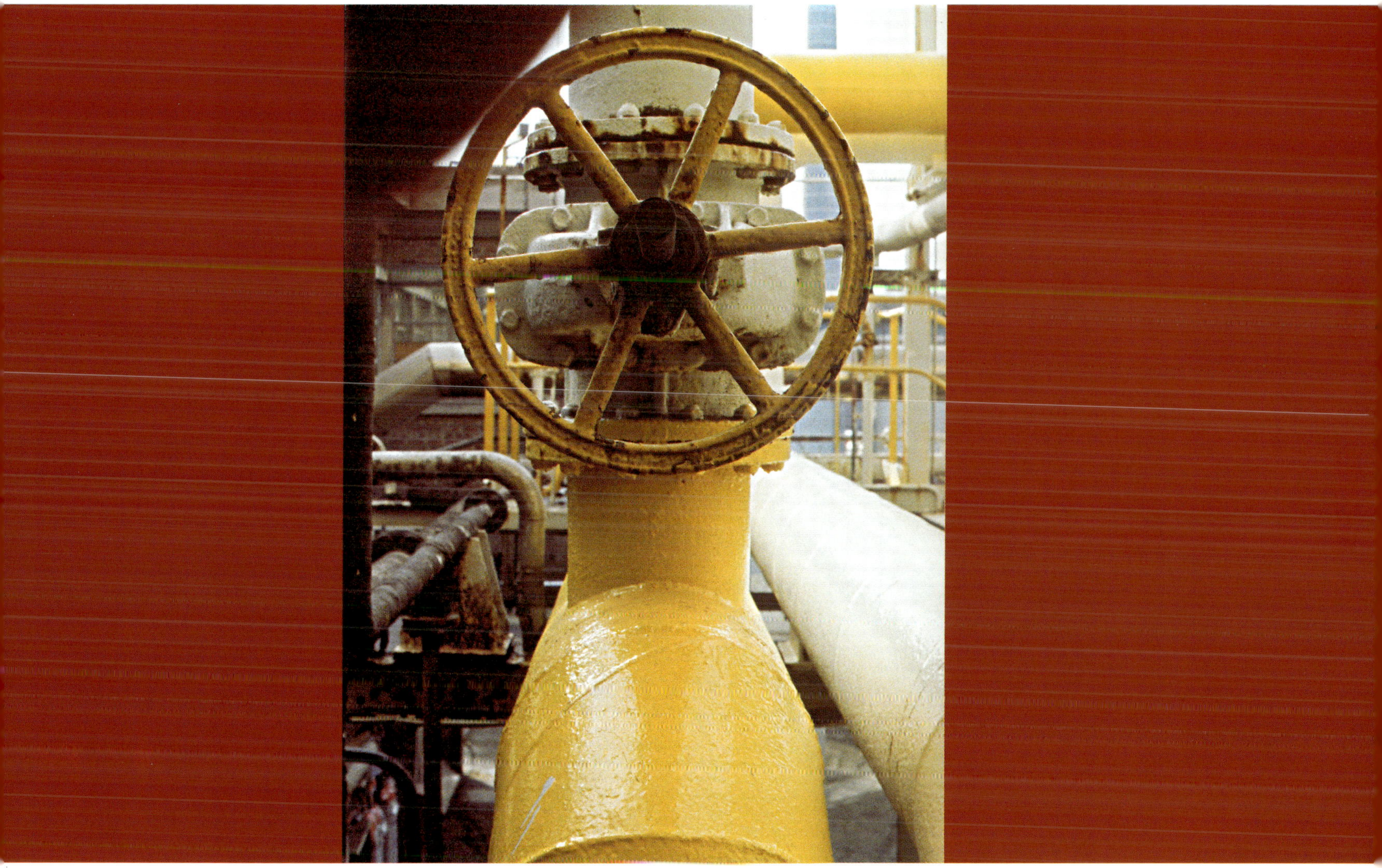

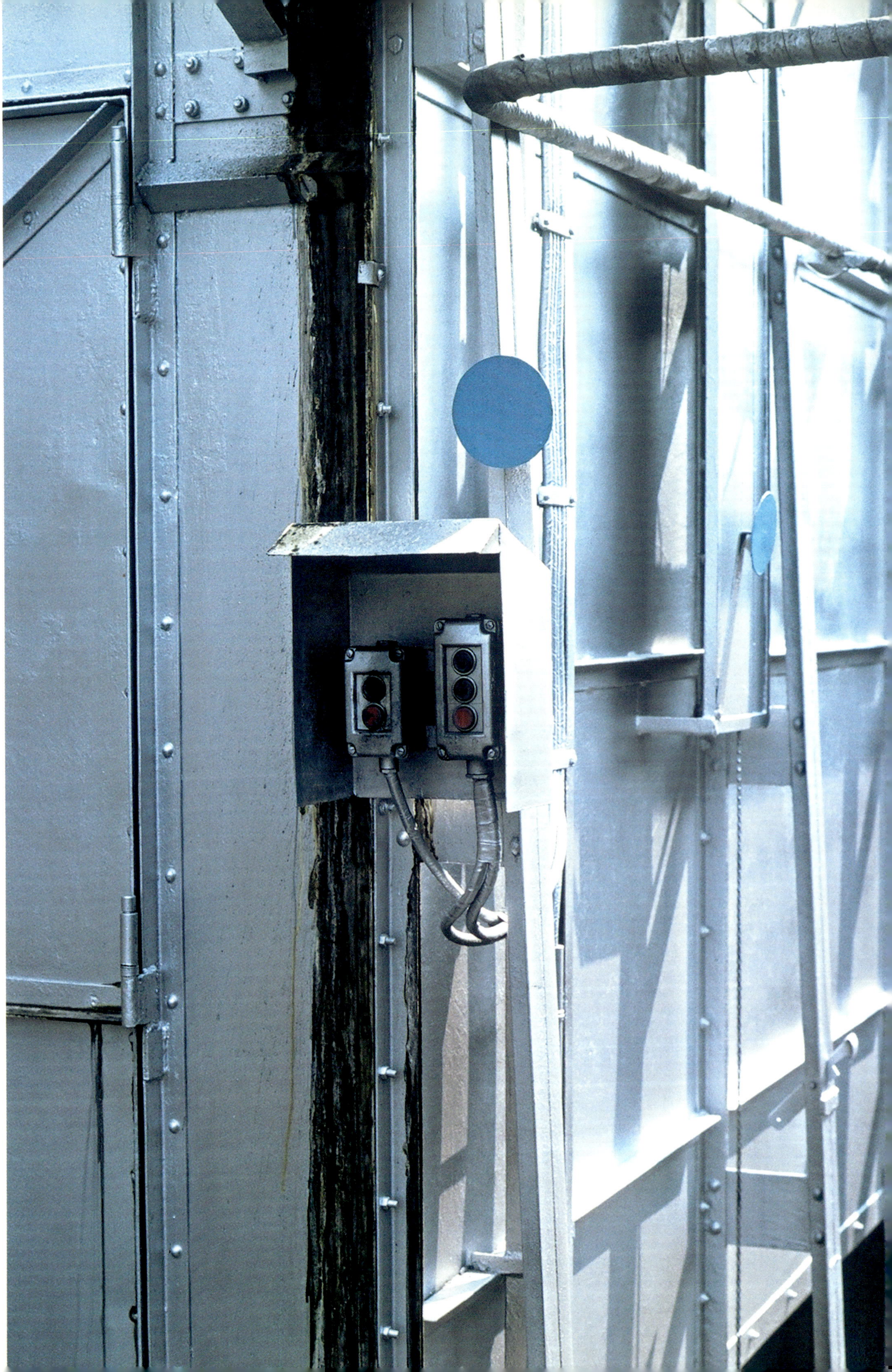

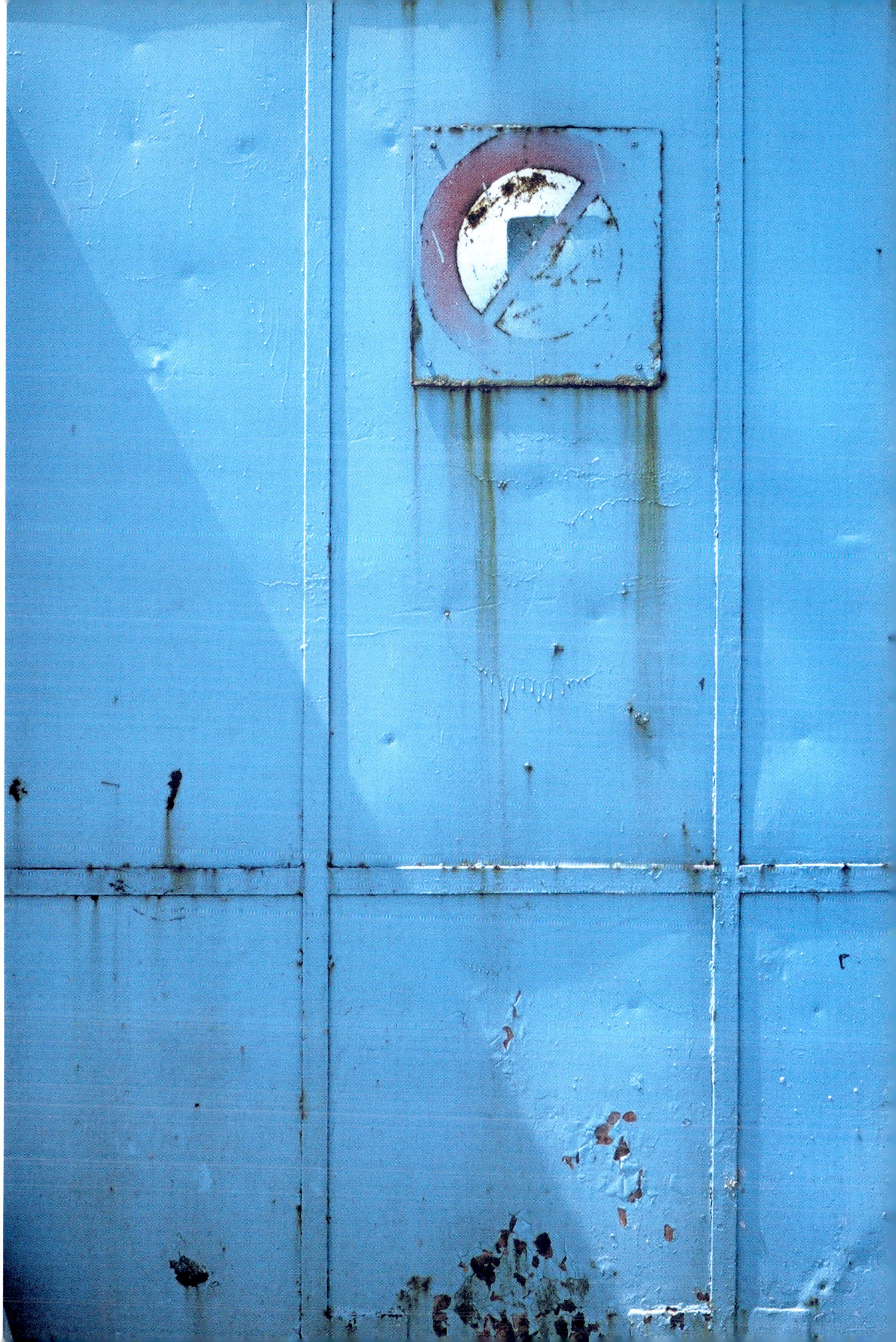

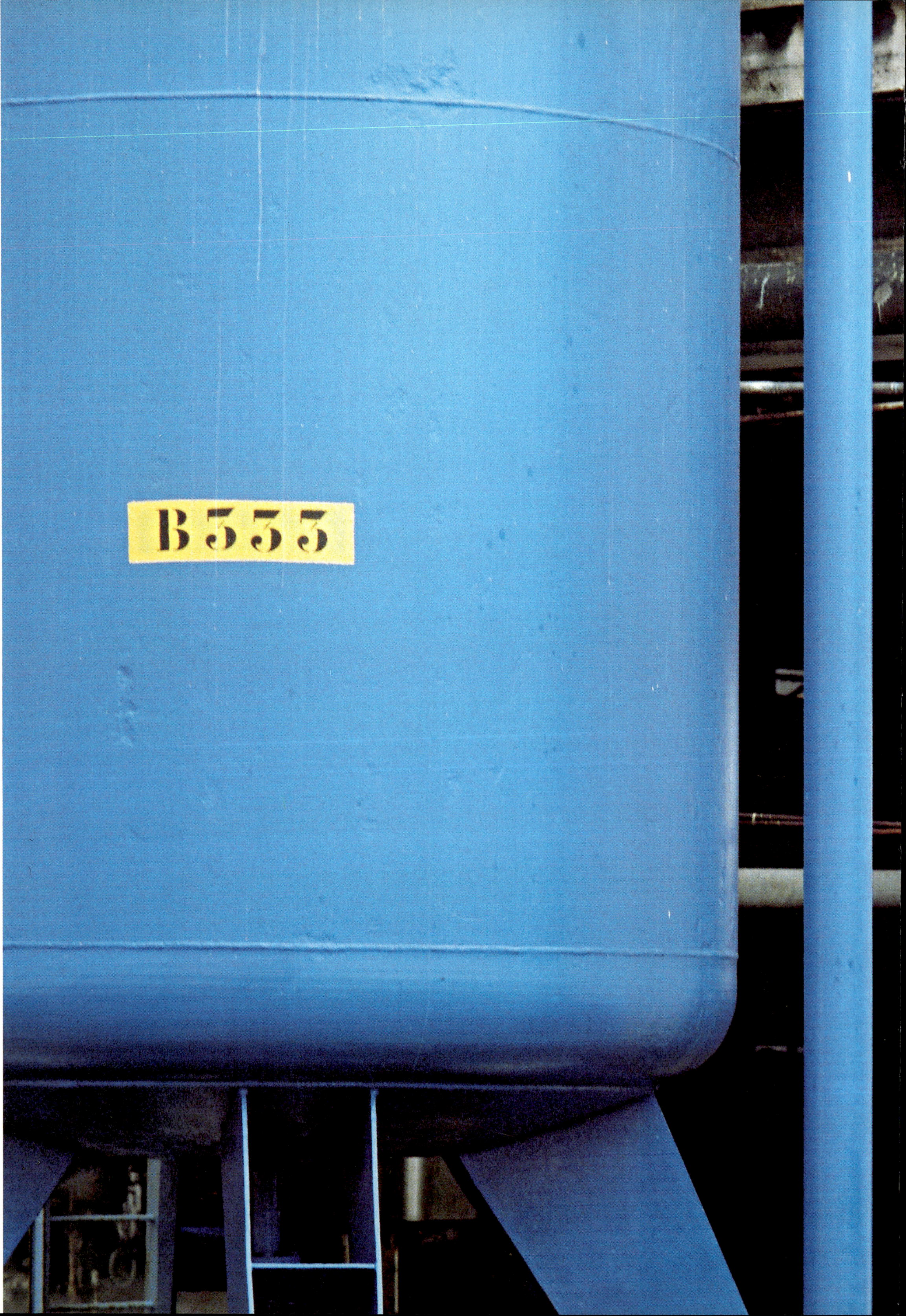
B333

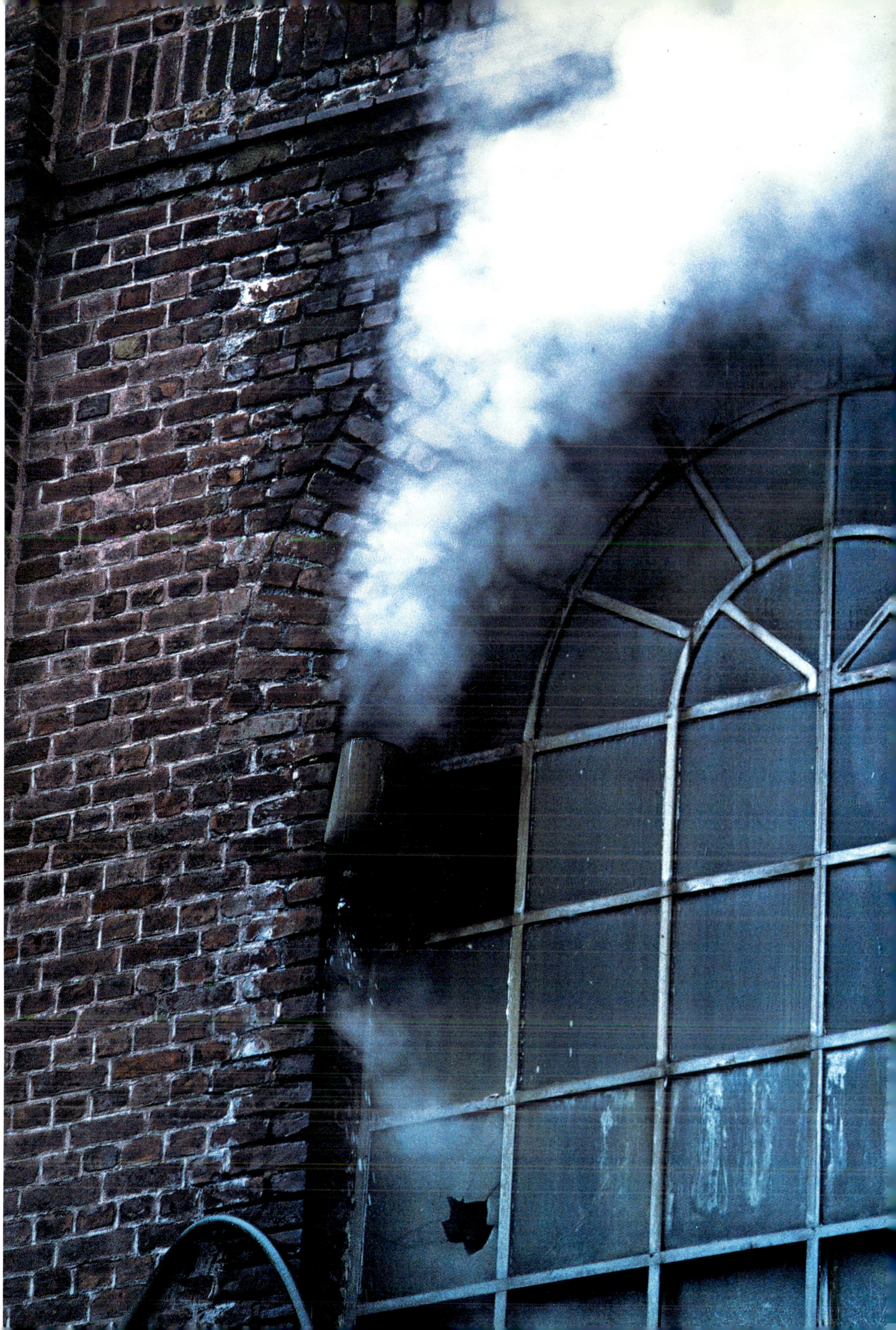

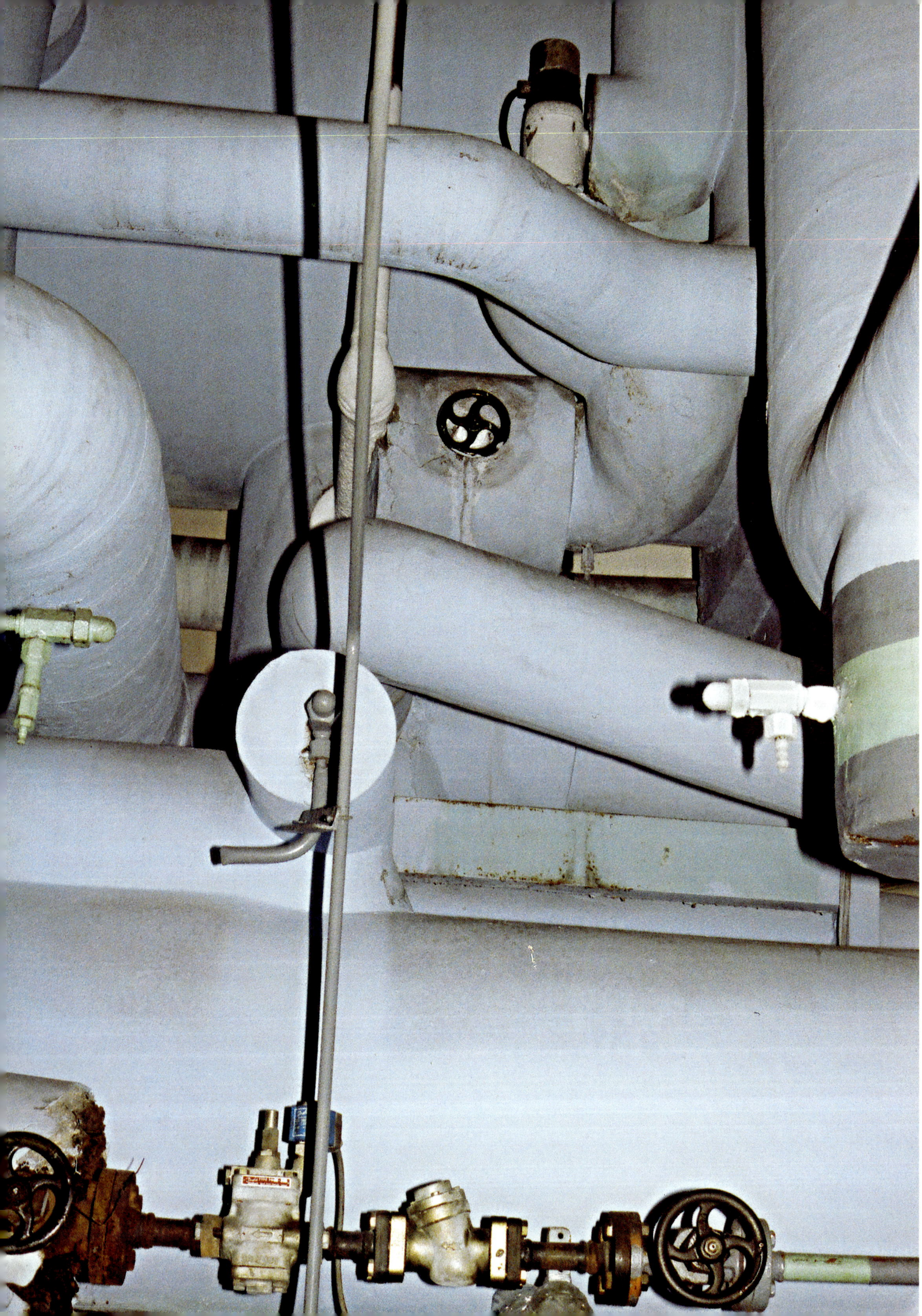

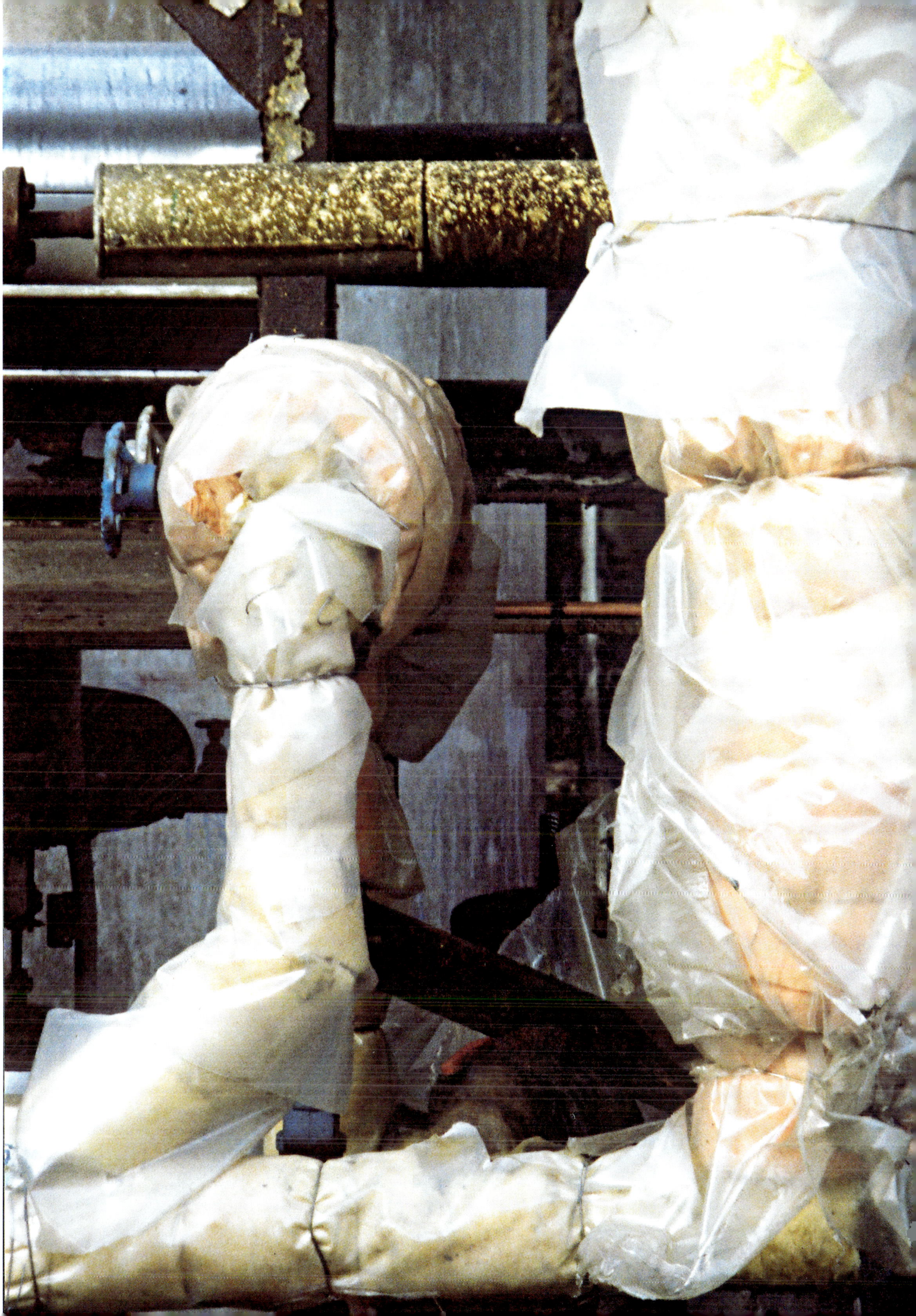

LOIRE
bar
LOIRE
SIKA
160
140
120
100
80
60
40
20
0
SIKA
160
140
120
100
80
60
40
20
0

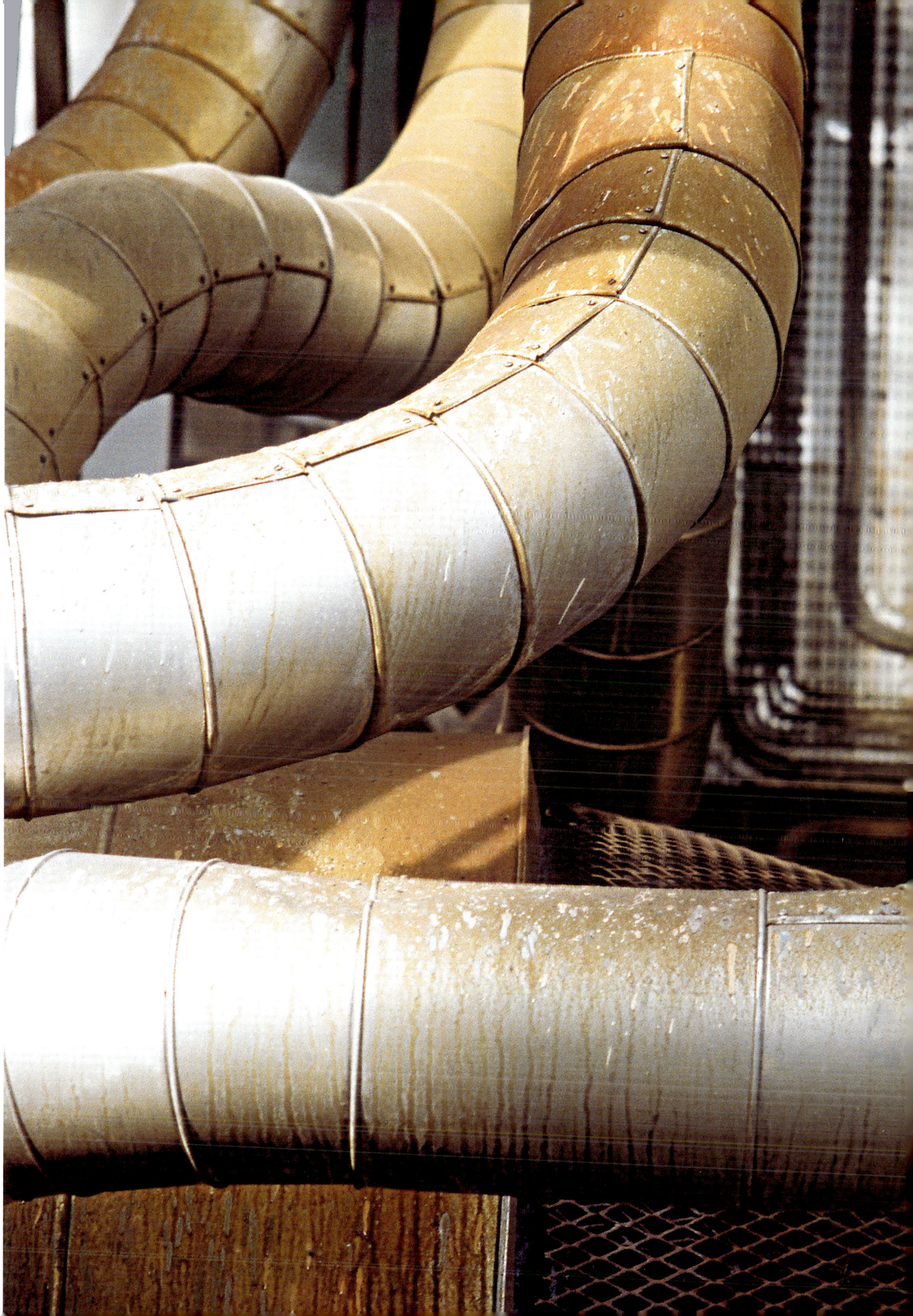

Electric Bodies

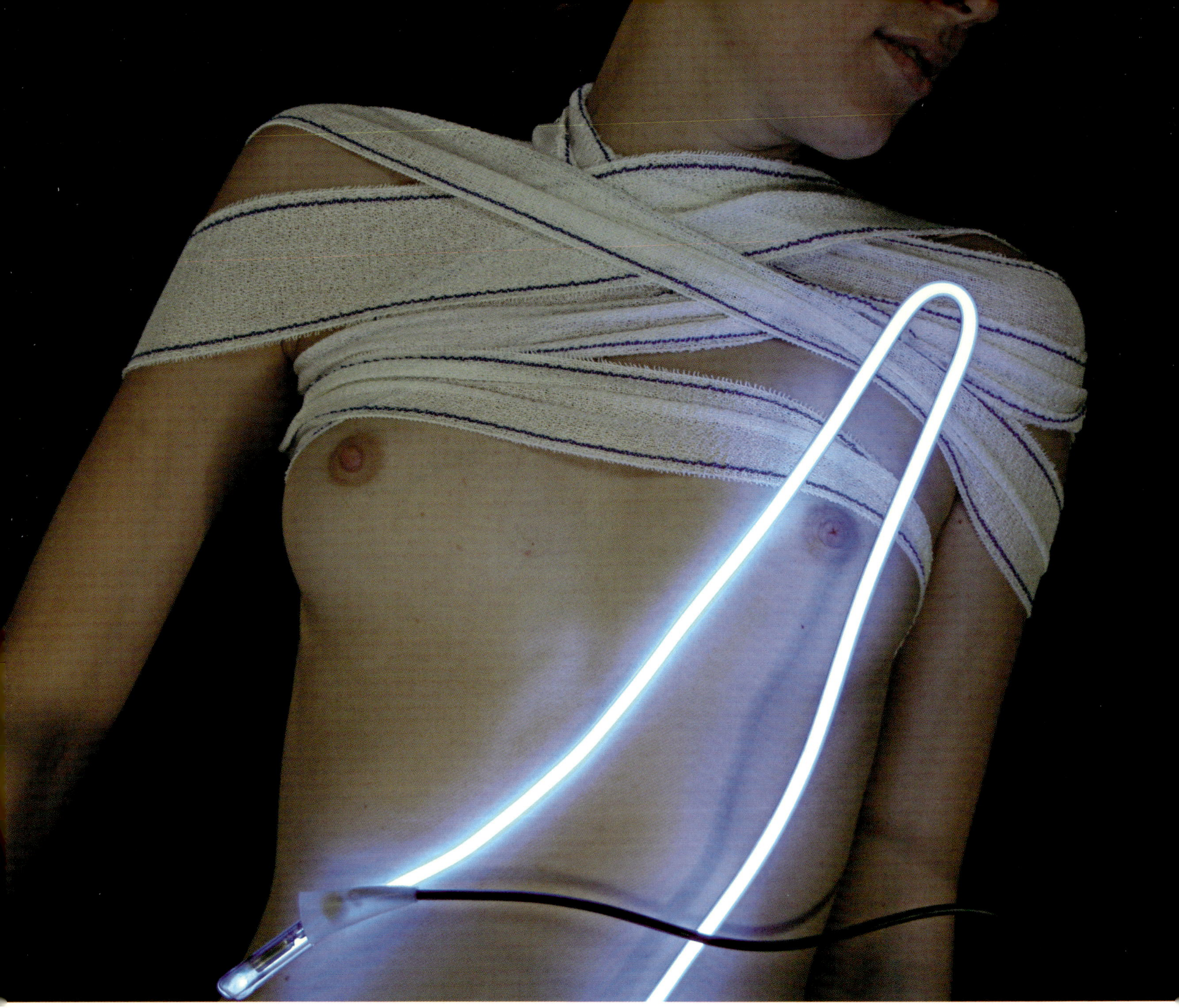

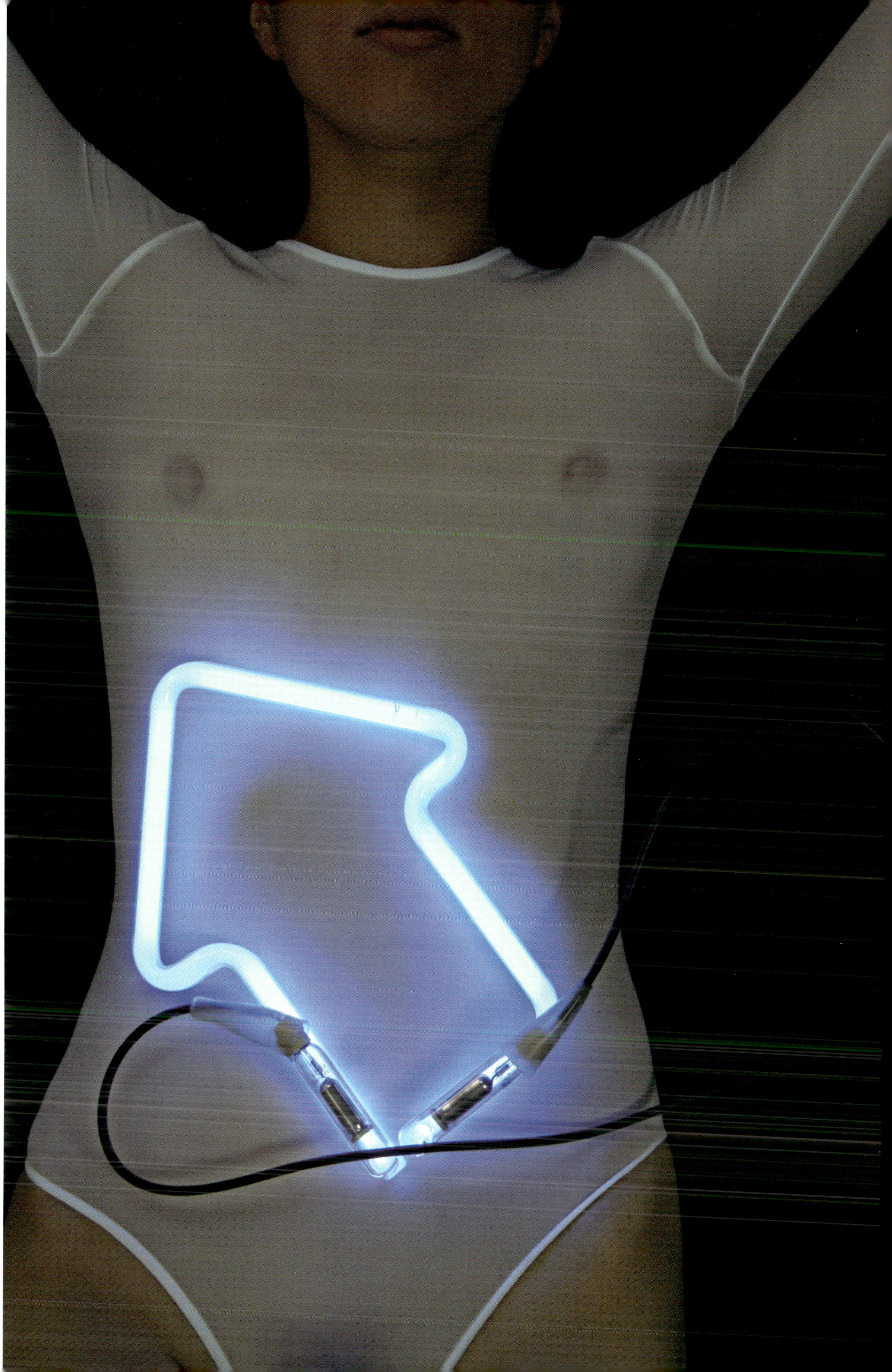

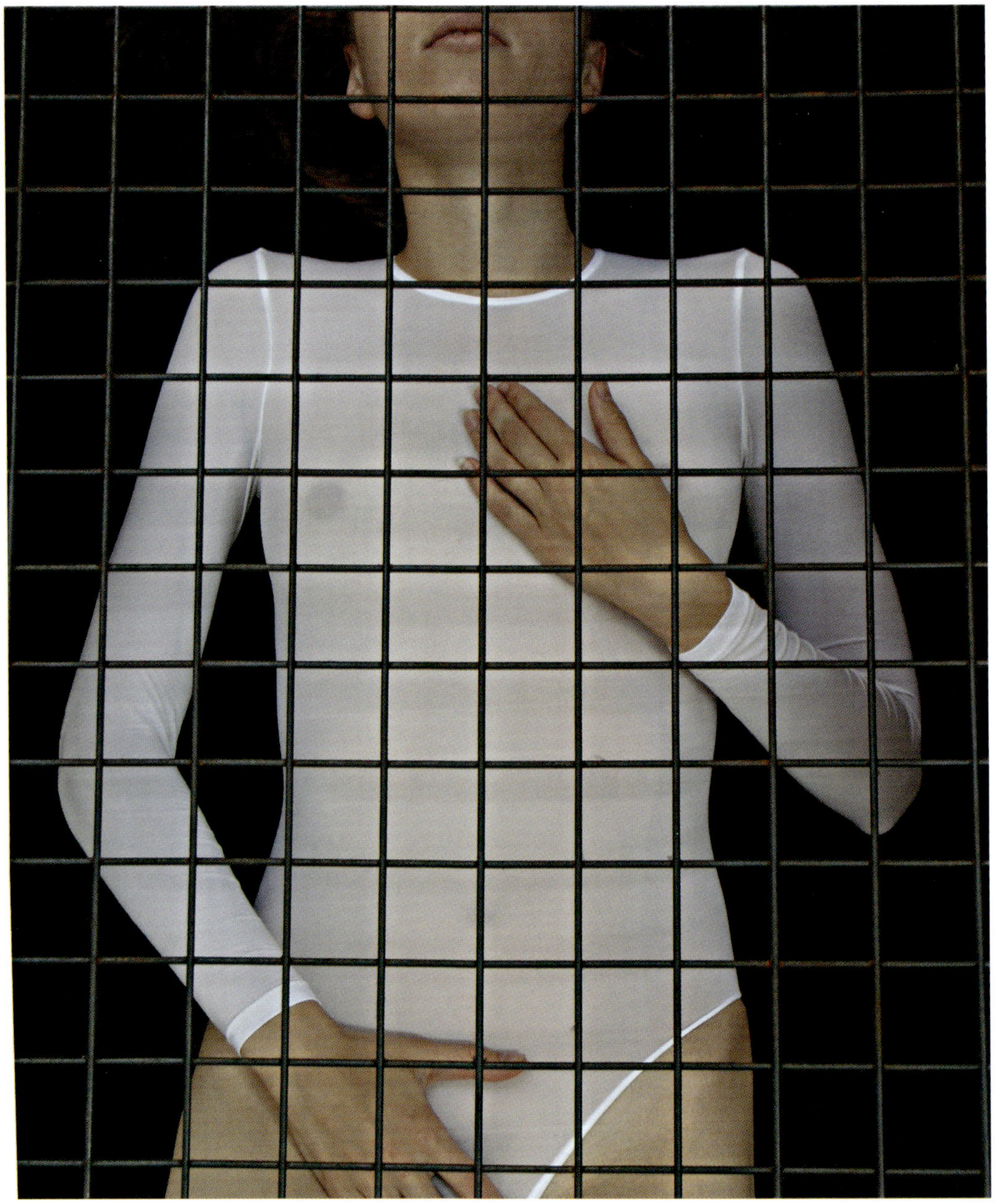

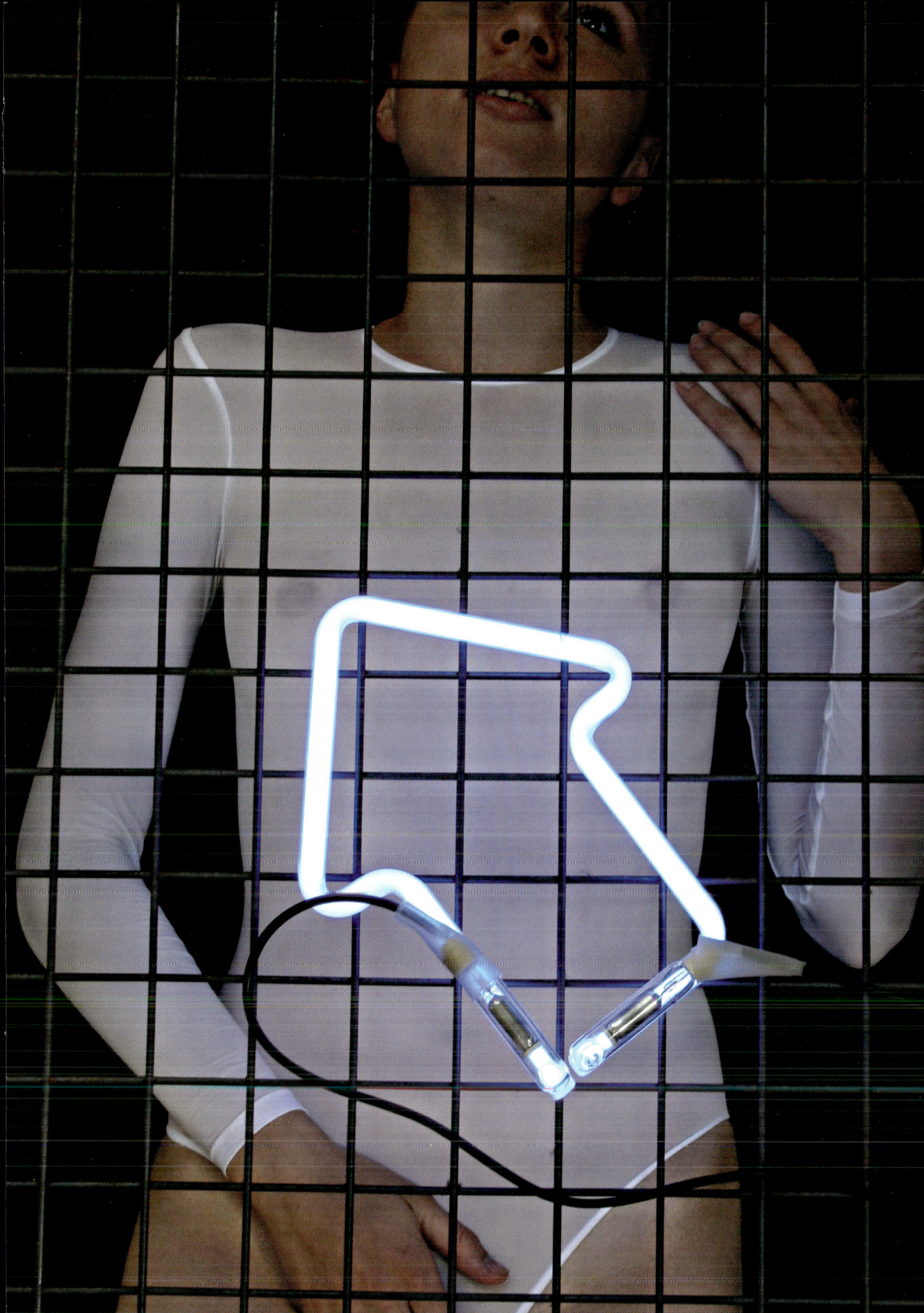

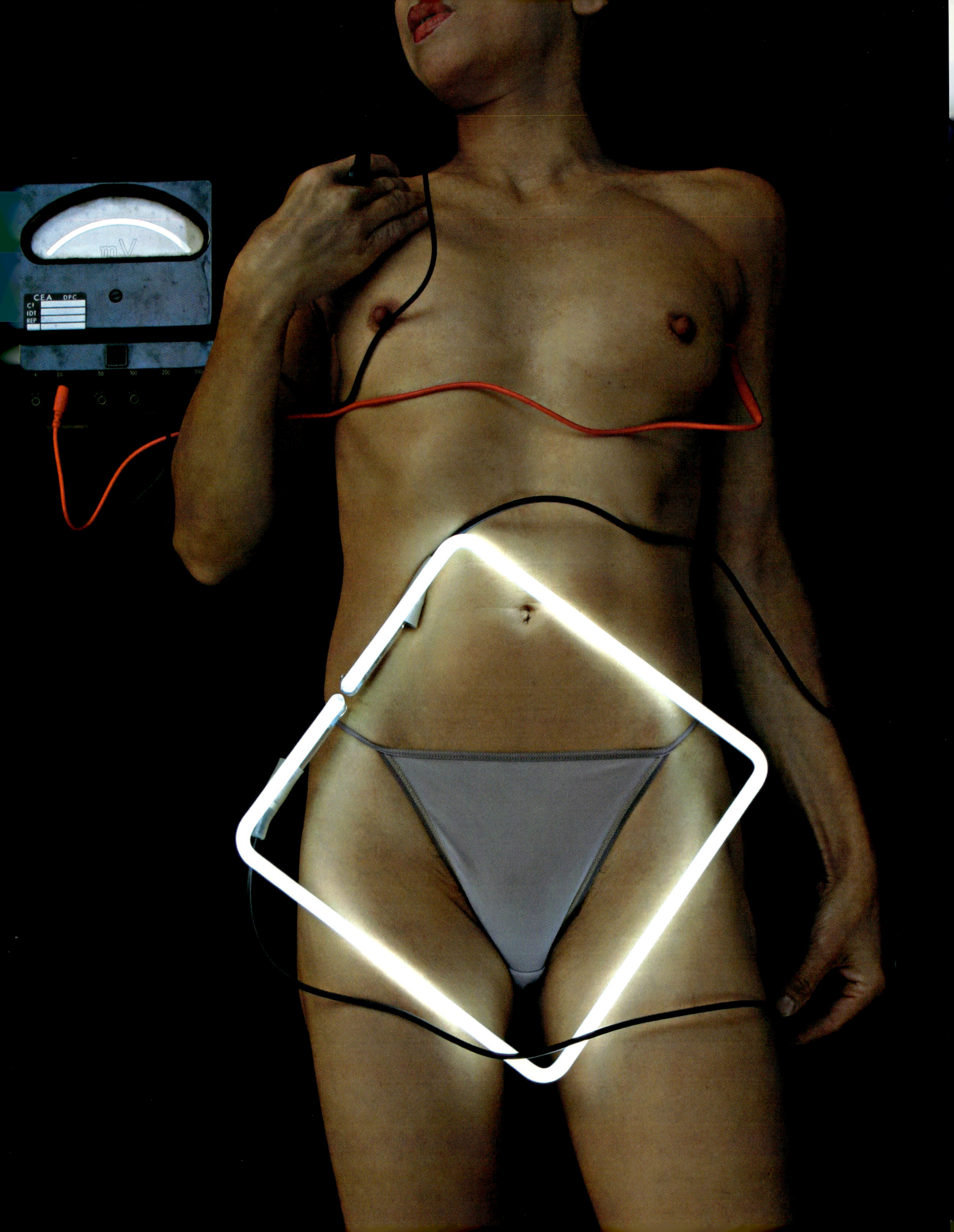
mV
CEA DPC
C1
IDT
REP

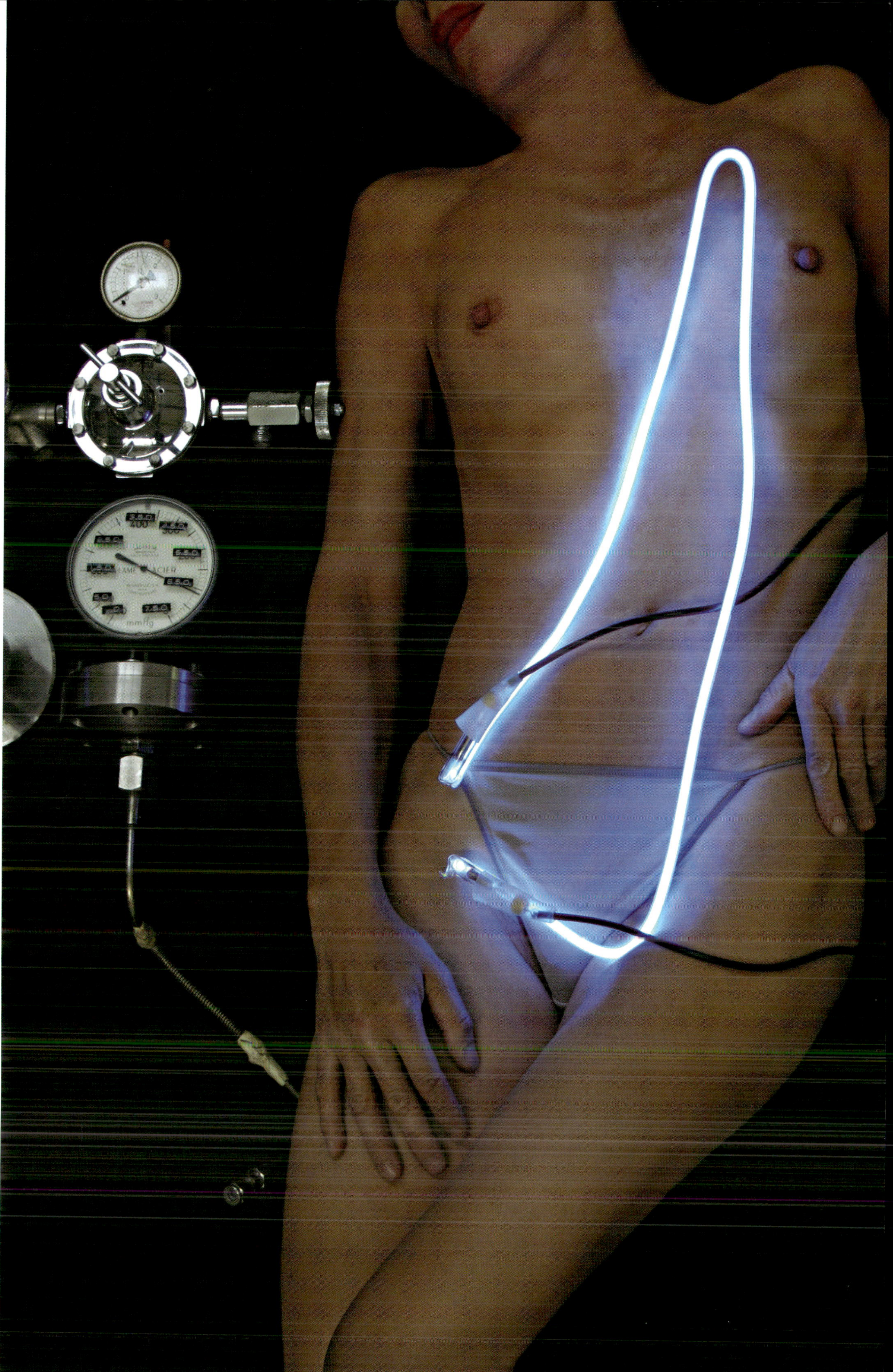
400
mmHg

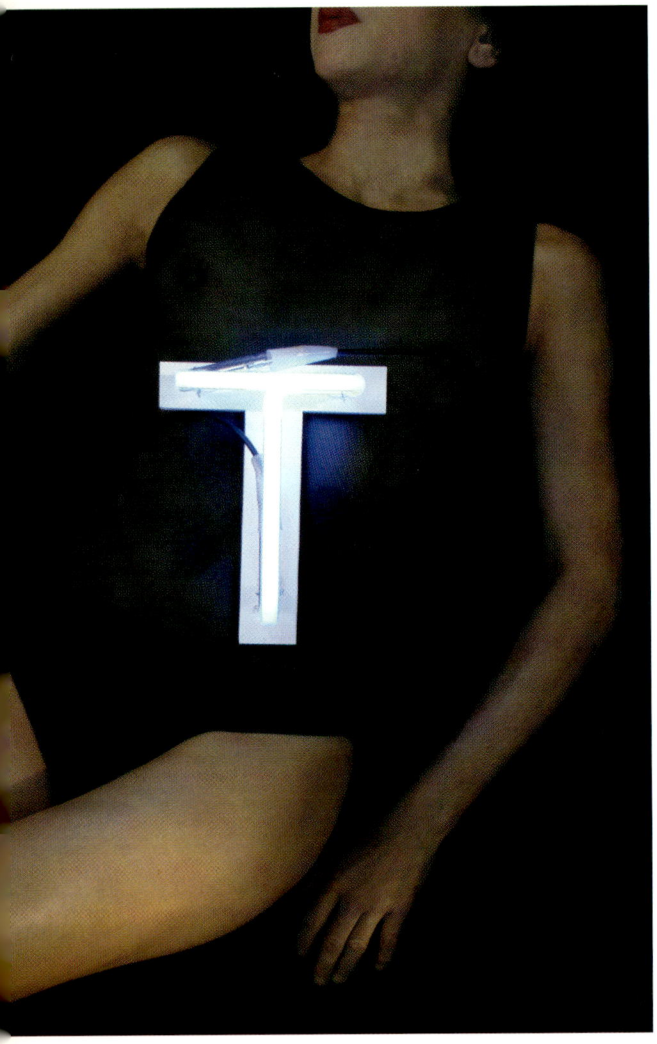
T
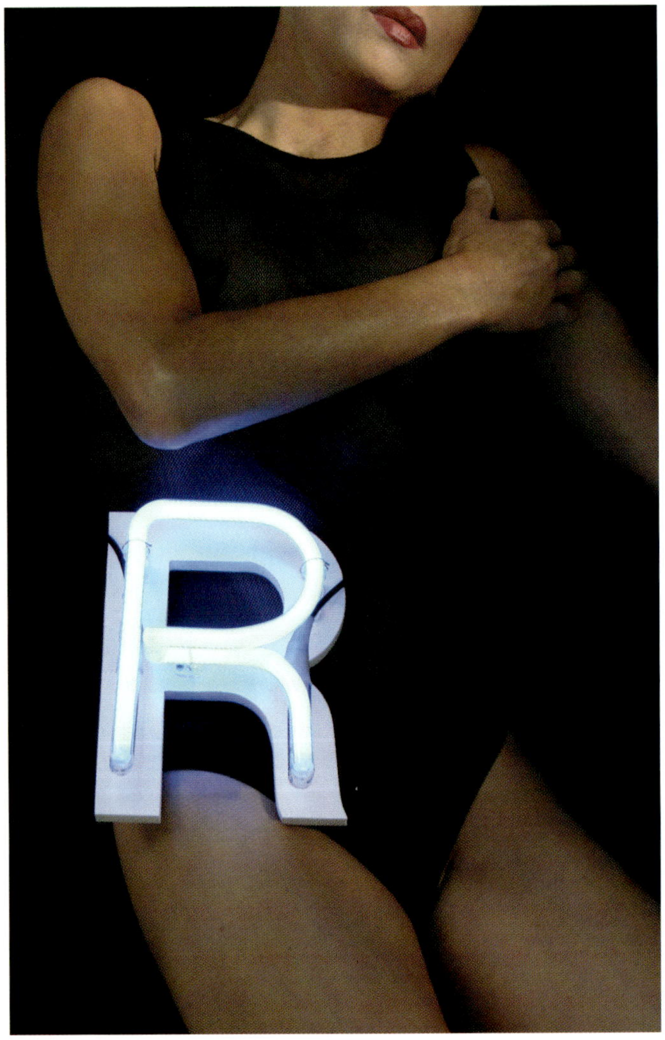
R
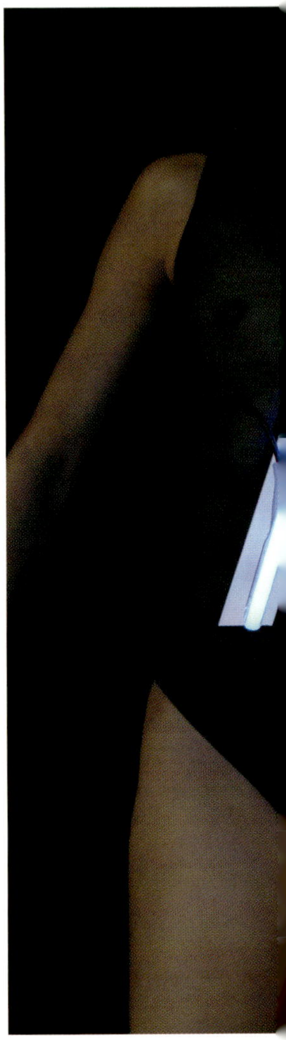

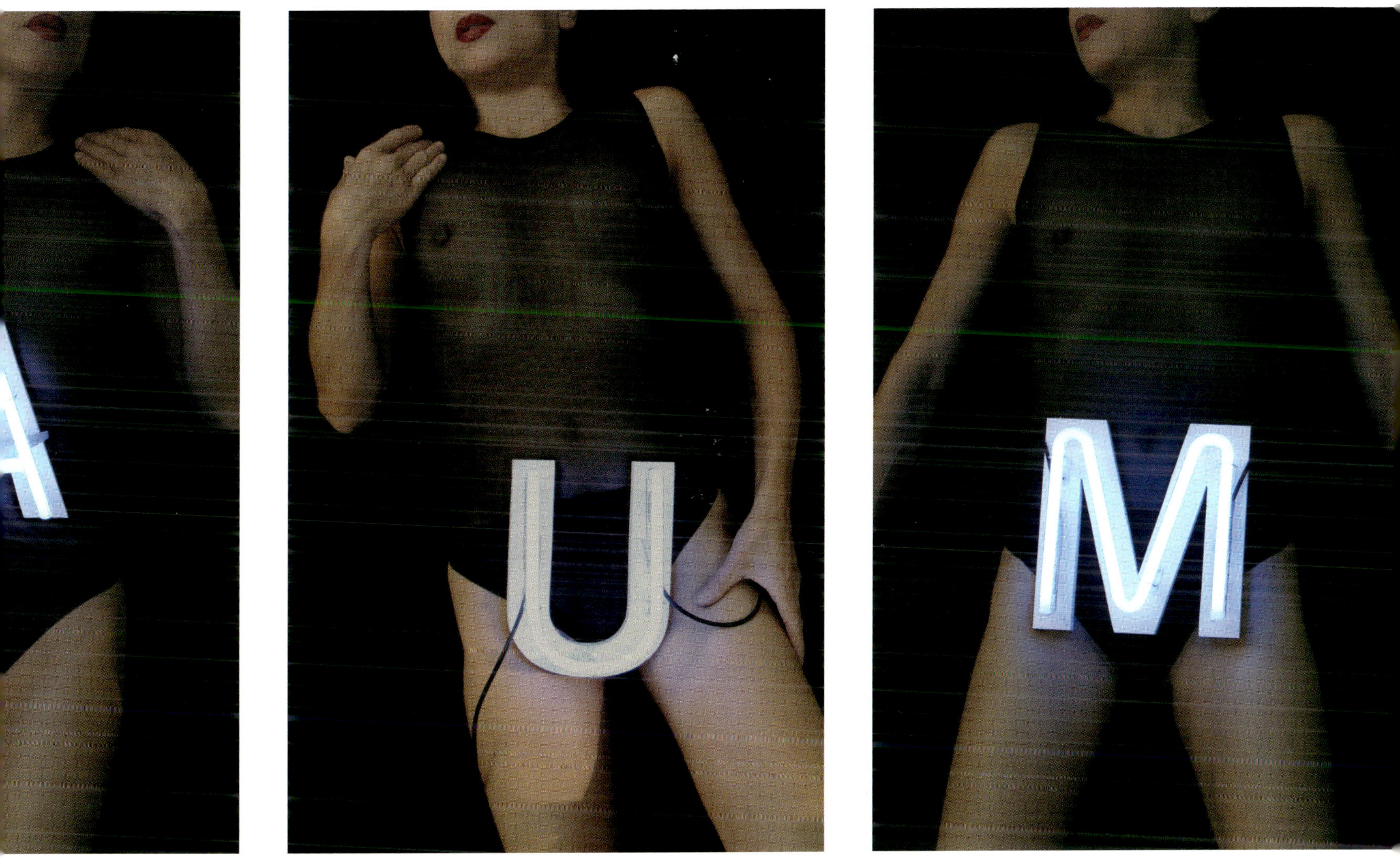
U
M

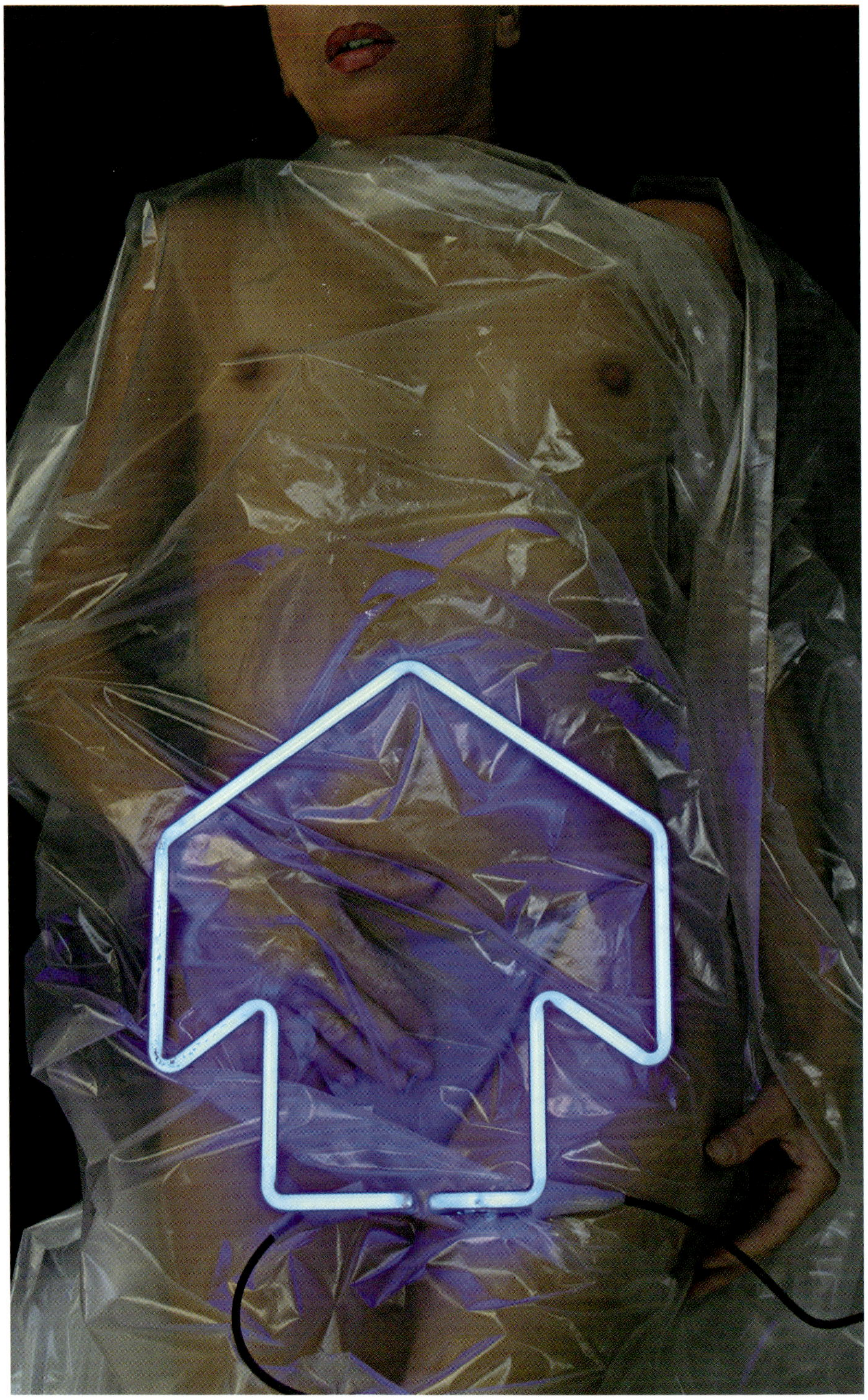

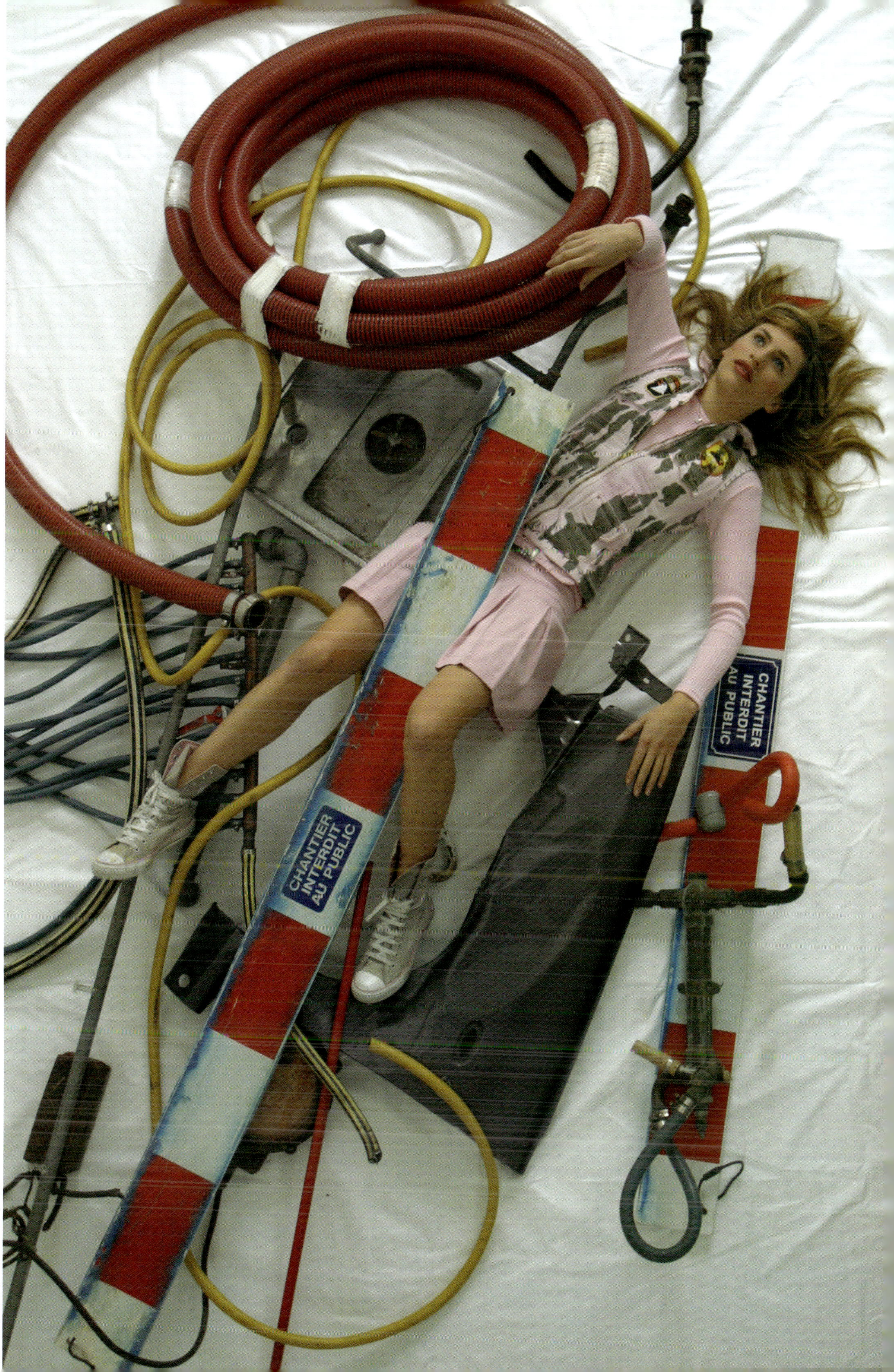
CHANTIER INTERDIT AU PUBLIC
CHANTIER INTERDIT AU PUBLIC

Musées et collections publiques

- Behnhaus Museum, Lübeck.
- Berardo Collection of Contemporary Art. Museo Arte Moderne. Sintra. Portugal.
- Bibliothèque Nationale, Paris.
- Caisse des Dépôts et Consignations, Paris.
- Deutsche Bundessammlung, Bonn.
- Donation Lintas, Nîmes.
- FDAC, Val-de-Marne, Créteil.
- Fondation Arc-en-Ciel, Tokyo.
- Fondation de la Croix-Rouge Monégasque, Monaco.
- Fondation Itoham, Tokyo.
- Fondation Maeght, Saint-Paul-de-Vence.
- Fondation Paribas, Paris.
- Fondation Van Gogh, Paris.
- Fonds National d'Art Contemporain, Paris.
- FRAC Alsace, Sélestat.
- FRAC Auvergne, Chamalières.
- FRAC Champagne-Ardennes, Reims.
- FRAC Lorraine, Metz.
- FRAC Poitou-Charentes, Angoulême.
- FRAC Provence-Côte d'Azur, Marseille.
- FRAC Rhône-Alpes, Lyon.
- Hara Museum of Contemporary Art, Tokyo.
- Kunsthalle, Kiel.
- Kunsthalle, Nuremberg.
- Kunsthalle, Recklighausen.
- Kupferstichkabinett, Berlin.
- Musée des Arts, Cholet.
- Musée d'Art et d'Histoire, Luxembourg.
- Musée d'Art contemporain, Dunkerque.
- Musée d'Art contemporain, Séoul.
- Musée d'Art moderne, Strasbourg.
- Musée d'Art moderne de la Ville de Paris, Paris.
- Musée d'Art moderne du Nord, Villeneuve d'Ascq.
- Musée des beaux-arts, Carcassonne.
- Musée des beaux-arts, Liège.
- Musée des beaux-arts, Nantes.
- Musée des beaux-arts, Tourcoing.
- Musée des transpors urbains, AMTUIR.
- Musée de la Croix-Rouge, Genève.
- Musée Bertrand, Châteauroux.
- Musée Cantini, Marseille.
- Musée CCC, Cuanthenoc, Mexico.
- Musée de Lodz, Pologne.
- Musée de Grenoble.
- Musée Rimbaud. Charleville-Mézières.
- Musée de Toulon.
- Musée du Comité Olympique International, Lausanne.
- Musée national d'Art moderne, Centre Georges Pompidou, Paris.
- Musée municipal, Lissone, Italie.
- Museum moderner kunst, Vienne, Autriche.
- Museum Boymans van Beuningen. Rotterdam.
- Museum of Modern Art, New York.
- Museum van Hedendaadse Kunst, Utrecht.
- Sammlung Ludwig, Aix-la-Chapelle.
- Palais des Beaux-Arts, Bruxelles.
- Provincial Museum voor Moderne Kunst, Ostende.
- Sammlung Ströher, Darmstadt.
- Schleswig-Holsteinisches Landesmuseum, Schleswig.
- Schlumberger Research Center, Ridgefield, Connecticut.
- Städtisches Galerie, Schloss Oberhausen.
- Städtisches Museum, Schloss Morsbroich, Leverkusen.
- Ville de Saint-Priest.
- Victoria and Albert Museum, Londres.
- Wilhelm Lehmbruck Museum, Duisburg.

Filmographie

1964 *Pop Art*
Film de Jean Antoine.
Production et diffusion RTB.
16 mm, sonore, couleur. 10 mn.

1967 *Prinzip Collage*
Film de Dietrich Mahlow.
Production et diffusion TV allemande.
16 mm, sonore, couleur. 10 mn.

1978 *Peintre de notre temps. Peter Klasen.*
Film de Michel Lancelot.
Réalisation de Georges Paumier.
Production Antenne 2.
16 mm, sonore, couleur. 25 mn.

1983 *I was here, definitely*
avec Peter Klasen et Olivier Kaeppelin.
Réalisation de Thibault Camdessus.
Assistant réalisateur, Thierry Acket.
Directeur de la photographie, Olivier Quemener. Vidéo, couleur. 13 mn.

1988 *Le Mur de Berlin*
Film de Claudine d'Hellemmes.
Performance sur la scène du Nouveau Théâtre d'Angers, (dernière toile du cycle du Mur de Berlin *Tagesbuch eines Zeitgenossen*, 300 X 600 cm), avec le trio de jazz Joachim Kühn, Daniel Humair, Jean-François Jenny-Clark ;
VHS, sonore, couleur. 40 mn.

1993 *Klasen/Urban codes*
réalisé par César Sunfeld.
Images, Bernard Déchet.
Production, Objectif Lune.
Avec la participation de Peter Klasen.
Vidéo, sonore, couleur 11mn.

2005 *MEP underground, Voyage en sous-sol*
Réalisation : Peter Klasen
Assistante : Claudine d'Hellemmes.
Production : Niels-Arne Hildt
Camera : Jürgen Presnück
Son - Lumière : Mike Gillig
Montage - effets spéciaux : Jörg Schömmel
Vidéo, 8 mn

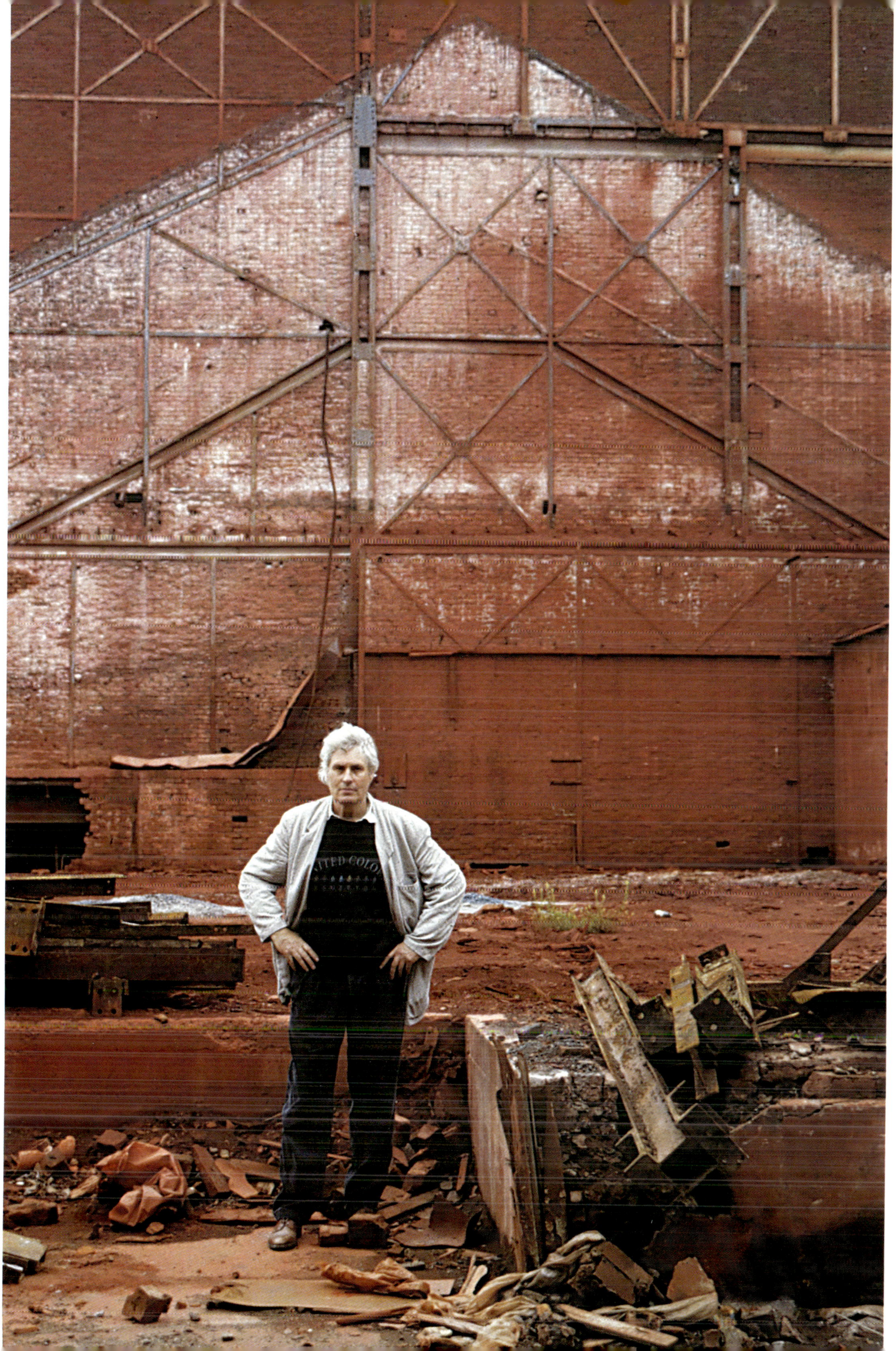

Biographie

1935 Le 18 août, naissance de Peter Klasen à Lübeck. Il grandit dans une famille sensible aux arts : son oncle, élève d'Otto Dix, est un peintre expressionniste de paysages et de portraits, son grand-père, mécène et collectionneur, l'introduit dans le monde des peintres amis de la famille.

1942 Le jeune Klasen assiste, le jour des Rameaux, au bombardement et à la destruction de sa ville natale. Son père, mobilisé en 1943, sera porté disparu et Peter, sans jamais connaître les circonstances de sa mort, ne le reverra plus.

1945-1955 Fréquente le lycée Katharineum. Lors de longues promenades solitaires, il dessine et peint les paysages de la campagne environnante et des bords de la mer Baltique, influence initiale de son oncle Karl Christian Klasen. Il est profondément marqué par la lecture de Dostoïevski, Kafka et Thomas Mann.

1955 Il est admis à l'école des Beaux-Arts de Berlin, qui est alors en Allemagne, l'école d'avant-garde. "Il n'a jamais été question, pour moi, de faire autre chose que de la peinture". Baselitz est son co-disciple dans l'atelier de Hann Trier.

1959 Année cruciale dans le cheminement de Klasen. Il assiste au vernissage de la deuxième Documenta de Kassel qui consacre l'abstraction : "Partout dans le monde se pratiquait l'art informel, il m'apparaissait que tout avait été dit, et très bien dit". Lauréat du prix du Mécénat de l'industrie allemande, il reçoit une bourse d'étude et choisit de partir pour Paris : "J'avais envie de tenter une autre aventure. Je voulais vivre en France dans ce pays que mon père qui en parlait la langue, m'avait appris à aimer". Il se laisse griser par la ville et son déluge d'images. Il fréquente assidûment la cinémathèque de la rue d'Ulm, voit les films américains, les films allemands censurés sous Hitler (Fritz Lang, Murnau…) et ceux de la Nouvelle Vague (Godard, Truffaut, Chabrol…). Il fait la relecture des écrits théoriques de Dada et du Bauhaus, et développe le concept de l'intégration de la photographie dans son travail pictural. Première exposition, en Allemagne dans le cadre d'*Ars viva*.

1960 Premiers "tableaux-rencontres" : Klasen oppose sur le même tableau des images découpées et leur représentation peinte à l'aérographe.

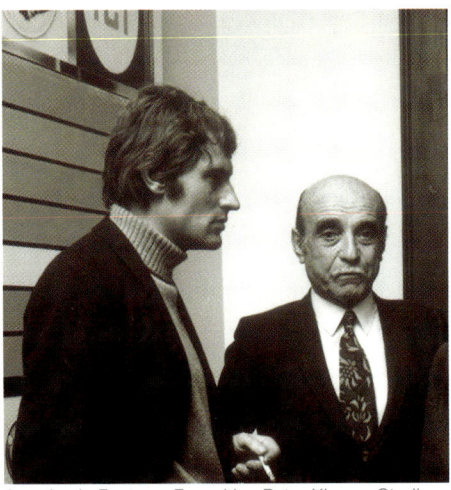

Avec Lucio Fontana. Exposition Peter Klasen, Studio Bellini, Milan 1967.

1961-1966 Apparition sur ses toiles de l'image morcelée du corps feminin, tirée d'affiches publicitaires, de cinéma et de magazines. Ce sera une constante dans son oeuvre jusqu'en 1973.

Apparition d'une réalité déchirée : objets de consommation courante (téléphone, disque, appareils sanitaires, appareillages électriques…), de séduction (rouge à lèvres), objets liés au corps et à la maladie (thermomètre, stéthoscope, seringue, pilule, lame de rasoir,…). En 1962, Klasen expose pour la première fois en France. Rencontre Mathias Fels et Madame Rosa Faure. Il est le pionnier de la "Figuration narrative", d'un renouveau de l'image dans la peinture. *Nausée* 1961, *Fast serve* 1963, *La conscience du corps* 1964, *Stripteaseuse* 1965, *Zone interdite* 1965, *Ce que femme veut* 1966. En 1964, exposition Peter Klasen/Gerhard Richter à Munich, Galerie Friedrich, participe à *Mythologies Quotidiennes* au Musée d'Art moderne de la ville de Paris. Les expositions se multiplient. Il s'explique sur son travail dans un texte : *Mon vocabulaire*.

1967-1970 Klasen peint ses "tableaux binaires", fondés sur la représentation opposée d'un fragment du corps humain et d'un objet, peint ou intégré, révélant son angoisse devant la scission de "l'être" et du monde de "l'avoir". *Ampoule 100 Watt*, 1968. *Torse + ampoules + 10 seringues*, 1969. Est invité à l'exposition de la Fondation Maeght *L'art vivant 1965-68*. Exposition à Paris, Milan, Bruxelles, Cologne.

1971 Rétrospective à l'ARC Musée d'Art moderne de la ville de Paris, sous la responsabilité de Suzanne Pagé et Pierre Gaudibert : *Ensembles et Accessoires*. Cette première exposition personnelle dans un musée développe une vaste installation tridimensionnelle sur le thème du corps et du sanitaire, avec des ustensiles chirurgicaux, cuves, bidets, tuyaux de descente, certains objets rehaussés de néon, et une série de tableaux (baignoire, W.C. etc, représentés grandeur nature). Publication dans des ouvrages de synthèse sur l'art, *Pop Art & Cie* de François Pluchart, *L'art depuis 1945* de G.Gassiot-Talabot, *L'Art en France* de Jean Clair.

1973 – 1980 Après la représentation de l'objet isolé qui occupe sur fond neutre toute la toile (*Fauteuil dentaire A*, 1972), apparition du thème de "l'enfermement" : Klasen peint en gros plan, frontalement, sans arrière fond, grilles, barrières, portes cadenassées (*Rideau de fer/fond noir* 1974, *ETR* 1974, *No admittance* 1978), wagons, bâches de camions (*Camion* 1972, *Wagon réfrigérant* 1977). "Visionneur de la maladie urbaine" (Alain Jouffroy), Klasen dénonce les ambiguïtés du progrès et de la technologie.

"Mon rapport à la ville est conflictuel, donc productif : il débouche sur des réponses créatrices. En repérant les objets de notre environnement, en les arrachant à leur utilité fonctionnelle et en les traduisant avec les moyens spécifiques à la peinture, j'ai développé un langage anti-corps qui résiste à l'agression permanent qu'exerce sur moi le monde extérieur". Expositions à travers le monde, articles et livres consacrés à son œuvre se multiplient : Franck Venaille, Gérald Gassiot-Talabot, Bernard Noël, Pierre Tilman, Anne Tronche. A propos de ses toiles, Henri Michaux parle d'une "étonnante dématérialisation des objets". En 1977, rencontre Claudine d'Hellemmes, sa future épouse, à Lille.

1981 Séjour à New York. "Ce voyage a été pour moi la découverte d'un lieu mythique et en même temps une redécouverte d'une ville que le cinéma m'avait déjà parfaitement connaître". Les photos prises à New York (notamment de graffitis) débouchent sur *Traces*, exposition chez Adrien Maeght en 1982, où, à travers les coulures, les salissures, les graffitis, la rouille…, la présence du temps, de l'usure, de la dégradation, de

l'éphémère, fait apparition dans l'œuvre de Klasen qui était jusqu'alors marquée par la présence de l'objet d'une propreté clinique. "Il est l'historien des murs, l'archiviste des inscriptions et des taches" écrit Gilbert Lascault. *I was here definitely*, 1982. *Porte blindée*, 1981-82, tableau sur lequel interviennent 30 amis artistes, écrivains, collectionneurs.

1983 – 1985 Dans le grand triptyque *Porte d'Aubervilliers*, 300 x 560 cm, Klasen utilise à nouveau le néon, qui jalonnera son œuvre d'une façon récurrente. Transformation à Vincennes d'une vaste usine à ossature métallique, en habitation-atelier. "Cette architecture renvoie à des éléments que j'utilise dans mon œuvre : dépouillement, clarté, équilibre. En même temps, je me trouve dans une phase de libération du geste et de la couleur".

Olivier Kaeppelin et Peter Klasen. Tournage *I was here definitely*, Normandie 1983. © *Claudine d'Hellemmes*

1986 – 1990 Exposition rétrospective au Kunstamt Wedding de Berlin. Commence le cycle du "Mur de Berlin", série de 100 tableaux qui s'achèvera avant la chute du mur en 1989 : La rétrospective *L'œuvre peint de 1960 à 1987* à Aix-en-Provence, en présentera les toiles de grande dimension (3 x 6 m) telles que *Macht* 1987. En 1988, Klasen exécute devant le public, accompagné du trio de jazz Humair, Jenny-Clark et Kühn, la dernière toile de ce cycle. Poursuit le repérage de l'iconographie urbaine, cherche à en dévoiler la face cachée : parkings, entresols, objets abandonnés, déchets. *Sortie Parking* 1989. L'exposition chez Louis Carré & Cie s'intitule *Histoire de Lieux ordinaires*. Réalise une série de sculptures en bronze, peint une Porsche 962C pour les 24 heures du Mans, expose à Los Angeles.

Naissance de sa fille Sydney en 1988. Construction de la maison et de l'atelier du Sud de la France.

1991 – 1997 Première exposition personnelle à Tokyo. Rencontre le cinéaste américain Samuel Fuller, et inspiré par son film *Shock Corridor*, réalise l'installation-environnement de 100 m² *Shock Corridor/dead end* montré à la Fiac 1991.

Naissance de sa fille Joy en 1992. Parution aux Editions de la Différence, d'une importante monographie, texte d'Alain Jouffroy. Création d'un environnement pictural de 35 000 m² pour la rénovation du Parc Centre n°4 de la Défense. Avec Hans Spinner, à Opio, réalise une série de sculptures (terre chamottée et objets), *Une journée radieuse* 1997. Vaste installation au Cargo (Marseille) de *Travaux Publics* intégrant au sol, néons et objets de chantier (tuyaux, grillages, tourets), et une suite murale de portes de vestiaires.

1998 – 2000 Klasen renoue avec la présence de l'image du corps dans *Fragments*, série de toiles de grande dimension, et dans l'exposition *Femmes de Lettres/Iron Ladies*, se réfère au cinéma dans ses peintures-collages par le sujet et le titre et présente sous grillage et plaque de métal éclairée d'un tube de néon, une image focalisée du corps féminin. *Iron Lady I/L 17*, 1998. Peint la Porsche GT2 *Bâche-Klasen* qui gagnera le Championnat de France GT 1998. L'artiste introduit de nouvelles techniques dans son œuvre (pigment print).

L'exposition *Fragments of life* montre le début de la série des *Beauties*, image fragmentée du nu féminin rehaussée d'un néon. Paul Virilio écrit *Etudes d'impact* pour l'importante monographie *Klasen Virilio*, 1999.

2002 – 2003 Développe une réflexion sur la fragilité de l'existence humaine liée à la violence inhérente à notre société (attentats terroristes du 11 septembre sur New-York), qui sera exprimée dans les œuvres de *Life is beautiful !* et *Elements of disaster*. Participe à l'exposition Pop Art, centre Georges Pompidou.

2004 Renoue avec sa fascination pour le cinéma confrontée à son regard aigu sur le monde comme dans *Guilty* ou *Hantise*. "Hantise des passés qui ne passent pas", écrit Daniel Sibony.

2005 Installation d'*Intensiv-Station*. Présente pour la première fois ses photographies (1970-2005) utilisées comme base de son travail pictural, *Nowhere Anywhere* à la Maison Européenne de la Photographie sur l'initiative de Jean-Luc Monterosso, et à la Fine Art MB Gallery de Los Angeles.

Double autoportrait, Vincennes 1986.
© *Claudine d'Hellemmes*

Antoni Tapiès, Exposition Klasen, galerie Maeght Barcelone 1983. © *Claudine d'Hellemmes*

Peter Klasen et Michelangelo Pistoletto, Paris 2004 © *Yves Géant*

Peter Klasen et Jean-Luc Monterosso, Paris 2005
© *Claudine d'Hellemmes*

Biography

1935 Peter Klasen was born on August 18 in Lübeck, Germany, into a family with an old Hanseatic tradition that included several artists; in particular, his uncle, Karl Christian Klasen, an expressionist painter of landscapes and portraits, and his grandfather, an art dealer and collector, had a formative influence on him. Klasen was introduced to painting by artist friends of the family. He read Freud, Kafka, Thomas Mann and the great Russian authors.

1956 Entered the Fine Arts Academy in Berlin, the most prominent avant-garde school in post-war Germany. Met Georg Baselitz at the Academy, in Trier's studio.

1959/1960 After winning a competition, was awarded a scholarship from the German Industry Patronage find. His works shown for the first time (ars viva). Left Berlin definitively to settle in Paris. Fascinated by cinema, spent evenings at the Cinémathèque on the rue d'Ulm. Introduced figurative elements and identifiable objects into his paintings.

1961/1966 First collage-paintings with narrative connotations, integrating supermarket objects and images of women from popular magazines. Considered pioneer of Narrative Figuration (*la Figuration Narrative*), as a result of paintings such as *Nausée* (1961), *Fast Serve* (1963), *La conscience du corps* (1964).
Participated in "Mythologies quotidiennes," group exhibition at the Musée d'art moderne de la Ville de Paris (Museum of modern art of the city of Paris). Exhibited with Gerhard Richter at Friedrich Gallery, Munich. Exhibitions at Mathias Fels gallery, Paris, and in Antwerp, Belgium.

1967/1970 Awarded the Franz-Roh prize on the occasion of the "Collage 67" exhibition in Munich. Solo show at Mathias Fels gallery, Paris. Exhibited in "Art Vivant 1965-1968" at the Fondation Maeght, Saint-Paul de Vence; and in "La Peinture en France," a traveling group show in North America (Washington, New York, Boston, Chicago, San Francisco, Montreal). Participated in "Prospect 68," the first exhibition of avant-garde galleries in the Düsseldorf Kunsthalle. Began series of large-scale paintings on the theme of bathroom fixtures (*Bidet*). Traveling exhibition throughout Europe (Hanover, Munich, Cologne, Brussels, Antwerp, Milan). Solo show at Studio Marconi, Milan.

1971/1975 First retrospective held at ARC (Musée d'art moderne de la Ville de Paris) entitled

With photographers John Flattau and Ralph Gibson, New York 1981. © *Claudine d'Hellemmes*

"Ensembles et accessoires," for which he installad a large environment around the theme of bathroom fittings and surgical instruments, made from such diverse materials as pipes, blinds, bidets, neon tubing. Retrospective at the Palais des Beaux-Arts, Brussels, which acquired *Femme bandée + Interrupteur*, 1968; and at the Wilhelm-Lehmbruck Museum, Duisberg. Solo show in Brussels. Emergence of several new motifs : isolated objects on neutral backgrounds (*Fauteil dentaire A* ; 1972); the idea of "enfermement" (imprisonment), depicted with metal gates and railings (*Rideau de fer/fond noir*, 1974); trucks, freight cars, tankers (*Camion*, 1972).

1976/1980 Participated in numerous group shows, including "Art Contemporain IV" and "Le temps des gares" at the Georges Pompidou Center, Paris; "Mythologies quotidiennes II" at ARC, Paris; and "11 German Painters" at the Kusthalle, Kiel, which purchased *Grand camion alu* (1977). Traveling retrospective entitled "Keep Out," organized by Wolfgang Becker, director of the Ludwig Collection, Aachen, traveled in Germany and Holland (Aachen, Utrecht, Lübeck, Berlin). First monograph on Klasen's work published, written by Pierre Tilman. Participated in "Forms of Realism Today" at the Museum of Contemporary Art, Montreal, with Baselitz, Richter, Vostell, etc. Solo show entitled "Espaces Clos" at Adrien Maeght gallery, Paris. Met his future wife, Claudine d'Hellemmes.

1981 First trip to New York. Second solo show at Adrian Maeght gallery, "Traces," of paintings based on an important series of photographs taken in the city.

1983/1985 Moved to a new working and living space in Vincennes, where he transformed a disused factory into a studio-laboratory, the perfect image of his pictorial world. Participated in several shows on Narrative Figuration. Group exhibition at the Kunsthalle, Recklinhausen, "Die Dinge des Menschen (man's objects)." Trip to Berlin, where he began his first series of photographs of the Wall.

1986/1990 Retrospective at the Kunstamt Wedding, Berlin, entitled "Arbeiten aus 25 Jahren." Began "The Berlin Wall Cycle," a series of 100 paintings completed before the wall came down in 1989. Most extensive retrospective to date organized in Aix-en-Provence in the context of *Présence contemporaine*, then at the Museum of Carcassonne. Double exhibition in Angers : "Sortie d'usine" and "Le Mur de Berlin." Created the last large Wall cycle painting onstage, accompanied by the jazz trio Humair, Kühn, Jenny-Clark. Solo show at FIAC.
November 1988, birth of his daughter, Sydney.
Double exhibition in Paris : "Histoire de lieux ordinaires", at Louis Carré & Cie gallery (paintings), and Fanny Guillon-Lafaille gallery (works on paper). Exhibition "The Berlin Wall'" in Los Angeles. Second home and studio built in the south of France.

1991/1997 First solo show in Tokyo. Met Hollywood film director Samuel Fuller and, inspired by his masterpiece Shock Corridor, created a 100-square-meter installation/environment entitled *Shock Corridor/Dead End*, shown at the 1991 FIAC : "My intention was to point up, with this imaginary

Peter Klasen, Claudine and the photographer Benjamin Katz, Köln 1983.

trip linked directly to my pictorial and objectal universe, the threats looming over individual rights." Painted series of large-format works on the city for solo show "Exteriors," at Guy Pieters gallery, Knokke-le-Zoute.
April 1992, birth of his second daughter, Joy.
Created a series of fired-clay sculptures and encrusted objects at the Hans Spinner studio, Opio. Major installation, entitled *Public Works*, at the Cargo center, Marseille, incorporating neon lights into industrial worksite objects such as pipes, metal mesh, and cable reels.

1998/2000 Exhibition "Women of Letters/Iron Ladies," featuring painting-collages referring to international cinema. Created a series of works on the theme of the female body, images set behind metal mesh and metallic frames. This series marked the reappearance of the body in Klasen's work, following his 1997 series "Fragments" : large-scale paintings featuring partial images of women's bodies. Exhibition "Fragments of Life," including the "Beauty" series, and accompanied by an important monograph, *Impact Inspections* (1999), with text by Paul Virilio.

2002/2004 Development of such works as *Life is Beautiful* and *Elements of disaster*, inspired by thoughts on the fragility of human existence (in particular September 11). Evidence of his fascination for cinema returned, seen in the sharp look on the world expressed in *Guilty* or *Hantise*.

2005 Installation *Intensiv-Station*. His photographs (1970-2005), works fundamental to his paintings, exhibited for the first time in "Nowhere Anywhere," at the Maison Européenne de la Photographie, Paris (European House of Photography) on the initiative of Jean-Luc Monterosso; and simultaneously at Fine Art MB Gallery, Los Angeles.

Samuel Fuller and Peter Klasen in his studio, Vincennes 1991. © *Michel Giniès*

Biografie

1935 Peter Klasen wird am 18.August in Lübeck als Sproß einer hanseatischen Familie geboren. Er wird entscheidend vom Großvater, Händler und Sammler und vom seinem Onkel Karl Christian Klasen, einem Maler nordischer Landschaften und expressionistischer Portraits beeinflußt. Dort trifft der junge Klasen mit der Familie befreundete Künstler, die ihn in die Technik der Malerei einführen. Er liest die großen russischen Schriftsteller, daneben Freud, Kafka und Thomas Mann.

1956 Zulassung zur Hochschule für bildende Künste in Berlin, die im Nachkriegsdeutschland den Ruf der progressivsten Akademie genießt. Peter Klasen wird nachhaltig von der Persönlichkeit Hann Triers geprägt, von dessen offenem, liberalen Unterricht. Freundschaft mit Baselitz und dem Fotografen Benjamin Katz.

1959/1960 Peter Klasen erhält ein Förderstipendium des Kulturkreises im BDI. Erste Ausstellung seiner Arbeiten (ars viva). Nach vier intensiven Studienjahren verlässt er Berlin, lässt sich in Paris nieder. Frankreich wird ihm zur Wahlheimat. Beschäftigung mit Fotografie und Film (Besuch der Cinémathèque in der Rue d'Ulm) und erneut Auseinandersetzung mit dem Schrifttum zum Dadaismus. Duchamp, Schwitters und Marx Ernst faszinieren ihn. Erste noch halb-abstrakte Assemblagen monochrom weiß, grau oder schwarz. Im selben Jahr tauchen figurative Elemente und identifizierbare Gegenstände in seinen Bildern auf.

1961/1966 Erste Collage-Bilder mit narrativen Zügen. Verwendung von Kaufhausartikeln und illustrierten Ausrissen aus Boulevardzeitungen. Er wird zum herausragenden Künstler der *Figuration narrative* (*Nausée* 1961, *Fast Serve* 1963, *La Conscience du corps* 1964). Gruppenausstellung in der Pariser Galerie Mathias Fels *Images à cinq branches*. Beteiligung an der von Gérald Gassiot-Talabot besorgten Ausstellung *Mythologies quotidiennes* in Musée d'art moderne de la Ville de Paris. Ausstellung Peter Klasen/Gerhard Richter in der Münchner Galerie Friedrich. Es ist eine der ersten Ausstellungen in der BRD von Künstlern, die sich auf die soziale und politische Bildwelt einlassen. Erste Einzelausstellung in Paris, in der Galerie Mathias Fels, danach in Antwerpen.

1967/1970 Teilnahme an der 5. Biennale de Paris. Anlässlich der in München organisierten Ausstellung *Collage 67* wird Peter Klasen mit dem Franz-Roh-Preis ausgezeichnet. Der Künstler schreibt dazu: "Das Prinzip der Collage, das Ausschnitthafte, Zerstückelte, das unvermittelte Aufeinandertreffen verschiedenartiger Formfundstücke steht gleichnishaft da für die Komplexität unserer Gesellschaft, für ihre ungelösten Konflikte, die Schizophrenie ihrer politischen und sozialen Aktionen, jener Gesellschaft, in der Platz ist für die "Campagne Mondiale contre la Faim", Napalmbomben, Entwicklungshilfe und Rassendiskriminierung. Die Collage ist in ihrem Entwurft aggressiv, subversiv in ihrem fortwährenden Infragestellen der herrschenden Ordnung (deren Sprache sie benutzt), ein Versuch, die Realität in den Griff zu bekommen, ohne dabei unbedingt auf Lösungen zu stoßen. Ihr eigentliches Element ist das der permanenten Beunruhigung". Er stellt im Französischen Pavillon auf der Weltausstellung in Montréal aus. Einzelausstellung in Italien, im Studio Bellini, Mailand, bei Mathias Fels. Ausstellung *l'Art Vivant 1965-68* in der Fondation Maeght, Saint Paul-de-Vence. Wanderausstellung *La peinture en France* in Nordamerika (Washington, New York, Boston, Chicago, San Francisco und Montréal). Mathias Fels zeigt Arbeiten von Peter Klasen, auf der ersten Avantgarde-Galerien-Schau *Prospect 68* in der Kunsthalle Düsseldorf. Klasen ist mit einem großformatigen Bildensemble zum Hygiene-Thema *Bidet* vertreten, das auf die Ausstellung im Pariser ARC (1971) vorausweist. Beteiligung an der Großausstellung *Industrie und Technik in der deutschen Malerei* im Wilhelm-Lehmbruck Museum Duisburg. Ankauf einer Arbeit Peter Klasens durch das Museum. Europäische Wanderausstellung (Hannover, München, Brüssel, Antwerpen und Mailand) *Trois tendances dans l'art contemporain en France*.

1971/1975 Erste Retrospektive Peter Klasens im ARC (Musée d'art moderne de la Ville de Paris). Für *Ensembles et Accessoires* baut der Künstler ein großes Environment zum Thema Sanitäre Anlagen und Chirurgische Instrumente auf. Retrospektive im Palais des Beaux-Arts Brüssel. Ankauf von *Femme bandée + Interrupteurs* 1968 durch das Museum. Beteiligung an zwei wichtigen thematischen Ausstellungen. *Combattimento per un'immagine* (Turin) zeigt Künstler, die das fotografische Bild bzw. dessen Umsetzung in andere Techniken interessieren, in Recklinghausen (*Mit Kamera, Pinsel und Spritzpistole*) stellen Künstler aus, die mit der Fotografie oder Spritzpistole arbeiten. Retrospektive im Wilhelm-Lehmbruck-Museum Duisburg und Beteiligung an der Ausstellung *Regarder la réalité* im Boymans-van-Beuningen Museum, Rotterdam. Ankauf von *Camion* (1972) durch das Museum.

1976/1980 Beteiligung an mehreren Gruppenausstellungen, u.a. im Pariser Centre Georges Pompidou *Art contemporain IV* und *Le temps des Gares*, im Pariser ARC *Mythologies quotidiennes II*, in der Kunsthalle Kiel *11 deutsche Maler*. Ankauf von *Grand camion alu* (1977) durch die Kunsthalle. Wanderausstellung *Keep out* in der BRD und Holland (Aachen, Utrecht, Lübeck, Berlin) auf Initiative Wolfgang Beckers, des Direktors der Sammlung Ludwig, Aachen. Teilnahme an der Großausstellung *Forms of Realism Today* mit Baselitz, Richter, Vostell, u.a. im Musée d'art Contemporain, Montréal. Einzelausstellung in der Pariser Galerie Adrien Maeght *Peter Klasen, Espace Clos*. Lernt seine zukünftige Frau Claudine d'Hellemmes kennen.
1981 Aufenthalt in New York. Die 2.Einzelausstellung in der Pariser Galerie Adrien Maeght geht auf eine umfangreiche während der New York-Reise entstandene Fotoserie zurück, die sich mit dem Thema *Traces* (Spuren) befasst.

1983/1985 Nimmt teil an der Ausstellung *Electra*, Musée d'art moderne de la Ville de Paris, mit dem tableau-objet *Bidet* Hommage à Duchamp und *Danger haute tension II*. Peter Klasen richtet in Vincennes ein neues Wohn-Atelier ein. Eine leerstehende Fabrik wird zu einer Experimentier-Werkstatt umgestaltet, die einem Bild des Künstlers zu entsprechen scheint. Teilnahme an mehreren Veranstaltungen im Zusammenhang mit der *Figuration Narrative* sowie an der Gruppenausstellung *Die Dinge des Menschen* in der Kunsthalle Recklinghausen. Berlinreise, mit dem Ziel, eine erste Fotoserie zur Mauer zu erstellen.

1986/1990 Stellt seine ersten Untersuchungen zur Berliner Mauer in einem Foto-Collage-Malerei-Zyklus mit integrierten Objekten anlässlich seiner Retrospektive *Arbeiten aus 25 Jahren* in Kunstamt Wedding, Berlin aus. Ausstellung in Aix-en-Provence, im Rahmen der *Présence contemporaine*, *L'Oeuvre peint de 1960 à 1987*. Doppelausstellung in Angers: *Sortie d'usine* und *Le Mur de Berlin*. Der Künstler malt auf der Bühne das letzte monumentale Bild des Mauer-Zyklus, begleitet vom Jazztrio Humair, Kühn, Jenny-Clark. One man show auf der Fiac. November 1988 Geburt seiner Tochter Sydney. Die Editions Area präsentieren auf dem Pariser SAGA die ersten Bronzenplastiken des Künstlers. Doppelausstellung *Histoire de lieux ordinaires*. Die Galerie Louis Carré & Cie zeigt Acrylbilder, die Galerie Fanny Guillon-Lafaille Papierarbeiten. Präsentiert in Los Angeles den 1988 vollendeten Zyklus *Le Mur de Berlin*. Baut ein Haus und ein Atelier nach seinen Vorstellungen in Südfrankreich.

1991/1997 Erste Einzelausstellung in Tokyo in der Galerie Art Point. Klasen trifft mit dem amerikanischen Filmregisseur Samuel Fuller zusammen, um die Ausführung eines monumentalen Werkes zu erörtern, das von einem der Meisterwerke des amerikanischen Filmemachers inspiriert ist: Die 100 m2 große Installation *Shock Corridor* wird anlässlich der Fiac im Jahre 1991 in der Galerie Louis Carré & Cie gezeigt. Ausführung einer Serie großformatiger Arbeiten *Exteriors* in der Galerie Guy Pieters (Knokke le Zoute). April 1992 Geburt seiner zweiten Tochter Joy. Klasen zeigt in Cargo (Marseille) eine Installation mit dem Titel *Travaux Publics*. In dieser Arbeit integriert er Neonleuchten und Baumaterialien (Rohre, Gitter, Kabelrollen) sowie eine riesige, aus Spindtüren bestehende Assemblage.

1998/2000 Ausstellung *Femmes de Lettres/Iron Ladies*: Fotomontagen unter Gittern, metallgerahmt und von Neon beleuchtet. Diese Arbeiten markieren die Rückkehr der Repräsentation des Körpers ins Klasens Werk, die sich 1997 in den großformatigen Objektbildern der Reihe *Fragments* andeutete. Paul Virilio schreibt für Klasens umfangreiche Monografie einen bedeutenden Text *Erkundung der Endzeit*. Teilnahme an der wichtigen Ausstellung *Pop Art* im Centre Georges Pompidou.

2002/2004 Definiert seine Position zu den Attentaten des 11.Septembers und die Verwundbarkeit unserer Gesellschaft in zwei prägnanten Ausstellungen *Life is beautiful* und *Elements of Disaster*. Ausstellung *Private dreams*, eine Reflexion über das zeitgenössische Kino in der Galerie Strouk, Paris. Ankauf des Bildes *Femme-objet* 1967, durch das Centre Georges Pompidou, Paris.

2005 Präsentation der Werkgruppe *Intensiv-Station*, bestehend aus drei mixed-media Skulpturen sowie einer Serie rein fotografischer Arbeiten für die Galerie Raphael 12, Frankfurt. Ausstellung *Nowhere Anywhere* in der Maison Européenne de la Photographie (MEP) auf Initiative ihres Direktors Jean-Luc Monterosso, und anschließend in der MB Fine Art Gallery in Los Angeles.

Peter Klasen, Berlin 1985 © *Claudine d'Hellemmes*

Bibliographie

Peter Klasen et Claudine d'Hellemmes, New York 1981. © Claudine d'Hellemmes

1975 Alain Jouffroy, *Essai sur Peter Klasen,* Bruxelles, Editions Jacques Damase. Textes de Jean Dypréau, François Pluchart, Pierre Tilman, Gérald Gassiot-Talabot, Peter Gorsen, Wolfgang Becker, R.C. Kenedy, Claude Bouyeure.

Pierre Tilman, *Les machines divorcées de Peter Klasen,* Paris, Editions Art Forum.

1979 Pierre Tilman, *Peter Klasen,* Paris, Editions Galilée.

1982 *Peter Klasen,* Pollenza, Edizioni arte industria. Textes de Franck Venaille, Jean-Luc Chalumeau (entretien avec Peter Klasen), Jean Dypréau, Gilbert Lascault, Alain Jouffroy, Gérald Gassiot-Talabot, Peter Gorsen, R.C. Kenedy, Wouter Kotte, Pierre Tilman, François Pluchart, Olivier Kaeppelin, Wolfgang Becker, Marie-Luise Syring.

1983 Bernard Noël, *Peter Klasen,* Paris, Collection Autrement l'Art. Textes de Gérald Gassiot-Talabot et Gilbert Lascault.

1986 *Peter Klasen, Arbeiten aus 25 Jahren,* Berlin, Edition Kunstamt Wedding Berlin, Galerie Eva Poll und der AFAA. Textes de Inken Nowald, Gilbert Lascault, Peter Gorsen, Wolfgang Becker, Jens Christian Jensen, Marie-Luise Syring, Heinz Ohff.

Alin A. Avila, *P.K. 86,* Paris, collection Initiale N° 2. Aréa-Editeur.

1987 *Klasen, Rétrospective de l'œuvre peint de 1960 à 1987.* Aix-en-Provence. Editions Présence Contemporaine. Textes de Michel Butor, Gilbert Lascault, Carole Naggar. Ouvrage édité à l'occasionde l'exposition au Cloître Saint-Louis. Juillet-août 1987.

1988 *Peter Klasen.* Paris, Collection Initiale n°13. Aréa-Editeur. Textes de Gilbert Lascault, Alin A. Avila, Bernard Noël, Franck Venaille, Michel Butor, Gérald Gassiot-Talabot.

Klasen, Le Mur de Berlin, Angers, Présence de l'Art Contemporain en Anjou. Textes de Jean-Jacques Levêque et Alin A. Avila (ouvrage édité à l'occasion de la double exposition *Peter Klasen* à Angers, juin-juillet 1988. *Le Mur de Berlin,* Nouveau Théâtre d'Angers et *Sortie d'usine,* Transtec Machines Outils.

1989 Franck Venaille, *K.L.A.S.E.N. Opéra en trois actes et quinze scènes.* Paris, éditions Marval. Galerie Fanny Guillon -Laffaille. Textes de Gérald Gassiot-Talabot, Alain Jouffroy, Gilles Lipovetsky, Bernard Noël, Gilbert Lascault, Alin A. Avila, Henry Le Chénier, Marc Fonquernie, Jean-Luc Chalumeau, Luc Vézin.

Jean-Louis Ferrier ; *Klasen, Histoire de lieux ordinaires,* Paris, Editions Louis Carré & Cie.

1991 Michel Bohbot, *Klasen, peintures/collages 1985-1990.* Paris, Editions Enrico Navarra.

Pierre Bourgeade/Shakespeare. *Peter Klasen Oxidizing Agent. Tableaux. Objets choisis. 1960-1990.* Paris, Editions Enrico Navarra et Louis Carré & Cie.

Gilles Plazy, *Klasen devant le miroir de notre monde,* Malmö, Editions GKM.

La peinture de Klasen à la charnière de la vie, le Mur de Berlin. Textes de Francis Parent et Alin A. Avila. Orsay, Editions Laboratoire Pfizer.

1993 Alin A. Avila. *Klasen Œuvres 1961-1993.* Istres, Editions Centre d'Art contemporain.

Alain Jouffroy, *Klasen, EXPLOSIFS,* collection Mains et Merveilles, Paris, Editions de la Différence. 320 pages.

1994 Alain Macaire. *P.K. Parc Centre/La Défense.* La Garenne-Colombes, Editions Point Rouge Communication.

1995 *Peter Klasen,* préface de Jean-Luc Chalumeau. Edition Galerie Guy Bärtschi. Meinier. Suisse.

1997 *Peter Klasen. Œuvres 1961-1997.* Arras, Editions Noroît/Arras. Textes de Gérald Gassiot-Talabot, Franck Venaille, Catherine Millet, Alain Jouffroy, Gilles Lipovetszy, Pierre Tilman, Olivier Kaeppelin, Peter Klasen, Gilbert Lascault, Gérard Durozoi, Bernard Noël, Alin A. Avila, Jean-Louis Ferrier, Jean-Luc Chalumeau, Michel Butor, Alain Macaire.

1998 Pierre Bourgeade. *Peter Klasen. Musée de chair.* Collection Duo. Paris. Maeght Editeur.

Peter Klasen, *Parcours,* préface Lucien Schweitzer, texte de Francis Parent, *Klasen : une œuvre à la charnière du sens.* Editions Lucien Schweitzer. Mondorf-les-Bains. Luxembourg.

Peter Klasen, *Femmes de Lettres & Iron Ladies.* Edition Galerie Laurent Strouk. Paris.

1999 *Peter Klasen. L'image la ville,* Collection "L'art en écrit". Paris, Editions Janninck.

KLASEN - VIRILIO, Etudes d'impact, Texte de Paul Virilio, Editions Expressions Contemporaines, Angers. 400 pages.

2002 *Klasen. Figures d'un monde ordinaire. Œuvres 1960-2002.* Texte de Pascale Le Thorel-Daviot. Exposition Musée Paul-Valéry. Sète.

Peter Klasen, *High Tension.* Editions Arkadin. Paris.

Peter Klasen, *imPaKt,* œuvres 1972-2002, Exposition Fondation Vasarely. Aix-en-Provence.

2003 Peter Klasen, *Fragments,* Texte de Gérard Durozoi. Edition Galerie Guy Pieters. KnokkeHeist.

Peter Klasen, *Life is beautiful !* Préface de Jeanette Zwingenberger. Edition Galerie Ernst Hilger. Paris. Vienne.

2004 Peter Klasen *Private dreams,* Préface de Daniel Sibony. Edition Galerie Laurent Strouk. Paris.

2005 *Peter Klasen* Texte de Gilbert Lascault. Editions Ides et Calendes. CH. Neufchâtel.

I have a dream Peter Klasen, Préface de Martina Corgnati. Editions Galleria San Carlo et Galerie Raphaël, Milan.

Peter KLASEN : Texte de Bernard Vasseur. Collection Découvrons l'Art. Editions Cercle d'Art, Paris.

Peter Klasen devant Shock Corridor/dead end atelier de Vincennes 1991.© Claudine d'Hellemmes

Principales expositions personnelles

1964 Munich, galerie Friedrich.
1966 Paris, galerie Mathias Fels.
Anvers, galerie Ad Libitum.
1967 Milan, Studio Bellini.
1968 Paris, galerie Mathias Fels.
1969 Bruxelles, New Smith Gallery.
1970 Milan, Studio Marconi.
Cologne, galerie Klang.
1971 Paris, ARC, musée d'Art moderne de la Ville de Paris,
Peter Klasen, ensembles et accessoires, rétrospective.
1972 Paris, galerie Mathias Fels.
Munich, galerie Kerlikowsky und Kneiding.
Bruxelles, Palais des Beaux-Arts, *Peter Klasen, rétrospective.*
1973 Milan, Studio Santandrea.
1974 Liège, galerie Vega.
Duisburg, Wilhelm Lehmbruck-Musem *Peter Klasen : Ausschnitte aus der Wirklichkeit,* rétrospective.
1975 Paris, galerie Karl Flinker.
Bruxelles, Jacques Damase Gallery.
1976 Brescia, galleria San Michele.
Milan, Studio Santandrea.
1977 Toulouse, galerie Protée.
Saint-Paul de Vence, galerie Alexandre de la Salle.
Lille, galerie Jacqueline Storme.
1978 Nantes, galerie Convergence.
Grenoble, musée de Peinture et de Sculpture.
1979 Lübeck, Overbeck-Gesellschaft. Utrecht, Hedendaagse Kunst.
Aix-la-Chapelle, Neue Galerie-Sammlung Ludwig.
Berlin, galerie Poll
Peter Klasen, Keep out. Rétrospectives.
Paris, galerie de Larcos.
1980 Lille, galerie Jacqueline Storme, *Peter Klasen, gouaches, dessins récents.*
Brescia, galleria San Michele.
Paris, galerie Adrien Maeght, *Espaces Clos.*
1981 Grenoble, galerie Cupillard.
Nantes, galerie Convergence.
1982 Paris, galerie Adrien Maeght, *Traces.*
Tarbes, Centre Culturel Le Parvis, *Klasen, peintures récentes.*
1983 Barcelone, galerie Maeght. *Peter Klasen, peinture 1977-82.*
Montbéliard, Maison des Arts.
Paris, Fiac, galerie Adrien Maeght, *Gestes et Effacements*
Berlin, galerie Poll, *Peter Klasen, Neue Bilder.*
1984 Châteauroux, Espace des Cordeliers, *KLASEN, rétrospective.*
Orléans, Maison de la Culture.
Marseille, ARCA.
Annecy, Centre d'action culturelle.
Brême, galerie Birgit Waller.
Dunkerque, musée d'Art contemporain, *rétrospective.*
Lille, galerie Jacqueline Storme.
Tours, galerie d'Art contemporain.
1985 Saint-Paul-de-Vence, galerie Alexandre de la Salle,
Peter Klasen, œuvres 1980-85.
Nantes, galerie Convergence.
Bruxelles, galerie Le Miroir d'Encre.
Angoulême, Centre d'arts plastiques, *Klasen, œuvres 1965-1985.*
Trêves, galerie Palais Walderdorff.
1986 Anvers, galerie BBL.
Lyon, galerie de Bellecour.
Paris, galerie Loft.
Saint-Paul- de-Vence, galerie Alexandre de la Salle.
Paris, Fiac, galerie Mathias Fels, *Klasen, œuvres sur carton et collages.*
Malmö, galerie GKM.
Berlin, Kunstamt Wedding, *Peter Klasen, Arbeiten aus 25 Jahren.*
1987 Cholet, Hôtel de Ville, Angers, Nouveau Théâtre, PACA
Peter Klasen, œuvres de 1961 à 1987.
Aix-en-Provence, Cloître Saint-Louis, Présence Contemporaine,
Peter Klasen, rétrospective de l'œuvre peint 1960 à 1987.
Carcassonne, musée des Beaux-Arts, *rétrospective.*
1988 Clermont-Ferrand, galerie Gastaud, *oeuvres récentes.*
Chamalières, galerie d'Art contemporain, *rétrospective.*
Lille, galerie Jacqueline Storme.
Angers, PACA, *Le Mur de Berlin, Sortie d'Usine.*
Paris, Fiac, galerie GKM, Malmö.
New York, Maximilian Gallery.
1989 Paris, galerie Louis Carré & Cie,
Peter Klasen, Histoire de lieux ordinaires, peintures.
Paris, galerie Fanny Guillon-Laffaille,
Peter Klasen, Histoire de lieux ordinaires, œuvres sur papier.
1990 Los Angeles, Mayer-Schwarz Gallery, *The Berlin Wall Cycle and Recent Paintings.*
Lyon, galerie de Bellecour, *Les années 60.*
Bruxelles, galerie Le Miroir d'Encre, *City Lights.*
1991 Tokyo, Art Point Gallery.
Malmö, galerie GKM, *Klasen devant le miroir de notre monde.*
Saint-Paul-de-Vence, galerie Alexandre de la Salle.
Paris, Fiac 91, galerie louis Carré & Cie, *Shock Corridor/dead end.*
1992 Knokke-le-Zoute, Guy Pieters Gallery, *Exteriors 1991-1992.*
1993 Istres, Centre d'Art contemporain, *Peter Klasen, œuvres 1961-1993.*
Saint-Etienne-du-Rouray, Union des Arts plastiques.
1994 Lille, galerie Jacqueline Storme.
Oslo, Centre Culturel Français.
Oslo, galerie Faberborg Kirke, *Le Mur de Berlin.*
Gordes, galerie Pascal Lainé.
Paris, Hall. Palais des Congrès.
Clermont-Ferrand, galerie Gastaud.
Ile de la Réunion, galerie Vincent.
Toulon, Espace PEREISC.
1995 Genève, galerie Guy Bärtschi.
La Seyne-sur-mer, Villa Tamaris, *Le Temps et la Ville.*
1996 Paris, galerie MC, *Zone contrôlée/Accès réglementé.*
1997 Arras, Centre Culturel Noroît. *Peter Klasen, Œuvres 1961-1997.*
Malmö, galerie GKM.
Stockholm, Selart Konsthandel.
Cologny, Suisse, Le Manoir, *Peintures et Sculptures, œuvres récentes.*
Beauvais, Conseil Général de l'Oise.
Sigean, galerie du Château, *Lectures.*
Marseille, Cargo, *Travaux Publics.*
1998 Luxembourg, galerie Schweitzer, *Parcours.*
Paris, galerie Laurent Strouk, *Femmes de Lettres/Iron Ladies.*
Cologne, Art Cologne, galerie Boisserée, *one-man-show.*
1999 Cherbourg, Centre culturel et Artothèque, *rétrospective.*
Lisbonne, galerie Antonio Prates.
Arcueil, Friche industrielle, *Pièces d'identité, œuvres 1959-1999.*
2000 Genève, galerie Charlotte Moser
Paris, galerie Laurent Strouk, *Fragments of Life.*
Saumur, Centre d'art contemporain Bouvet-Ladubay
Charleville-Mézières, musée Rimbaud et musée de l'Ardenne.
Sérignan, espace Gustave-Fayet, *Le public et l'intime,*
Toulouse, Espace Ecureuil, *rétrospective 1959-1999.*
Emsdetten, RFA. Emsdettener Kunstverein.
2001 Bourges, Maison de la Culture.
2002 Sète, musée Paul-Valéry, *Figures d'un monde ordinaire.*
Aix-en-Provence, Fondation Vasarely, *ImPaKt.*
2003 Lille, galerie Frédéric Storme, *Electric bodies*
Saint Paul, galerie Guy Pieters, *Fragments.*
Paris, galerie Hilger, *Life is beautiful !*
Francfort, galerie Raphaël, *Elements of disaster.*
Wien, galerie Hilger, *Life is beautiful.*
Knokke-le-Zout, Guy Pieters Gallery, *Fragments.*
Luxembourg, galerie Lucien Schweitzer, *Corps à Corps.*
Toulouse, Le Garage, *Underground*
2004 Kiev, Musée National des Beaux-Arts d'Ukraine,
Erro, Klasen, Monory, *Boulgakov ou l'Eprit de Liberté.*
Paris, galerie Laurent Strouk, *Private dreams.*
Munich, galerie Terminus, *Schnittstellen.*
Montpellier, galerie Franch Font, *Paranoïa.*
San Tierso, Portugal, *Sculpture monumentale.*
Hambourg, galerie Thomas Levy.
Monaco, Portrait de la Princesse Stéphanie, Présidente de l'Association "Femmes Face au Sida".
2005 Milan, galerie San Carlo.
Francfort/Main, galerie Raphaël 12. *Intensiv Station.*
Barcelone, galeria DART, Espace Cultural Ample.
Paris, Maison Européenne de la Photo (MEP). *Nowhere Anywhere.* Photographies 1970-1990
Lisbonne, Galeria Antonio Prates.
Los Angeles, MB FINE ART.
Lisbonne, Fondation Antonio Prates, Sculpture monumentale.
Malmö, galerie GKM.

Confrontations

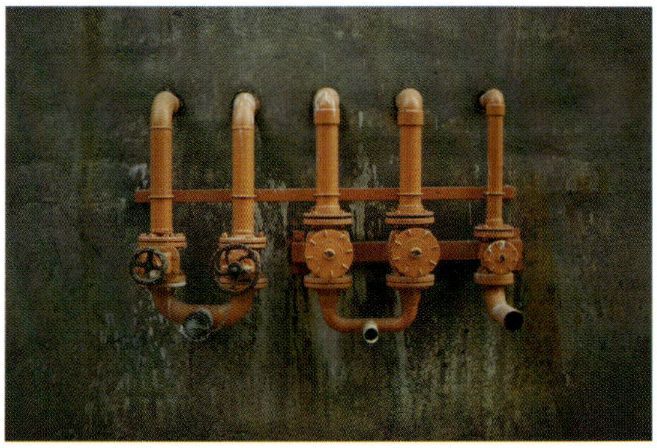

Vannes sur fond noir, 1978
Acrylique sur toile
260 x 180 cm

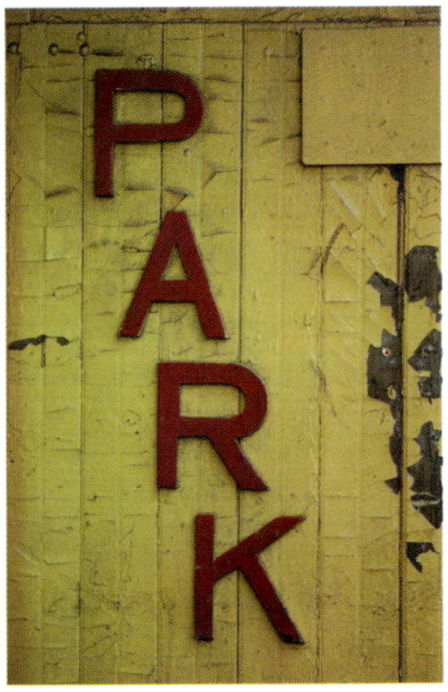
PARK

PARK, 1988
Acrylique, objets et néon sur toile
260 x 210 cm

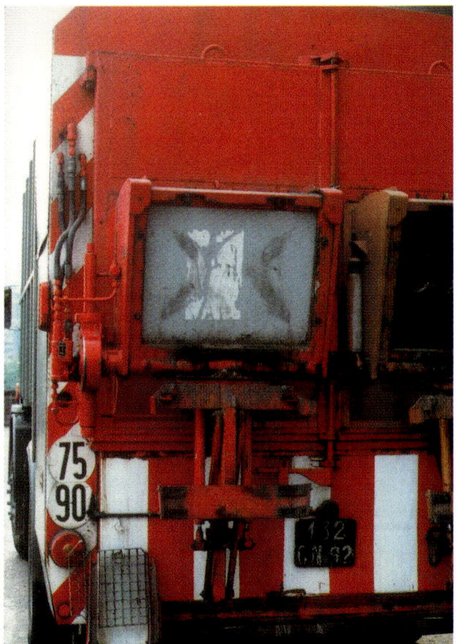
75
90

Camion Sita rouge/blanc avec effacements, 1983
Acrylique sur toile
200 x 160 cm

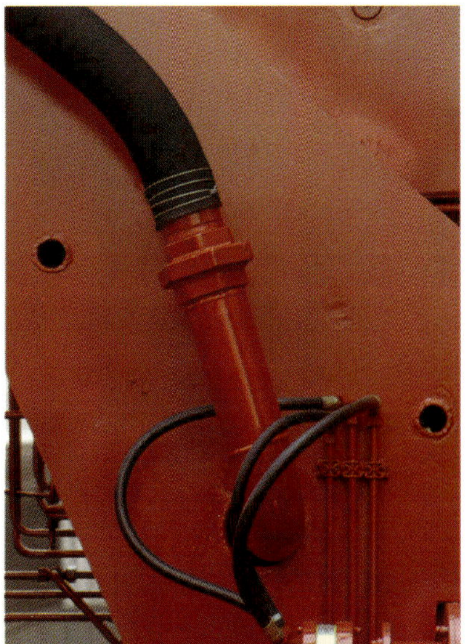

Camion Sita rouge/détail GX, 1978
Acrylique sur toile
130 x 97 cm

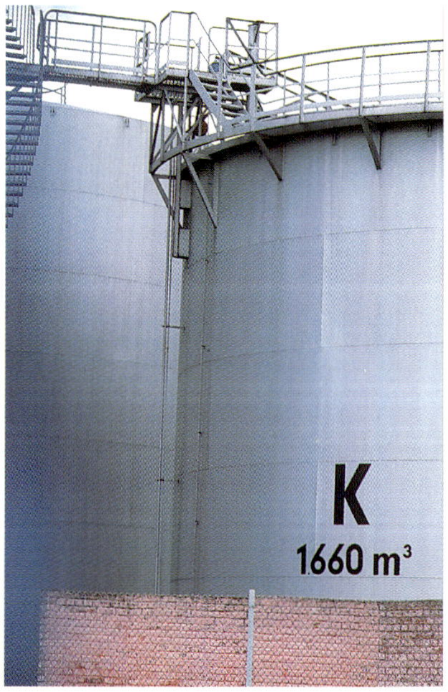
K
1660 m³

Réservoirs, 1980
Acrylique sur toile
260 x 200 cm
Musée d'art moderne de la Ville de Paris

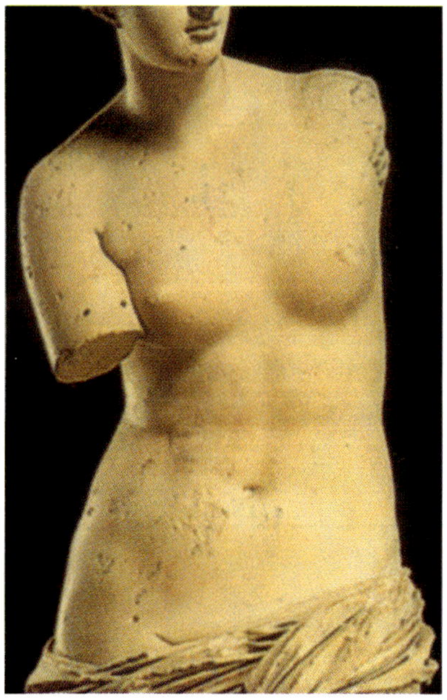

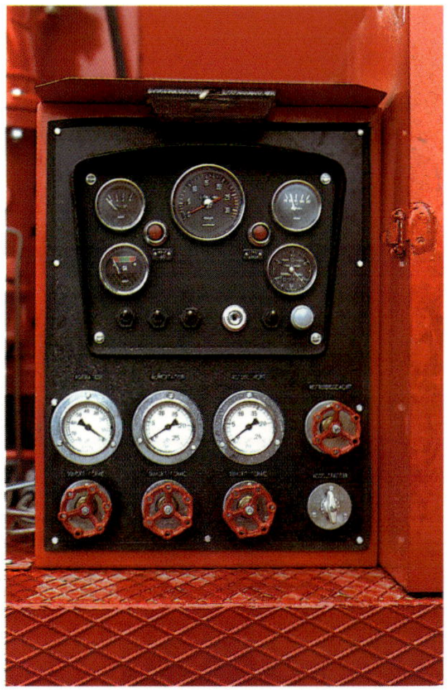

Vénus mécanique, 1978
Acrylique sur toile
116x89 cm

Peter Klasen. Site industriel, Dunkerque 1990. © *Claudine d'Hellemmes*

Nos vifs remerciements à tous ceux qui ont permis la réalisation du présent ouvrage :

Claudine d'Hellemmes/*Conception*

Laurie Hurwtiz/*Traduction Anglaise*

Philippe-Charles Ageon/*Coordination*

Daniel Decrauze/*Imprimerie Graph 2000*

Alain Junguené/*e.maginère - PAO*

Philippe Monsel/*Editions Cercle d'Art*

Jean-Luc Monterosso/*La Maison Européenne de la Photographie, Paris*

Daniel Sibony/*Psychanalyste/Ecrivain*

Bernd Wilczek et Elise Eckermann/*Traduction Allemande*

Central Color/*Laboratoire photographique*

Rainbow Color/*Laboratoire photographique*

et pour le partenariat de :

La Maison Européenne de la Photographie, Paris

Galerie GKM, Malmö

Galerie Laurent Strouk, Paris

Galerie MB Fine Art, Los Angeles

Kunsthalle, Lübeck

Galerie Raphael 12, Francfort

La Villa Tamaris centre d'art
et la Communauté d'Agglomération Toulon Provence Méditerranée

> Hubert Falco
> *Ancien Ministre*
> *Président de la Communauté d'Agglomération Toulon Provence Méditerranée*
>
> Arthur Paecht
> *Ancien Vice-Président de l'Assemblée Nationale*
> *Maire de la Seyne-sur-Mer*
> *Premier Vice-Président de la Communauté d'Agglomération Toulon Provence Méditerranée*
>
> Robert Bonaccorsi
> *Directeur*

Index

page			
	3	Port de Barcelone	1983
	4	P.K. Usine Citroën Saint Denis © *Michel Ginies*	1990
	5	Camion détail IMPORT	1975
	6	P.K. Dunkerque © *Claudine d'Hellemmes*	1990
	7	Dunkerque	1990
	9	2 citernes/bleu	1980
	11	Verrou blanc W.H	1975
	13	Tableau de bord/Camion Sapeurs Pompiers	1974
	17	Treuil de levage/rouge	1981
	19	Pompe d'incendie/cuves	1979
	20	Système hydraulique/jaune	1973
	32	Sprinkler Alarm, New York	1981
	34	Volant citerne/gris	1979
	35	5 vannes/orange	1975
	36	Container bleu avec effacements/Marseille	1983
	37	Cordage noir/blanc, wagon SNCF	1983
	38	Camion Sapeurs Pompiers/détail Nitrolac	1992
	39	Stand Pipe N° 1, New York	1981
	40	Camion Détail rouge	1974
	41	Camion Sapeurs Pompiers/4 leviers	1974
	42	Camion Citerne/blanc	1974
	43	Camion Benne/blanc	1974
	44	Volant orange	1982
	45	Fermeture jauge hydraulique/orange	1982
	46	Façade usine Aération/blanc-bleu	1990
	47	Porte métal/graffitis	1990
	48	Cuve M 4520 m^3	1979
	49	Cuve RB.3	1979
	50	Conduites d'extraction	1981
	51	Gazomètres/blanc	1979
	52	Cadenas et poignée/fond vert	1981
	53	Camion bâché rouge	1983
	54	Manomètre citerne FA25	1988
	55	Porte Wagon SNCF/24 bleu	1976
	56	Camion de Chantier/1	1991
	57	Camion de Chantier/2	1991
	58	Camion de Chantier/3	1991
	59	Système hydraulique/Bétonneuse	1991
	60	Camion bâché bleu/sangle	1978
	62	Camion métal gris/vert bâche orange	1978
	64	Signalisation SNCF	1972
	66	Tampon Wagon SNCF	1974
	68	Poignée SNCF	1983
	69	Wagon SNCF	1974
	70	Manettes SNCF/tableau noir	1973
	71	Wagon marchandises 18 t	1973
	72	verrou SNCF gris	1974
	74	Volant jaune/produit inflammable	1974
	75	Essieu Suspension SNCF	1975
	76	Wagon SNCF/3	1975
	78	Wagon RIV-EUROP-SNCF	1975
	79	Verrou Wagon	1975
	80	Wagon Marchandises SNCF	1977
	81	Wagon SNCF STEF	1977
	82	Châssis Wagon Chemin de Fer	1983
	83	Vanne bleue/usine Dunkerque	1983
	84	Frein isolé SNCF	1975
	86	Suspension TGV/2.56 m	1974
	88	Wagon SNCF brun/650 kg	1976
	89	Colonnes sèches d'incendie	1977
	90	Système Frein SNCF	1975
	91	Verrou Container rouge/blanc	1974
	92	Verrou bleu/fond bleu-blanc	1974
	93	Bétonneuse détail	1990
	94	Cordage noir/blanc	1992
	95	Sortie de Voitures	1977
	96	Téléphone	1978
	97	Tuyaux/Volant rouge	1979
	98	Fenêtre Usine	1979
	99	Palissades de Chantier	1976
	100	Tuyaux de descente/tuyau noir	1983
	101	Container vert/SNC	1983
	102	Porte blindée X	1980
	103	4 verrous Container bleu/vert	1975
	104	Cuves RA.5/7 vannes	1979
	105	Camion Citerne gris	1977
	106	Echelle Chaîne/détail	1975

page			
	107	Soufflerie	1977
	108	Raffinerie Dunkerque N° 1	1983
	109	Raffinerie Dunkerque N° 2	1983
	110	Manomètre/poignée rouge	1982
	111	Centrale électrique/isolateurs	1983
	112	Hangard/Echelle et 12 crochets	1981
	114	Rappel 60	1979
	116	Aciérie	1977
	118	Pilier Pont Roulant jaune/gris	1983
	119	PARK	1981
	120	Crochet Wagon jaune Y 2420	1985
	121	Poulie grue jaune/détail	1983
	122	Double Standpipe/bleu NY	1981
	123	Engin de chantier/bleu	1985
	124	Camion jaune	1974
	125	Camion bâché jaune K311	1974
	126	Ancre de grue/rouge-blanc	1983
	127	Fil électrique/tôle rouge	1981
	128	Volant rouge fond blanc	2000
	129	Deux vannes, camion d'assainissement	2003
	130	Manomètre	1980
	131	Volant jaune/6 rayons	1980
	132	Doubles Interrupteurs/rouge-noir	1975
	133	Grande porte blindée/bleu	1985
	134	Cuve B333/bleu	1986
	135	Filature Roubaix	1980
	136	Tuyaux floqués/blanc	1982
	137	Tuyaux et bâches plastique/blanc	1982
	138	Volant/tuyaux et thermomètres	1982
	139	Tuyaux et grille	1982

Electric Bodies

	142	Néon flamme/Body	2005
	143	Néon bleu Flèche/Body	2005
	144	Grille carrée/Body	2005
	145	Grille carrée/Flèche/Body	2005
	146	Tensiomètre/Néon losange/Body	2005
	147	Manomètre/Néon flamme/Body	2005
	148	T R A U M	2005
	150	Empaquetage/Body/Flèche bleue	2005
	151	Tsunami N° 1/Sydney	2005

	153	P.K Usine produits chimiques	1982

Confrontations

	163	Vannes sur fond noir Acrylique sur toile 260 x 180 cm	1978
	165	PARK Acrylique, objets et néon sur toile 260 x 210 cm	1988
	167	Camion Sita rouge/blanc avec effacements Acrylique sur toile 200 x 160 cm	1983
	169	Camion Sita rouge/détail GX Acrylique sur toile 130 x 97 cm	1978
	171	Réservoirs Acrylique sur toile 260 x 200 cm Musée d'art moderne de la Ville de Paris	1980
	173	Vénus mécanique Acrylique sur toile 116x89 cm	1978

175

Réalisation
Conception artistique : Claudine d'Hellemmes
Conception graphique : e.maginère
Impression : Graph 2000 - 61203 Argentan
Dépôt légal : septembre 2005

© 2005 Peter Klasen, pour la production
© 2005 Editions Cercle d'Art, pour la diffusion
© 2005 Adagp Paris, pour les œuvres de Peter Klasen reproduites

ISBN : 2-7022-0795-2